Vous rêv[...]
d'un prix litté[...]?

C'est l'aventure qu[...]e
Prix du Meilleur Polar des lecteurs de POINTS !

De janvier à octobre 2015,
un jury composé de 40 lecteurs et de 20 professionnels,
sous la présidence de l'écrivain **Caryl Férey**,
recevra à domicile 9 romans policiers, thrillers
et romans noirs récemment publiés
par les éditions Points et votera pour élire
le meilleur d'entre eux.

Pour rejoindre le jury, recevoir les titres sélectionnés
directement dans votre boîte aux lettres et élire le lauréat,
n'attendez plus ! Vous avez jusqu'au 10 mars 2015
pour déposer votre candidature sur
www.prixdumeilleurpolar.com

Thomas H. Cook, né en 1947, a publié son premier roman alors qu'il était bachelier dans une petite ville du Sud des États-Unis et n'a cessé de publier depuis lors. Il a aussi été professeur d'histoire et secrétaire de rédaction au magazine *Atlanta*. Avec une dizaine de titres dans la collection « Série noire » de Gallimard et vingt-cinq romans parus aux États-Unis, Thomas H. Cook est un auteur reconnu, salué par la presse sur les deux continents. Il a reçu l'Edgar Award en 1996 pour *Au lieu-dit Noir-Étang* et le Barry Award en 2008 pour *Les Feuilles mortes*.

Thomas H. Cook

L'ÉTRANGE DESTIN DE KATHERINE CARR

ROMAN

Traduit de l'anglais (États-Unis)
par Philippe Loubat-Delranc

Éditions du Seuil

TEXTE INTÉGRAL

TITRE ORIGINAL
The Fate of Katherine Carr
ÉDITEUR ORIGINAL
Houghton Mifflin Harcourt Publishing, Floride, États-Unis
© Thomas H. Cook, 2009

ISBN 978-2-7578-4993-4
(ISBN 978-2-02-103017-4, 1ʳᵉ édition)

© Éditions du Seuil, 2013, pour la traduction française

*Pour Susan M. Terner, sans qui, assurément,
ce roman n'aurait pas vu le jour.*

Tout dans la nature est art inconnu;
Tout hasard, sens indiscernable;
Toute discordance, harmonie incomprise,
Tout mal particulier, bien universel.

ALEXANDER POPE, *Essai sur l'Homme*

PREMIÈRE PARTIE

C'est avec la chaleur qu'ils attaquent, disait-elle, alors on n'en réchappe pas. Si le mal, c'était aussi cela : une chaleur qui monte des plus malfaisants d'entre nous, dont la menace tournoie comme un faucon au-dessus de nos têtes, toujours là, mais qu'on ne voit pas fondre sur soi ? Peut-être que, de ces spéculations, seul le point d'interrogation se justifie en ce qu'il ouvre la possibilité d'un étrange et ténébreux espoir.

La chaleur, elle, en tout cas, est bien réelle, et celle qui, à présent, fait miroiter l'air autour de moi provient de la lumière croissante, des eaux vertes et turgides du fleuve, de la jungle épaisse, de…

– Encore en train de lire ! s'exclame M. Mayawati en s'avançant sur le pont.

Cet homme corpulent se déplace très lentement, son odeur tient d'un mélange de transpiration et de curry.

– J'ai remarqué que vous étiez toujours plongé dans la lecture.

– Oui, dis-je en refermant mon livre.

M. Mayawati a un teint de confit trop cuit. Il porte une chemise en lin blanche déjà maculée de transpiration sous les aisselles et un large pantalon de flanelle.

– J'espère que je ne vous dérange pas, s'excuse-t-il en s'arrêtant devant le transat à côté du mien.

– Pas du tout.

M. Mayawati empoigne le devant de sa chemise et l'agite contre sa poitrine.

– Si chaud, si tôt, par ici, soupire-t-il.

Je lui explique que cette chaleur ne vient pas d'en haut, du soleil, mais d'en bas, de la terre, qu'elle s'élève par vagues depuis le noyau en fusion de notre planète.

Cette remarque semble le laisser perplexe, si bien qu'il s'empresse de changer de conversation.

– Qu'est-ce qui vous attire aussi loin en amont du fleuve ? demande-t-il d'un air indifférent.

– Ce qu'il me reste à voir.

M. Mayawati se met à rire, et dans son rire, je perçois le charme avunculaire qui est sûrement l'outil le plus efficace de ce démarcheur de lui-même. Comment refuser d'aller là où il veut, d'accepter ce qu'il propose, d'acheter ce qu'il vend ?

– Et vous ?

– Les circonstances ont fait de moi un déraciné, répond-il en hochant tristement la tête.

Avec un gémissement d'obèse, il s'affale dans le transat et joint les mains sur le gros renflement de son ventre.

– Mais je suis né à Amritsar.

– Le lieu du massacre.

M. Mayawati ne dissimule pas sa surprise que j'aie entendu parler de sa lointaine ville natale, de son histoire, de la tuerie qui y eut lieu.

– Ah, mais cette plaie a été vengée, n'est-ce pas ?

14

réplique-t-il, tout sourire. O'Dwyer[1], c'était bien son nom ? Le Britannique qui trouvait tout à fait légitime de massacrer des Indiens ?

Son sourire s'élargit.

– Tué par balle à Londres quelques années plus tard, si je ne m'abuse ?

– C'est exact, oui.

– Vengeance tardive n'en est que plus douce, murmure M. Mayawati d'un air satisfait.

Il rit.

– Ça fait plaisir, tout de même, qu'un être mauvais ne reste pas impuni pour son crime.

J'acquiesce d'un mouvement de tête, et renchéris :

– Très plaisir.

Le sourire que je lui adresse me donne la sensation de présenter un faux document.

– Les circonstances ont fait de vous un déraciné, disiez-vous ?

M. Mayawati exhale un profond soupir et porte un regard scrutateur sur l'épaisseur de la jungle.

– Oui, répond-il d'un air contrit. Dans mon pays, je suis un paria.

Il ajoute que cet humble statut a fait de lui un vagabond, si bien qu'il parcourt le monde en quête d'un havre de paix.

– Je souhaite seulement vivre paisiblement, souligne-t-il. Est-ce trop demander ?

Comme je ne réagis pas, il jette un coup d'œil au livre que je tiens dans ma main.

– À mon grand regret, je lis très peu.

---

1. Sir Michael O'Dwyer fut gouverneur du Pendjab de 1913 à 1919. (Toutes les notes sont du traducteur.)

Il croit que je ne l'ai pas entendu, que sa voix s'est perdue dans le bruit de ferraille du vieux moteur du bateau, aussi se met-il à parler plus fort pour retenir mon attention.

– Je vois que vous comprenez l'espagnol.

– Oui.

– Votre livre, puis-je savoir de quoi il parle ?

– D'un homme qui a disparu à Juarez.

– Un haut fonctionnaire ? demande M. Mayawati.

– Non, un homme qui avait tué plusieurs enfants. On a retrouvé chez lui certains de leurs vêtements couverts de sang.

– Mais l'homme, lui, a disparu ?

– Sans laisser de trace.

M. Mayawati agite la main pour mieux repousser cette idée.

– Personne ne disparaît sans laisser de trace, affirme-t-il.

Son transat laisse échapper comme un petit cri d'enfant au moment où il change de position.

– Je n'accorde aucun crédit à ces histoires, ajoute-t-il.

Je regarde par-delà le bastingage en bois brut du bateau, le fleuve, les vapeurs de brume qui montent de ses profondeurs boueuses.

M. Mayawati s'éponge le cou avec un mouchoir rouge. Son visage accuse les rondeurs d'un homme qui, depuis longtemps, n'est plus capable de maîtriser son féroce appétit.

– Je préfère celles qui se terminent bien, reprend-il avec un rire robuste.

Il ôte son chapeau et commence à s'éventer.

– Peut-être suis-je fait pour les récits destinés aux enfants.

Il rit de plus belle.

– Les contes de fées, ce genre-là.

– Il y a des histoires, c'est certain, qu'on aborde avec réticence, lui dis-je. Avec crainte.

Au-dessus du fleuve, les derniers lambeaux de brume se dissolvent dans la chaleur montante.

– Comme si l'on devait tendre la main pour toucher la substance d'un fantôme.

Le chapeau de M. Mayawati s'immobilise en l'air.

– La substance d'un fantôme, répète-t-il. Connaissez-vous une telle histoire ?

– Oui.

– De quelle histoire s'agit-il ?

– D'un mystère. D'un sombre mystère.

M. Mayawati expire profondément et jette un coup d'œil vers la jungle omniprésente.

– Le trajet est si long jusqu'à la station centrale, lance-t-il avec un sourire rayonnant, que cela vaut bien une histoire, non ?

– Je suppose.

Il sourit comme dans l'expectative d'une heureuse surprise, puis, sans inquiétude ni hésitation, me demande :

– Vous voulez bien me la raconter ?

– Mais oui, bien sûr.

Alors, comme l'araignée lance le premier fil délicat de sa toile, je m'embarque dans mon récit.

1

Je tenais cette histoire d'Arlo McBride, un homme qui, dans ses yeux bleu pâle, avait comme une étrange fêlure.

– Jc suis vraiment désolé de ce qui est arrivé à votre petit garçon, murmura-t-il.

Il parlait de mon fils Teddy, disparu sept ans plus tôt, qui, en l'occurrence, aurait eu quinze ans le lendemain.

– Et moi donc, répondis-je d'un ton sec.

Après sa disparition, il y avait eu les habituelles battues organisées par des volontaires, des gens qui avançaient résolument à travers bois, écartant les roseaux et les buissons, regardant dans les collecteurs d'eaux pluviales. C'étaient des inconnus, pour la plupart, des anonymes, ces enquêteurs du dimanche, si bien qu'en les voyant, j'avais entraperçu l'éclat lumineux de l'*agapè*, cet amour du prochain sans lequel, disaient les Grecs anciens, on ne trouvait pas son équilibre de vie. Cette étincelle s'était éteinte à la triste fin de leurs efforts, et depuis lors, j'étais resté reclus dans mon petit terrier intérieur, les jours de ma vie se succédant presque sans heurt, comme des battements de cœur qui ne cesseraient de faiblir.

– Il s'appelait Teddy, c'est ça ? reprit Arlo.

– Oui, soufflai-je. Teddy.

Son corps se trouvait à des kilomètres de là au moment où on abandonna les recherches, où on renonça à poursuivre les efforts. Il était lesté de pierres et avait sombré dans les fonds boueux d'une rivière où il devint la proie de l'indifférence ordinaire de la nature, du pourrissement dû aux bactéries, de la gloutonnerie des poissons. Quand il finit par être découvert par un vieux pêcheur à la ligne, il ne présentait plus ni aucun trait réellement identifiable ni aucun moyen de déterminer combien de temps mon petit garçon était resté prisonnier de l'homme qui l'avait enlevé, ou ce que cet homme lui avait fait subir pendant ces moments qu'ils avaient passés ensemble.

– Je suis sûr que c'était un gamin formidable, déclara Arlo.

C'était tout Teddy : un enfant gentil, adorable, nullement une consolation de la perte de l'épouse morte en couches, mais une bénédiction à lui seul. Pendant la période qui avait suivi sa mort, vivre à Winthrop m'avait fait l'effet d'être enfermé dans un cercueil. Il y avait partout des lieux qui me le rappelaient : son glacier préféré, le parc de la ville où il allait jouer, le petit tronçon de Jefferson Street que nous empruntions souvent, le soir, en général en revenant du terrain de sport où nous nous lancions des Frisbee. Mildred, l'institutrice à la retraite qui habitait à côté de chez nous et gardait souvent Teddy les soirs où je restais tard au journal, m'avait suggéré de déménager de Winthrop, voire de retourner à New York, mais je ne voulais pas démordre de ma résolution de rester dans la ville où j'avais fini par me sentir chez moi, fût-ce brièvement, avec ma femme et mon fils.

« Ce n'est pas moi qui ai enlevé et assassiné un garçon de huit ans, avais-je rétorqué. C'est cet homme qu'on devrait pourchasser jusqu'aux confins de la Terre. »

Il n'avait pas échappé à Mildred que je serrais les poings en lui disant cela.

« Mais ce ne sera pas le cas, George, avait-elle répondu. C'est sur toi que les chiens sont lâchés. »

Ils étaient enragés, ce soir-là, et leurs grondements faisaient vibrer l'air autour de moi, assis à ma place habituelle au fond de la salle du O'Shea's Bar, me remémorant Teddy, la lente brûlure de sa vie envolée consumant toujours la mienne.

– C'est terrible, murmura Arlo, dont les petits cercles bleus, coins de ciel craquelé, s'étaient embués.

Je bus une gorgée de scotch et lançai un regard vers le devant de la salle où les habituels traînards des fins de soirée occupaient immuablement les mêmes places, en majorité des hommes dont n'importe lequel aurait pu tuer mon petit garçon.

– Ouais, dis-je en haussant les épaules comme on le fait face à une triste et insupportable vérité. C'est terrible.

– D'autant qu'on ne s'en remet jamais complètement, ajouta Arlo.

Soudain, je le reconnus. Il avait participé aux battues organisées pour retrouver mon fils.

– Vous travailliez pour la police de l'État.

Il acquiesça.

– Aux Personnes disparues, précisa-t-il. Je suis à la retraite.

Il me tendit la main.

– Arlo McBride.

Je lui donnais dans les soixante-dix ans, mais il émanait de sa personne une énergie juvénile, l'impression d'avoir devant soi un morceau de charbon toujours incandescent.

– Que fait donc un policier une fois à la retraite ? demandai-je pour la forme.

– Je lis, principalement, répondit Arlo. D'ailleurs, j'ai dévoré votre livre.

Il parut légèrement embarrassé.

– Le titre m'échappe…, bafouilla-t-il.

– *Dans les limbes*.

C'était mon seul et unique livre, écrit avant que Celeste et Teddy ne me détournent de la vie de vagabond d'un auteur de récits de voyages.

– J'aime beaucoup le passage sur la petite ville italienne, poursuivit Arlo. Celle où un roi barbare est mort.

Il parlait d'Alaric, le chef wisigoth dont les troupes avaient mis Rome à sac.

– Vous pensez que c'est vrai ? s'enquit Arlo. La façon dont on l'aurait enterré ?

À la mort d'Alaric à Cosenza, la rivière Busento aurait été détournée, Alaric enterré sous son lit asséché, puis la rivière aurait recouvré son cours, labeur colossal réalisé par des esclaves qui, ensuite, auraient été massacrés afin que nul ne puisse jamais révéler où Alaric reposait.

– Je ne sais pas, répondis-je. En tout cas, ça justifie que cette ville figure en bonne place dans les guides touristiques.

Arlo jeta distraitement un coup d'œil à la pendule murale, en homme qui n'avait plus de rendez-vous à honorer.

– Voilà, je tenais seulement à vous dire combien j'étais désolé de ce qui est arrivé à votre fils.

Je me remémorai cet homme, tel qu'il m'était apparu sept ans plus tôt, la silhouette robuste, les cheveux blancs coupés en brosse dans le style militaire, rasé de près, le teint vermeil des gens qui vivent au grand air, ce que j'avais trouvé en totale contradiction avec sa profession sédentaire. À présent, je percevais autre chose chez lui : une curieuse intensité qui m'attirait, sans doute la raison qui m'incita à vouloir poursuivre cette conversation ce soir-là, à moins que ce ne soit le fait qu'il était lié à Teddy, mon garçon assassiné, dont j'avais peut-être envie de fêter un nouvel anniversaire de la vie qu'il n'avait pas vécue.

– Aux Personnes disparues ? repris-je. Ce travail vous plaisait ?

La voix d'Arlo prit soudain des inflexions que je ne pus tout à fait déchiffrer : à la fois solennelles et mélancoliques, la nostalgie des zones d'ombre.

– C'est un bien curieux mystère, une personne disparue, murmura-t-il. Jusqu'à ce qu'on la retrouve, évidemment.

Le souvenir de ce que j'avais identifié comme étant bien Teddy s'enflamma en moi. Je l'éteignis avec une gorgée de scotch.

– Vous ne devez pas manquer d'histoires intéressantes à raconter, avançai-je.

Arlo le confirma d'un mouvement de tête affirmatif.

– Y en a-t-il une qui sort du lot ?

– Oui, il y en a une.

Arlo perçut sans doute que ma triste solitude n'était pas impénétrable, car il se glissa sur la banquette du box et s'assit en face de moi.

– Elle s'appelait Katherine Carr.

– Une petite fille ?

– Non, une femme, répondit Arlo.

Il parut voir cette femme disparue prendre forme sous ses yeux, puis, comme toute apparition de ce genre, s'évanouir peu à peu.

– Trente et un ans. Elle habitait Gilmore Street, entre Cantibell Street et Pine Street. Aperçue pour la dernière fois aux alentours de minuit. Devant la petite grotte au bord de la rivière. C'est un chauffeur de bus qui l'a vue là-bas.

– Très mélodramatique, remarquai-je. C'était quand ?

– Le 24 avril 1987.

Je n'avais aucun mal à imaginer les recherches qui s'étaient ensuivies, certaines personnes avançant à travers bois et explorant la moindre grotte, tandis que d'autres sondaient les endroits les plus profonds de la rivière à l'aide de perches longues et fines, ou draguaient le fond au moyen de grappins.

– Elle était écrivain, comme vous, précisa Arlo, sauf qu'elle écrivait des poèmes.

– Était-elle publiée ?

Arlo acquiesça.

– Dans des revues de poésie. Vous devez connaître.

Il donna quelques détails supplémentaires.

– Elle vivait seule. Plus de famille. Pas de petit ami. Elle avait une amie à Kingston, ce n'est pas la porte à côté. Je crois qu'on peut dire qu'elle vivait avec son écriture.

– Elle a disparu, du jour au lendemain ? demandai-je.

– Comme si elle avait taillé une ouverture dans ce monde-ci et l'avait franchie pour passer dans un autre.

Son regard se porta sur la table, sur le verre presque vide.

– On ne l'a plus jamais revue.

Soudain, Arlo McBride me parut être un homme écrasé sous le poids d'une mission inaccomplie. Il inspira, puis expira tout aussi lentement.

– Parfois, dit-il, je m'interroge : je me demande à quoi elle ressemblerait aujourd'hui.

À Teddy, réduite en bouillie, songeais-je, mais je gardai cette réflexion pour moi.

Arlo finit sa bière et reposa doucement son verre sur la table.

– Bon, il est temps que je rentre, soupira-t-il.

Il m'offrit un sourire timide, prudent.

– J'ai été ravi de vous rencontrer, monsieur Gates.

À ces mots, il se leva et me laissa seul à ma table où je terminai mon verre avant de reprendre le chemin du petit appartement que je louais à quelques rues de là.

Dehors, il bruinait. Je relevai le col de ma veste et pressai le pas. Les boutiques étaient fermées, les devantures éteintes, si bien que, lorsque je tournai la tête vers elles, je me voyais reflété dans la vitre, silhouette zébrée de coulures de pluie. À un certain moment, je m'arrêtai, mais je ne sais plus pourquoi. Sûrement à cause d'un bruit ou de l'angoissante sensation que nous avons parfois que quelqu'un nous a touché, ce qui nous oblige à nous retourner pour découvrir qu'il n'y a personne. En tout état de cause, je m'immobilisai, tournai la tête vers la droite, et vis l'homme que j'étais, pas un méchant homme, loin de là, mais un être humain dépouillé de la curiosité du voyageur pour de nouveaux paysages, du chercheur pour la découverte, de l'écrivain pour la métaphore qui lui échappe, et aussi de celle, beaucoup plus simple et plus élémentaire, qui fait dire du lendemain : *Je demande à voir.* En réalité, je n'envisageais que de la monotonie à l'horizon, en homme qui marchait sur une route droite, sans rien devant lui, ni derrière lui, ni de chaque coté de lui, à part une invite à suivre un interminable et indistinct cortège de jours.

Arrivé chez moi, je suspendis ma veste à la patère en métal à côté de la porte, me rendis directement dans ma chambre et grimpai dans mon lit éternellement défait. Le seul charme de cette pièce était sa lucarne, et, pendant un moment, je restai allongé sur le dos, laissant mes pensées vagabonder dans cette accablante obscurité. Il ne pleuvait plus, ce qui, d'ailleurs, n'était pas pour me déplaire, et le ciel se dégageait.

Le livre que je lisais était posé, ouvert, sur ma table de chevet. Il traitait des Burannis, une peuplade primitive qui vivait au Paraguay, dans l'isolement et la pauvreté la plus absolue, et dont la rude existence n'était adoucie que par leur foi étonnante en Kuri Lam, présence mystérieuse dont la mission consistait à démasquer les plus maléfiques d'entre eux pour les jeter dans un puits sans fond.

Je lus quelques pages, puis éteignis la lumière et restai immobile dans le noir, mes pensées me ramenant à cet être malfaisant qui m'avait volé mon fils, l'avait emporté dans un horrible endroit et lui avait fait subir Dieu sait quels sévices.

Pour échapper à ces visions trop violentes, je m'approchai de la fenêtre d'où je regardai les trottoirs déserts, suivis des yeux les rares voitures qui circulaient encore à cette heure, avant de retourner me coucher, sachant, car il en allait ainsi depuis de nombreuses années, que, lorsque le sommeil viendrait, ce serait sous la forme d'une stupeur, d'une perte de connaissance qui me permettait d'échapper à mon épuisement à défaut de trouver le repos.

2

Le lendemain, le jour me trouva avachi dans mon fauteuil de bureau. Je me rappelai m'être levé avant l'aube, avoir marché dans un demi-sommeil jusqu'à mon ordinateur, l'avoir allumé, mais la raison qui m'avait tiré du sommeil m'échappait. J'avais sûrement pensé à Cosenza, avec ses petites murailles qui surplombaient le Busento, et éprouvé un vague regain de ces envies de voyage qui, autrefois, m'incitaient à parcourir le monde. Ou bien était-ce Alaric qui m'était venu à l'esprit, se confondant depuis si longtemps avec la boue et l'eau, en cela semblable à Teddy.

En revanche, je me souviens que ma première pensée en me réveillant fut pour Orwell, ses séances d'écriture matinales, les journées où il avait vécu dans la dèche à Paris et à Londres, ou encore travaillé pour la police impériale en Birmanie, la multitude d'anonymes qui avaient croisé sa route, les *plongeurs*[1], les clochards, et jusqu'aux tireurs de pousse-pousse d'Extrême-Orient – plus du tout des hommes, mais des bêtes de somme qui trimaient jusqu'à la mort, et pour qui, ainsi que l'écrit Orwell, le fouet servait de substitut à la nourriture.

1. En français dans le texte original.

Pour quelle raison pensais-je à ces individus ce matin-là ? Je l'ignore, sinon que, d'une certaine façon, ils me ramenaient au fait étrange qu'une personne, une fois qu'elle a fait l'objet d'un écrit, que ce soit un chef wisigoth ou un coolie grisonnant, ne disparaît jamais complètement, alors qu'un garçon comme Teddy, trop jeune pour avoir marqué d'autres esprits que celui de ses proches, s'anéantit bel et bien dans l'oubli, du moins à partir du moment où le dernier de ceux qui se souvenaient de lui a également disparu.

Ce n'était pas une idée réconfortante, loin de là, mais de telles pensées m'assaillaient fréquemment à la période de l'anniversaire de Teddy, aussi ces sombres méditations ne me surprirent-elles pas. Comme toujours en pareille occasion, je trouvai refuge dans mon travail : de courts articles pour le *Winthrop Examiner*, forme de journalisme très éloignée de celle d'Orwell, pour dire le moins, mais qui me permettait de payer mon loyer, de mettre un verre sur la table du O'Shea's et qui, par sa banalité rédemptrice, me sauvait chaque jour la vie.

Ce matin-là, je devais rédiger un portrait pour le supplément du week-end : celui de Roger Beaumont, le chef de chœur de l'église épiscopale. C'était le genre de chronique que le journal me confiait habituellement, des sujets légers, souvent frivoles, comme si Wyatt Chambers, notre rédacteur en chef, craignait que mon âme troublée ne soit trop fragile pour notre côté sombre et tout ce qui s'y rapportait. Il me revint donc de concocter le portrait élogieux de circonstance, à l'instar de celui d'Eleanor Graham qui, à quatre-vingt-treize ans, se consacrait infatigablement à sa roseraie, ou quelque autre histoire édifiante, celle par exemple d'une immigrée vietnamienne besogneuse qui avait gagné à la loterie.

L'objet de mon article du moment avait eu la chance rare à la fois d'aimer son travail et de pouvoir en vivre. Dans la lumière oblique qui entrait par la fenêtre côté rue, je tapai les premières lignes, prenant soin, dès le début de ma description, de placer l'expression consacrée : « admiré de tous ».

Une heure plus tard, j'avais bouclé mon papier, je levai les yeux et pensai brusquement à Arlo McBride, sans doute parce que, venant de terminer un portrait, je cherchais déjà une idée pour le suivant. Quoi qu'il en soit, il ne cessait de me revenir à l'esprit tandis que je me consacrais à mes autres sujets du jour – l'ouverture d'une animalerie, le projet de restauration du kiosque à musique municipal –, aussi obsédant qu'un petit air que je ne parviendrais pas à me sortir de la tête, mais à d'autres moments, sa présence me paraissait plus réelle, comme si quelqu'un m'observait de derrière les lames légèrement relevées de stores vénitiens ou par le mince entrebâillement d'une porte qu'on aurait ouverte à mon insu.

Plus tard, dans l'après-midi, je remis à Wyatt mon article sur le chef de chœur, et, comme toujours, je le regardai le lire.

– C'est tout juste si je n'entends pas les accords triomphants de l'*Hymne à la joie*, George, déclara-t-il en le plaçant dans la bannette du rédacteur en chef. Tu as réussi à omettre le fait que ce cher Roger, dans le genre folle tordue, il se pose là ! Du beau travail, on va boire un verre pour arroser ça ? proposa-t-il, se renfonçant dans son siège.

– Non, je te remercie, répondis-je, me sentant gagné par mon engourdissement de la mi-journée.

Ainsi donc, après avoir pris congé de Wyatt, je roulai jusqu'au petit cimetière où les restes de Teddy, pour ce qu'ils étaient, avaient été inhumés. C'était une habitude que j'avais gardée depuis sa mort, encore qu'ils fussent résolument muets et dénués d'épanchements émotionnels, les tambourinements de mon chagrin. Je ne m'adressais pas en paroles à mon fils mort, je n'invoquais pas son esprit.

Je n'inclinais même jamais le front lorsque je me rendais sur sa tombe en ces occasions annuelles, car toute notion de prière m'avait quitté dès l'instant où je fus convaincu qu'on l'avait assassiné. Avant cela, pendant les longues semaines qui s'étaient écoulées entre sa disparition et la découverte de son corps, j'avais prié avec la férocité d'un incroyant, prié pour avoir la foi et ce brin d'espérance qu'elle fait fleurir. J'avais pris toutes sortes d'engagements éternels, pathétique dîme de l'obéissance. Tout comme Faust qui avait vendu son âme au diable, j'avais remis la mienne à Dieu, ou à la Providence, ou à n'importe quoi d'autre dès lors que ça avait le pouvoir d'intercéder pour mon fils. Ça pouvait bien avoir une tête d'éléphant sur un corps d'homme gras, comme Ganesh, le fils de Shiva, peu m'importait. Je me serais prosterné devant Baal quelle que fût sa forme, agenouillé devant n'importe quel veau d'or. J'aurais allumé tous les cierges de la cathédrale St Patrick, empilé autant de paniers de riz qu'il l'aurait fallu sur les marches des pagodes, marché jusqu'à la Grande Mosquée de Samarra en me flagellant le dos jusqu'au sang, pour que soit exaucée cette unique prière : *Ramenez-le-moi sain et sauf.*

Tout cela était révolu désormais, aussi ne m'attardai-je au cimetière que le temps de lire le nom de mon fils sur la pierre, de ruminer de funestes pensées, de sentir le couteau-scie de ma colère me déchiqueter les chairs comme chaque fois que je me souvenais de lui.

Ma rage passée, je repartis, bien décidé à rentrer chez moi où je comptais dîner sur le pouce puis lire un moment avant de me coucher, fidèle à mon rituel d'homme seul. Et c'est exactement ce que j'aurais fait si je n'avais aperçu une plaque de rue que je remarquai pour la première fois, si étincelante dans le soir tombant que ses lettres noires parurent, un bref instant, être lumineuses : *Gilmore Street*.

Il me revint qu'Arlo McBride y avait fait allusion lors de notre brève discussion chez O'Shea's. Gilmore Street, avait-il précisé, entre Cantibell Street et Pine Street. Je me dis que je pourrais peut-être amorcer son portrait par cette conversation de hasard entre deux hommes qui s'étaient croisés dans un bar.

Cependant, je ne devais pas m'emballer. McBride ne me donnerait probablement pas son accord pour écrire un article sur lui : c'était un homme très discret qui avait ses secrets. Pour autant, il n'y avait aucun mal à glaner quelques renseignements de fond, à lui montrer que cette histoire qui, à l'évidence, l'intéressait, avait éveillé ma curiosité.

Fort de cette idée, je m'engageai dans Gilmore Street, cherchant des yeux une autre plaque. Je repérai celle de Cantibell Street tout juste deux pâtés de maisons plus loin, et, à peu de distance de là, nettement visible sous un pâle réverbère, celle de Pine Street.

Je me garai le long du trottoir à mi-chemin entre les deux rues, puis descendis de voiture et regardai vers le sud, là où Gilmore Street se terminait en cul-de-sac, puis vers le nord, en direction de la rivière.

La petite grotte où Katherine Carr avait été vue pour la dernière fois se trouvait à une courte distance de là, que j'évaluais à une vingtaine de minutes de marche.

Je restai tout étonné d'avoir calculé inconsciemment la durée de la dernière promenade faite par cette femme que je n'avais jamais connue. Pour quelle raison m'étais-je amusé à cela ? Je n'avais pas de réponse à cette question, sinon que la curieuse impulsion à laquelle j'avais obéi semblait me venir de cet étrange sanctuaire intérieur qui abrite nos espoirs les plus chers et nos craintes les plus noires, en couple querelleur se partageant un lit monstrueusement étroit, le moindre mouvement de l'un troublant le confort de l'autre.

J'enfonçai la main dans la poche de ma veste et regardai les maisons qui bordaient Gilmore Street. Elles étaient plutôt modestes : toutes en bardeaux, avec, sur le devant, de petits jardins ombragés par de grands arbres. Les volets et les moulures extérieures de certaines d'entre elles étaient peints. La plupart étaient pourvues de haies de buissons et d'arbustes sur la façade et les côtés. L'herbe y était verte, dure, et, dans l'une d'elles, au milieu du jardin, était posé un asperseur dont le tuyau rouge vif serpentait jusqu'à l'arrivée d'eau extérieure située à quelques mètres de là. C'était un quartier familial : enfants jouant dans la rue, parents s'interpellant d'une véranda à l'autre en fin de journée, pas un choix habituel pour une femme seule. En fait, c'était tout juste le genre de coin que j'avais fui après la mort de Teddy – et bien m'en avait pris, selon moi, car rien n'est plus déchirant que d'entendre vivre les enfants des autres quand on a perdu le sien.

Je retournai à ma voiture. Avant d'y monter, je laissai de nouveau errer mon regard sur Gilmore Street,
pensant à Arlo McBride, à la femme disparue dont il
m'avait parlé la veille chez O'Shea's. Les jolis arbres,
les petites maisons coquettes de la rue ne laissaient
pas soupçonner qu'un drame ait pu s'y produire, et
cette banalité des apparences me ramena soudain au
moment où, des années auparavant, je me trouvais
au large des côtes de Saipan, regardant les falaises
du haut desquelles des parents japonais, par peur des
atrocités que, ils n'en doutaient pas, leur infligeraient
les soldats américains, avaient jeté leurs enfants avant
de se précipiter eux-mêmes dans le vide. Des marins
américains avaient regardé à la jumelle se dérouler cette
tragédie sans pouvoir sauver les parents paniqués ni
détourner les yeux de cette scène effroyable. Mais des
années plus tard, vues de mon bateau, ces falaises ne
laissaient plus rien paraître de ces terribles événements.
Elles étaient abruptes mais peu élevées, pas du tout
impressionnantes. Je m'étais promené sur les falaises
de Moher, m'étais approché, hésitant, de l'effrayant
précipice à Sleave League. Les falaises de Saipan, ce
n'était rien par comparaison. Seul le fait que je sache
ce qui s'y était passé autrefois leur donnait un relief
particulier : ces souffrances se finissant en haut de ces
falaises banales, ces parents serrant leurs bébés dans
leurs bras ou tenant la main de leurs enfants en bas âge,
ces terreurs auxquelles on échappe en sautant du haut
de ces parois rocheuses.

Un tout autre drame s'était joué dans Gilmore Street,
et, en y songeant, tandis que je marchais, sur ce trottoir,
dans les pas d'une femme qui avait disparu, je me pris
à l'imaginer tout à coup passant devant ces modestes

demeures, à la différence qu'il était près de minuit quand elle était partie se promener seule, et que, par conséquent, la plupart de ces fenêtres devaient être obscures, la plupart des gens à l'intérieur, dormant déjà à poings fermés.

Il n'empêche que, depuis ce jour-là, quelqu'un connaissait la destinée de cette femme disparue, et, un bref instant, je me représentai cet homme attendant au volant d'une vieille berline déglinguée. Comme si j'avais été une présence invisible à l'arrière de sa voiture, je vis ses larges épaules, ses grandes oreilles, son cou épais et musculeux, je suivis des yeux les volutes de fumée de sa cigarette qui s'enroulaient autour de lui, et l'entendis retenir son souffle au moment où il repéra celle qui, sûrement, allait devenir sa proie.

Mais ce n'étaient que de bien étranges conjectures de ma part, j'en avais parfaitement conscience, car j'ignorais tout du comment, du pourquoi et des circonstances dans lesquelles cette femme s'était évanouie dans la nature. Et surtout, je ne pouvais pas savoir si un homme s'était jamais posté dans cette rue, et à supposer que ce fût le cas, s'il possédait certaines de ces caractéristiques physiques stéréotypées de la brute épaisse que je lui avais attribuées. Je savais seulement que ce genre d'individus avait existé de tout temps et existerait toujours, et que, bien des années après la disparition de Katherine Carr, dans une autre rue de cette même petite ville, un tel homme avait repéré un petit garçon aux boucles blondes qui, à l'arrêt du car, lançait des regards autour de lui, cherchant son père des yeux en se demandant combien de temps encore il allait devoir l'attendre sous la pluie torrentielle.

3

Dans ce sombre état d'esprit, je me serais attendu à
avoir une nouvelle insomnie. La surprise vint du fait
que je réussis à dormir, et que, dans les tourments de
ce sommeil qui me retint prisonnier, je rêvai de l'enlè-
vement de Teddy.

C'était une scène imaginaire que m'épargnaient la
plupart de mes nuits, mais cette fois-là, elle me traversa
comme portée par les mêmes brumes qui escortaient à
travers la jungle les mythiques voleurs d'enfants des
Burannis.

Je vis mon fils descendre du car dans la grisaille
de l'après-midi, observé par une présence invisible
pendant qu'il bavardait brièvement avec un copain du
quartier. Dans mon rêve, ses lèvres remuent et sa tête
est rejetée en arrière parce qu'il rit, mais je n'entends
rien. C'est comme si je regardais un film muet.

Leur conversation s'achève sur de petites blagues
d'écoliers et le geste affectueux qui rabat la casquette de
base-ball rouge sur les yeux de mon fils au moment où
les deux garçons se séparent, Jimmy Dane s'éloignant
vers la droite, sa maison se trouvant une rue plus loin,
pendant que Teddy reste au même endroit, à l'arrêt du
car, m'attendant là parce qu'un orage vient d'éclater

et que, plus tôt dans la matinée, je lui avais promis de venir le chercher s'il pleuvait.

Il redresse sa casquette car la pluie redouble d'intensité, ponctuée d'éclairs qui, depuis toujours, lui font peur. Dans mon rêve, les rues s'illuminent brusquement, les gens ne se précipitant pas vers leurs voitures ou leurs habitations, mais s'évanouissant purement et simplement, comme dissous par la pluie même, les trottoirs à présent déserts à part Teddy et une silhouette que je vois approcher derrière lui : un homme glissant sa main droite à l'intérieur de son ciré jaune comme pour prendre quelque chose qu'il tiendrait coincé sous son bras opposé.

Dans cette vision, je veux retenir mon fils par l'épaule, mais je n'ai pas de corps, pas de main pour l'attirer sous mon bras protecteur. Maintes et maintes fois, j'essaie de l'agripper, mais mes doigts traversent sa chair, et je hurle pour le mettre en garde.

Sauf qu'aucun son ne sort de ma bouche, si bien que mon cri résonne silencieusement dans un monde devenu sourd. Puis, tout à coup, j'entends la pluie marteler le trottoir et gifler les arbres. J'essaie à nouveau de me faire entendre, mais avant que je puisse lui dire de faire attention, je suis tiré vers le haut loin de lui, comme aspiré par une bourrasque de vent vertical, Teddy n'étant plus visible que très loin au-dessous de moi, devenant de plus en plus petit jusqu'à ce que, tel un oiseau tournoyant dans les hauteurs, je voie un point rouge toucher les bords d'une plaie jaune, puis disparaître à l'intérieur.

Je m'éveillai de ce rêve épuisé par mon incapacité à agir, à bout d'énergie après cette vision d'inutilité, comme un manchot qui n'aurait de cesse de vouloir attraper quelque chose sans espoir d'y parvenir.

Je jetai un coup d'œil au réveil. Il était un peu plus de minuit, et je m'étais assoupi alors que je travaillais sur mon article du moment : le combat victorieux d'une vieille femme défendant sa maison contre la rapacité des promoteurs immobiliers. Elle était très bavarde, comme j'avais pu m'en apercevoir, interrompant souvent l'interview pour me poser des questions de son cru, qui, pour la plupart, concernaient mon passé. Je lui avais raconté que j'avais été auteur de récits de voyages, mais que cette époque-là était révolue, que je m'étais installé à Winthrop depuis quelques années, et envisageais d'y rester.

– Vous êtes père de famille ?

– Je l'étais, lui dis-je, m'empressant d'abaisser le regard sur mes notes. Donc, quand avez-vous appris qu'Allied Properties avait des vues sur votre maison ?

Et ainsi de suite, jusqu'à ce que j'eus rassemblé assez d'éléments pour rédiger l'article dont le dernier feuillet brillait sur mon écran d'ordinateur quand je m'étais réveillé en sursaut un peu plus tard cette nuit-là.

Que faire jusqu'à l'aube ? Ne pas m'en tenir à méditer autour du thème *être ou ne pas être*. Question à laquelle j'avais trouvé ma réponse depuis longtemps : O'Shea's.

Dix minutes plus tard, j'étais assis au fond de la salle à ma table habituelle observant les types au bar, l'œil aux aguets comme toujours, pour mieux le repérer, remarquer quelque chose qui attirerait mon attention, une bricole que j'aurais pu offrir à Teddy autrefois, la pierre de jade rapportée de Hong Kong, par exemple, ou la figurine en ambre achetée au Marché central de Cracovie, piètres souvenirs de mon existence voyageuse, qui passeraient inaperçus aux yeux de tous, mais qui, aux miens, seraient la preuve qu'il avait fait du mal à mon petit garçon.

C'était un scénario hautement improbable, bien entendu, mais je n'avais jamais complètement renoncé à l'idée que l'homme qui avait tué mon fils se trouverait un jour devant moi. J'avais même imaginé dans les moindres détails ce que je ferais alors pour être sûr qu'il ne m'échappe pas. Tout d'abord, j'engagerais la conversation avec lui, finirais par apprendre où il habitait. Plus tard, je procéderais à son exécution : pistolet, couteau ou strangulation, et grâce à ce meurtre, sauverais la vie du petit garçon d'un autre, moi qui n'avais pu secourir le mien. J'avais conscience que c'était une fin très hollywoodienne, mais le fantasme est le meilleur ami du chagrin, et l'accomplissement de ce châtiment miraculeux était celui que je nourrissais depuis la mort de Teddy, le seul qui me donnait de l'énergie, injectait de la vie dans mon monde intérieur, la perspective de ce meurtre agissant sur moi comme un appareil de chauffage sur une pièce froide comme la pierre.

– Dieu du ciel, George !

Charlie Wilkins surgit de derrière moi et se glissa dans le box.

– Tu as dormi tout habillé ou quoi ? lança-t-il.

C'était un collègue journaliste de l'*Examiner*, celui que le journal appelait pour couvrir la rubrique des chiens écrasés, jamais pour des articles de fond car Wyatt n'avait jamais eu d'estime ni pour l'écrivain ni pour l'homme. Il s'était marié à deux reprises, mais « fait jeter comme un malpropre à chaque fois », disait-il, les enfants qu'il avait engendrés avec ces femmes installés à présent en un lieu qu'il identifiait seulement comme étant quelque part dans l'Ouest.

– Tu travailles sur quoi en ce moment ? voulut-il savoir.

– La vieille dame qui a tenu en échec Allied Properties. Je viens de boucler le papier il y a quelques minutes.

– J'ai lu celui que tu as fait sur le salon de beauté pour animaux, dit-il en riant. Tout en finesse, George.

– Que veux-tu, on ne se refait pas !

Il repartit à rire, le rire tranquille d'un homme expérimenté, du moins au regard des critères de Winthrop.

– J'ai proposé un sujet sur le bordel de Kingston, reprit Charlie. Wyatt m'a demandé de l'aborder sous un angle universel, mais je n'ai pas encore trouvé lequel.

Une serveuse se présenta à notre table. J'étais fourni. Charlie commanda une bière.

– Tu en as vu beaucoup, des endroits comme celui-là, pendant tes vadrouilles aux quatre coins du globe ? s'enquit Charlie. Des bordels ?

Par « vadrouilles aux quatre coins du globe », Charlie parlait de l'époque avant Celeste et Teddy, quand les trains cliquetants et les navires à aubes poussifs étaient mes seules demeures.

– Ouais, j'en ai vu quelques-uns, répondis-je.

Certains étaient plus mémorables que d'autres, mais un seul me revint à l'esprit en cet instant, un bouge comme on en trouvait tant d'autres dans le quartier chaud de Nuevo Laredo, le repaire de motards, d'étudiants en quête d'une aventure d'un soir et des zonards habituels de cette ville frontalière. Il y était entré en donnant l'étrange impression d'être lui-même irréel : un homme sur son trente et un, aux chaussures rutilantes, aux cheveux un tantinet grisonnants coiffés en banane. Cinq soirs de suite, je l'avais regardé investir la piste de danse faiblement éclairée, faire tournoyer sur elle-même telle ou telle entraîneuse qui lui avait tapé dans l'œil, lui apprenant les pas et, ce faisant, irriguant son âme desséchée avec un humour, des compliments et ce qui passait pour un respect étonnamment sincère. Puis, comme un prince à minuit, il la quittait sur un signe de tête et, le plus étrange de tout, un petit baiser sur les paupières – un mec qui ne va pas aux putes, celui-là, mais rassasie leurs âmes affamées.

– J'ai lu des articles sur ceux de Thaïlande, reprit Charlie. Dingue, mec. Des nanas qui fument des clopes avec leur…

– Au moins, ces filles sont à l'intérieur, l'interrompis-je sèchement. Contrairement à celles qui travaillent le long de la route transafricaine.

Là-dessus, je lui parlai d'un relais routier en Ouganda, une case au toit de tôle ondulée qui proposait de la bière, des cigarettes, de la viande en conserve et tout autre butin du détournement de camions transportant les dons des pays développés : orge, sorgho, lait pour bébé dans d'énormes cuves. Les filles s'allongeaient sur des palettes en carton derrière un tas d'ordures de deux mètres de haut, les râles de plaisir de leurs clients, clairement audibles, dominant le vrombissement des moteurs Diesel. Depuis cette époque, des efforts avaient été faits pour les éduquer, tout au moins sur la question du sida, mais je me faisais peu d'illusions sur la probabilité que la génération suivante de filles perdues ne soit déjà au travail sur des palettes identiques. Ceux qui ont parcouru cette région du monde partagent le même code atroce pour désigner l'horreur implacable de cet endroit : *AWA – Africa Wins Again*[1].

---

1. Que l'on pourrait traduire par : « Encore une victoire pour l'Afrique ».

Je bus une petite gorgée de scotch en terminant mon histoire.

– À part ça, quoi de neuf ? relançai-je.

– J'avais une autre idée à part le bordel de Kingston, mais Wyatt n'a pas plus accroché, répondit-il en haussant les épaules. Il manque toujours un petit quelque chose dans ce que je propose. C'est ce que Wyatt pense.

Je savais que ce « petit quelque chose », c'était le cœur battant d'un article et tout ce qui captiverait le lecteur : le tragique du rythme, l'épaisseur des mots.

– Bref, poursuivit Charlie, je projetais d'écrire un papier sur une gamine atteinte de progéria. Tu sais ce que c'est ?

– La maladie qui provoque le vieillissement accéléré, c'est ça ?

– Ouais, acquiesça Charlie. Elle a douze ans, mais on dirait une vieille.

Il jeta un coup d'œil à sa montre, en homme débordé de travail, ce qu'il n'était pas.

– C'est leur cœur qui finit par lâcher, poursuivit-il, précisant quelques autres symptômes de cette pathologie avant d'ajouter : Sandra Parshall, la directrice de Brookwood Residential, dit que c'est une enfant très intelligente. Elle lit beaucoup. Des romans policiers, ce genre de littérature. Ce qui l'amuse, c'est de trouver une fin meilleure que celle que l'auteur a été capable d'inventer, raconta-t-il en souriant. Un petit génie, aux dires de Sandra.

La bière de Charlie lui fut servie. Il en but une gorgée.

– J'ai bien senti que l'idée ne déplaisait pas à Wyatt, mais il s'est dit que je n'étais pas la bonne personne pour traiter ce sujet.

Il se tut un moment, plongé dans ses réflexions, puis demanda :

– Et toi, George, ça ne te dirait pas de faire le portrait de cette petite fille ?

Je haussai les épaules.

– Tu as mieux sur le feu ? voulut-il savoir.

Je n'avais pas prévu de dire ce que je lui dis alors, étant donné que je n'avais jamais parlé de Teddy, et ne le fis pas plus à cette occasion, sinon que mes paroles m'apparurent le concerner, lui aussi.

– Tu connais Arlo McBride ?

– Ouais, un ancien flic. Il travaillait pour la police de l'État.

– Au Bureau des personnes disparues, ajoutai-je. De toute évidence, il est taraudé par la pensée d'une femme qui a disparu depuis vingt ans.

Charlie partit à rire.

– Les vieux flics ruminent toujours de vieilles affaires.

– C'est sûr, approuvai-je. Justement, je pensais écrire un portrait de lui. Exactement le profil dont tu parles : ancien enquêteur obsédé par une affaire non élucidée. Les gens ne s'en lassent pas.

– Ouais, mais là, ça ne pourra pas être tout en finesse, George.

– J'ai tout de même envie de tenter le coup, murmurai-je d'un ton peu convaincu.

Charlie s'esclaffa.

– Avant, n'oublie pas d'embrasser ta médaille de saint Jude.

D'ordinaire, cette allusion se serait évanouie aussitôt, mais, cette fois-là, je pensai aux représentations de saint Jude, d'une beauté si frappante sur les portraits religieux, avec ses longs cheveux un peu roux, l'éclat radieux de ses joues vermeilles, son sourire serein et son regard bien trop limpide pour le rôle qu'on lui avait assigné : patron des causes perdues.

Soudain, un autre visage s'imposa à mon esprit : celui de mon père, alité lors de son ultime maladie, ses cheveux blancs coiffés en arrière hormis une boucle un peu canaille retombant sur son front. Nous parlions de son passé, de ses hauts et ses bas, quand la question me vint : « Contre quoi t'es-tu le plus battu, p'pa ? »

Sa réponse me parut être celle d'un homme si tristement résigné à la destinée humaine que mes yeux s'embuèrent de larmes. « L'inévitable », m'avait-il répliqué. Sur le moment, le ton puissamment évocateur de mon père me fit penser à Arlo, au monde trouble de tout ce qui disparaît, que c'est toujours triste, l'insoluble.

– Elle s'appelait Katherine Carr, dis-je. La femme qui a disparu et à laquelle Arlo ne cesse de penser. Elle habitait à Winthrop et était une sorte de poétesse, si j'ai bien compris. Pas connue, loin de là. Arlo m'a dit qu'elle était publiée dans de petites revues littéraires.

– Joli nom pour une poétesse, remarqua Charlie, avec un grand sourire. Allitératif.

À cet instant, il me vint une accroche : *Katherine Carr : la femme au nom aussi beau que son destin fut tragique.* Je me rendais compte que ce n'était pas assez bon pour une version définitive, mais ce n'était pas mal pour un premier jet.

– Ouais, c'est vrai, c'est un joli nom, murmurai-je. Katherine Carr.

Dans un certain genre d'histoire, elle aurait très bien pu se matérialiser à cet instant : une silhouette dans un coin sombre, visible un instant à peine, attirante, forcément, éveillant une frustration aussi grande que celle provoquée par l'éclat blanc comme de la neige d'une cheville entraperçue sous le bas d'une robe à l'époque victorienne. Mais l'éventualité de telles apparitions n'avait pas de sens pour moi à l'époque, aussi ne vis-je que la place à laquelle Arlo McBride s'était assis un jour, vide, sans la moindre rémanence de son image, et assurément aucune de celles de cette femme disparue qu'il ne parvenait pas à chasser de ses pensées.

4

C'était Arlo qui occupait les miennes le lendemain matin. Son nom figurait dans l'annuaire. J'attendis l'heure qui me parut décente pour appeler un retraité, et composai son numéro.

– Bonjour, c'est George Gates, me présentai-je quand il décrocha. On a bavardé un moment chez O'Shea's.

– Oui, répondit-il d'une voix étrangement abattue, comme soudain happé par de sombres perspectives. De votre fils.

– Et aussi de votre travail. D'une affaire que vous n'avez pas oubliée. Une femme disparue.

– Katherine Carr, murmura Arlo.

Il y a plusieurs façons, pour un homme, de prononcer le nom d'une femme. Ce peut être avec amour, qu'il soit passionnel ou de longue date, ou bien avec amertume que le nom d'une femme résonne dans la bouche d'un homme rejeté. Mais ce ne fut aucun de ces deux sentiments que je perçus dans la voix d'Arlo. Elle n'avait rien de fraternel ni d'avunculaire, et encore moins de paternel ; elle n'était porteuse d'aucune trace du sentiment de perte mélancolique qui teintait le nom de Teddy dans les occasions de plus en plus rares où je parlais de lui. À tout le moins, ce fut une étrange incertitude que j'y discernai : celle de quelqu'un parlant d'une chose pourvue de qualités à la fois réelles et imaginaires, comme Innisfree et Xanadu.

– Je m'intéresse à…

Je m'interrompis, conscient de ne pouvoir ajouter Katherine Carr, car aucun magazine, pas même le supplément week-end du journal local, le *Winthrop Examiner*, ne serait preneur de cette vieille affaire classée qui n'avait plus aucune chance d'être élucidée, et était donc, de mon point de vue, un sujet condamné à rester en suspens, sans mot de la fin, et par là même, à la lumière commune, décevant. En revanche, comme je l'avais dit à Charlie Wilkins, il en irait sans doute autrement pour le portrait d'un vieil enquêteur obsédé par une affaire non élucidée. Ces histoires-là étaient bien connues, néanmoins elles exerçaient une sorte d'attrait éternel : éléments de mystère et d'intrigues alliés à l'idée toujours populaire du flic héroïque, acharné, magnanime, désintéressé. J'ignorais si Arlo McBride était un tel homme, mais l'idée de découvrir si c'était le cas, ou, au moins, d'en apprendre assez sur lui pour le décrire ainsi, me semblait valoir la peine d'être explorée.

– Je m'intéresse, heu… eh bien, à vous, Arlo.

– Moi ? Il n'y a rien d'intéressant en moi, George.

C'était catégorique, et coupait court à toute discussion. Si je voulais écrire sur Arlo, je devais d'abord faire preuve d'un tant soit peu d'intérêt pour l'affaire qui l'obsédait.

– D'accord, avançai-je prudemment. Katherine Carr. Son affaire ne sera jamais résolue, hein ?

– Pas par moi, ça, c'est certain, s'écria Arlo, le plus sincèrement du monde, sans fausse modestie.

– Mais vous ne l'avez jamais oubliée ?

Arlo ne répondit pas tout de suite, raison pour laquelle j'eus l'impression que j'exerçais sur lui une bien faible emprise, qu'il pouvait, d'un instant à l'autre, mettre un terme à notre discussion.

– Vous n'envisagez jamais de la rouvrir ? m'empressai-je de demander.

– La rouvrir ?

Je l'avais ferré, il ne me restait plus qu'à le tirer doucement vers moi.

– Au moins, vous pourriez m'en parler, lui fis-je remarquer. Me dire ce que vous savez sur elle.

Le silence retomba brièvement entre nous avant qu'Arlo ne reprenne la parole.

– Il faudrait que je vous parle de Katherine Carr, George !

Sa voix me parut étonnamment pressante, mais dépourvue d'angoisse. Elle était trop calme pour cela, trop réfléchie, son urgence n'étant suscitée ni par une menace inattendue ni par une émotion qui atteindrait soudain son paroxysme. J'y percevais plus la nécessité de faire un aveu, comme s'il s'apprêtait à me confesser sa propension à lécher les talons aiguilles. Avec Arlo, décidai-je, il y avait toutes les chances pour que le secret soit d'ordre professionnel, qu'il soit passé à côté d'un indice crucial, ait égaré une information majeure et que, à cause de ce faux pas, l'affaire Katherine Carr reste à jamais dans les cartons.

– Mais avant, il vous faudrait lire l'histoire qu'elle a écrite, ajouta-t-il.

De l'autre côté de la vitre, un oiseau s'envola. Je ne sais plus s'il était gros ou petit, s'il avait le plumage terne ou bigarré, si c'était un moineau ou un geai.

Tout ce que je me rappelle, c'est que, en le regardant déployer ses ailes, j'eus un peu l'impression d'être un enfant dans un conte de fées, arrivé à la croisée des chemins : un sentier familier, l'autre inconnu.

– Son amie Audrey a conservé tous ses textes, poursuivit Arlo. Il faudra que vous alliez lui parler tôt ou tard si vous vous y intéressez.

Comme si la scène se jouait dans mon esprit, je regardai l'enfant faire son premier pas sur le sentier insolite.

– J'aimerais d'abord en savoir un peu plus, insistai-je.

Dans le silence qui suivit, je sentis qu'Arlo pesait le pour et le contre. Je me disais que, à défaut de rien de plus concret, ce serait à une imperceptible nuance de ma voix qu'il trancherait la question.

– Au Calico ? finit-il par suggérer. Deux heures et demie ?

J'arrivai au Calico à deux heures et quart. C'était un grand grill presque désert si tôt dans l'après-midi, les seuls clients étant deux hommes d'affaires en costume foncé qui sirotaient des gin-tonic. La décoration de la salle recréait une ambiance Far-West, avec des crânes de longhorns chevillés au mur derrière le bar. D'autres objets du même acabit étaient éparpillés au petit bonheur : sacs de selle, éperons, pompe à main rouillée, abreuvoir, et même un six coups dans son holster, son barillet sûrement traversé par une vis en métal ou bouché par de la cire. Que du toc, évidemment, et ça me rappela un endroit identique que j'avais vu, qui l'aurait cru, à Vienne, mais cette fois sur fond de déco alpestre, avec skis, raquettes et fines couches de polystyrène

49

expansé pour imiter la neige. J'étais allé là-bas pour rencontrer un personnage douteux qui prétendait avoir servi de modèle pour *Le Troisième Homme*, un escroc qui disait avoir maintenu sous sa coupe une ribambelle d'officiels du bloc de l'Est. Le plan avait consisté à leur faire miroiter un filon de diamants dérobés dans les camps de la mort, déjà une vieille et presque toujours fausse histoire, mais à laquelle avait été ajouté un détail macabre, le «fait» que ce trésor en bijoux avait été dispersé dans des cercueils d'enfants morts en bas âge dans des cimetières de village aux quatre coins de l'Europe de l'Est, tous enterrés sous le même nom, Otherion, qui était, selon son récit, la traduction en langage elfique de Victor. En langue elfique? C'était, bien sûr, un conte à dormir debout, mais j'étais jeune, curieux de tout et ouvert aux espoirs les plus insensés, aussi avais-je accepté ce rendez-vous.

Le Troisième Homme n'est jamais venu, mais par cette longue soirée, un autre type croisa ma route: très corpulent, le torse puissant, mais avec des jambes anormalement courtes qui, en dépit de sa haute stature, lui donnaient une allure de nabot. Il affirma s'appeler Max et n'en dit jamais plus sur son identité. Il parlait parfaitement un anglais émaillé de tournures idiomatiques typiquement britanniques. Nous nous étions tout de suite très bien entendus, comme cela arrive parfois entre inconnus, surtout lorsqu'ils sont en voyage et disposent de peu de temps pour sympathiser, de sorte qu'il ne peut se faire que très vite, ou jamais, ce compromis amical.

En tout état de cause, la soirée se prolongea jusqu'à l'aube, dans les rues de Vienne désertées, et quand vint le moment où je fus enfin disposé à partir, Max me dit:

– Veux-tu voir le côté sombre ?

– Le côté sombre ?

– De Vienne, précisa Max en souriant. Le demi-monde viennois.

J'opinai de la tête, non sans une pointe d'appréhension, me demandant alors pour la première fois si ce colosse ne serait pas l'elfique Victor. La réponse à cette question, je ne l'obtins jamais. Je sais seulement que, durant les heures qui suivirent, Max tint parole, m'entraînant jusqu'à la Colonne de la peste et loin du grand boulevard du Ring, dans le monde parallèle de la criminalité des tripots enfumés, des arrière-salles de receleurs et d'usuriers, des bureaux comptables et des places boursières d'une économie secrète de produits de marché noir et de blanchiment d'argent, de trafic d'armes, de drogues et de faux papiers.

L'aube pointait quand prit fin cette initiation à la Mahagonny viennoise de Max. Nous avions alors pris un taxi et nous étions fait déposer sur une des collines qui entourent Vienne d'où nous contemplions la ville endormie tandis que les premiers rayons du soleil rougissaient les eaux du canal du Danube.

– Merci pour cette visite guidée, Max, dis-je.

Il sourit, puis, d'un geste de la main, m'invita à le suivre jusqu'à sa petite Citroën grise pour retourner en ville. Au moment où je descendais de voiture devant mon hôtel, il me tendit la main.

– N'oublie jamais, George, dit-il. Le Non-Visible.

Sur ces mots, il redémarra, me laissant à mes obscures impressions d'une soirée mémorable que rendrait d'autant plus mystérieuse le fait que je ne le reverrais jamais, n'entendrais plus jamais sa voix et ne recevrais jamais un mail de lui, personnage qui devenait parfait en son genre, cela me frappa tout à coup, en disparaissant.

– George ?

Vienne se dissipa devant moi, et je revins à la réalité, levant les yeux sur Arlo McBride.

Il portait un pantalon noir et une chemise bleu ciel, des chaussures noires soigneusement cirées, pas un faux pli sur sa personne, rien de débraillé. Il aurait pu passer pour un ancien militaire à la retraite ou le directeur d'une petite entreprise. Cette tenue produisait son petit effet, à savoir qu'elle donnait, dans le cas d'Arlo, l'image d'un homme pragmatique et droit – impression qu'il m'avait faite dès le début, de toute façon, aussi trouvais-je étonnant qu'il éprouve le besoin d'en rajouter.

– Merci d'être venu, dis-je.

Je m'attendais à ce que nous échangions quelques banalités, mais à peine Arlo se fut-il assis que je compris qu'il n'était pas disposé à se livrer à cet exercice.

– J'ai travaillé sur cette affaire dès le début, commença-t-il. Nous disposions de quelques pistes, mais elles n'ont rien donné, et au bout du compte, il ne nous est plus resté que les écrits de Katherine.

– Que son amie a conservés.

– Audrey, oui, précisa Arlo. Je lui ai parlé hier soir. Elle hésite à confier à un journaliste l'histoire écrite par Katherine. Mais je lui ai parlé de vous, de… votre drame. C'est une chose que vous avez tous les deux en commun, me semble-t-il : la perte d'un être cher. Alors, elle veut bien vous prêter le début du texte, mais pas la totalité, parce qu'elle craint que vous ne la jugiez trop rapidement.

– Que je juge qui ?

– Katherine. Audrey ne veut pas qu'on écrive n'importe quoi sur elle.

Il sortit une enveloppe de la poche de sa veste et me la tendit.

– Voilà ce qu'elle m'a autorisé à vous confier, reprit-il. C'est le premier chapitre, avec quelques poèmes de jeunesse de Katherine. Elle pense qu'ils vous donneront une idée de la femme qu'elle était.

Je pris l'enveloppe et la mis dans la serviette en cuir, bien abîmée à présent, que mon père m'avait offerte des années plus tôt, et qui m'avait accompagné aux quatre coins du globe.

– On a trouvé l'histoire et un dernier petit poème dans la maison après la disparition de Katherine, me racontait Arlo. Le poème n'a aucun lien avec ce qui lui est arrivé, mais le récit, oui, c'est pourquoi nous l'avons étudié de près pour essayer de comprendre ce qu'elle était devenue.

– Avez-vous découvert autre chose ? Dans la maison, j'entends ?

– Des indices, vous voulez dire ?

Arlo secoua la tête.

– En tout cas, soupira-t-il, il n'y avait pas de traces de lutte, si c'est ce à quoi vous pensez.

– Donc, les policiers n'ont…

Arlo leva la main pour m'imposer silence.

– Nous en rediscuterons une fois que vous aurez lu ce que je viens de vous donner.

Nous ne parlâmes donc plus du tout de l'affaire Katherine Carr. À défaut, nous discutâmes aimablement de son passé à lui, des longues années qu'il avait consacrées à vouloir faire appliquer la justice, tâche qu'il trouvait frustrante et parfois vaine, à part en de rares occasions qu'il tenait tout simplement pour « inexplicables ».

– Inexplicables en quoi ? m'enquis-je.

– En ce qui fait qu'un gamin va se retourner juste à temps pour voir un type sortir d'un bois, répondit Arlo. C'est ainsi qu'ils ont pu arrêter Whitey Lombard le mois dernier.

L'*Examiner* avait détaillé les conditions de l'interpellation de Whitey Lombard, alias John Merrill Hersh, alias Edgar Price, un journalier qui avait assassiné une fille de ferme dans un comté voisin et aurait pu ne pas en rester là si un garçon à bicyclette n'avait jeté un coup d'œil vers une trouée de la forêt au moment où un homme en émergeait.

– Ce gamin a tourné la tête au bon moment, ajouta Arlo. Il a raconté avoir eu la sensation qu'on lui tapait sur l'épaule, qu'on lui disait « regarde par là ».

– Les assassins aussi peuvent ne pas avoir de chance, fis-je remarquer.

– Certes, approuva Arlo.

Puis, comme rappelé à l'ordre par ses bonnes manières, il orienta la conversation sur moi.

– Sinon, sur quels autres sujets travaillez-vous, George ?

– Rien de bien défini pour le moment. Peut-être une gamine atteinte de progéria. Vieillissement accéléré. Une enfant très intelligente, paraît-il. Elle séjourne à Brookwood. Elle n'aurait plus beaucoup de temps devant elle.

Le regard d'Arlo n'était en rien ardent, ni même pénétrant. Il semblait doux comme de la plume, mais parfaitement maîtrisé, ses yeux, deux objets brûlants qu'il maintenait à distance de tout ce sur quoi il les posait.

– Quel âge a-t-elle ? demanda-t-il.

– Douze ans.

Charlie avait précisé quelques autres détails avant que je ne le laisse chez O'Shea's, aussi, pour ne pas briser le flot de la conversation, les rapportai-je à Arlo : que la progéria était une maladie extrêmement rare, qu'il n'existait qu'une centaine d'enfants vivant avec dans le monde.

– Ils ont tous un petit nez pincé, ces gosses, ajoutai-je. Ce qui donne l'impression que leurs yeux sont énormes.

Comme Arlo ne réagissait pas, je continuai sur ma lancée :

– Quand ils ont l'âge d'aller au collège, ce sont des vieux.

Des vieillards haletants mourant infailliblement de la malformation cardiaque qui emporterait la plupart d'entre eux avant ou juste après l'adolescence.

– Et leur esprit ? reprit Arlo.

– Aussi clair que de l'eau de roche. Jusqu'à la fin. Ainsi, bien que vieille de corps et d'apparence, poursuivis-je, la victime de progéria meurt avec, dans le cœur, toutes les torrides et folles aspirations de la jeunesse. Elle ne perd pas la mémoire, comme cela arrive souvent aux personnes âgées, et ne souffre aucunement de perte de l'identité. Jusqu'à son dernier souffle, elle sait très bien qui elle est, où elle est et ce qui lui arrive.

Arlo demeura silencieux quelques instants avant de poser une autre question.

– Ce sujet, qu'est-ce qui vous donne envie de le traiter ?

Je ne me l'étais pas demandé, mais soudain, je le sus.

– Vivre sans espoir, répondis-je.

– Katherine était ainsi. Du moins, jusqu'à…

Il s'interrompit, se rendant vraisemblablement compte que, par mégarde, il ramenait la conversation sur la raison initiale de notre rendez-vous.

– Cette gamine sur qui vous allez peut-être écrire un article, reprit-il vivement. Comme s'appelle-t-elle ?

Elle s'appelait Alice Barrows, et Sandra Parshall, la voisine de Charlie, se montra très loquace à son sujet lorsque j'appelai Brookwood Residential un peu plus tard ce jour-là.

– Son père a très tôt abandonné la famille, et sa mère est morte l'an dernier, m'expliqua-t-elle. Alice réside à Brookwood depuis lors.

Sandra ménagea un bref silence, puis ajouta :

– Je pense que vous la trouverez très intéressante.

– Comment cela ?

– Son intelligence. Elle a un QI très élevé, mais ce n'est pas tout. Elle est d'une très grande curiosité. Elle est mûre pour son âge, elle supporte sa situation désespérée avec…

Elle s'interrompit, cherchant le mot juste.

– … stoïcisme.

Je trouvai le terme un peu excessif, mais parfaitement bien choisi pour m'appâter. Bien entendu, je n'ignorais pas qu'il recouvrait toute une gamme d'interprétations. Il se pouvait tout simplement qu'Alice soit timide ou renfermée, l'un comme l'autre risquant d'être pris pour de la force de caractère face à l'adversité.

– Alors, voulez-vous rencontrer Alice ? proposa Sandra.

Je savais que ce n'était pas vraiment un sujet pour moi que cette gamine mourante, aussi intelligente, mûre et stoïque soit-elle, mais j'avais encore en tête la conversation que j'avais eue un peu plus tôt avec Arlo, savais qu'un article portrait de lui ne m'étais pas acquis, loin de là. Avoir une solution de repli me parut plus sage.

– Je peux toujours passer après ma journée de travail, dis-je.

Il n'était pas loin de cinq heures quand Sandra Parshall me reçut dans son petit bureau de Brookwood Residential. C'était une femme d'une quarantaine d'années, aux cheveux châtains assez ternes, coupés avec une impitoyable indifférence à tout style.

– J'ai lu votre article sur le chef de chœur, déclarat-elle. Ça m'a permis de décider.

– Décider quoi ?

– Que vous étiez la personne avec qui Alice pouvait parler. Franchement, j'avais des doutes en ce qui concernait Charlie, mais je tenais à ce que quelqu'un écrive sur Alice, et je ne connaissais personne d'autre à qui le demander.

Elle eut l'air de vouloir me mettre en garde.

– Je ne veux pas qu'on fasse d'elle un numéro de cirque, asséna-t-elle. Ce n'est pas un monstre de foire.

Elle sourit tout à coup, et ajouta :

– Mais comme je vous le disais, votre article sur le chef de chœur m'a convaincue que vous étiez la bonne personne pour écrire sur Alice. Une phrase, en particulier.

Elle comprit que je ne voyais pas du tout à quelle phrase de mon article sur Roger Beaumont elle faisait allusion.

– Dans le passage où vous décrivez les voix des chanteurs, expliqua Sandra. Ces voix, ces harmonies, que le chef de chœur a coordonnées, et où vous dites que les sons peuvent durer éternellement parce que les sons, c'est une vague. Et moi, j'ai pensé : Alice n'est pas éternelle, contrairement à un joli son qui se diffuse dans l'espace. C'est maintenant qu'elle est là, c'est quelqu'un de très intéressant, il faut qu'on sache qu'elle a existé avant qu'elle ne nous quitte. C'est ce que je lui ai dit, j'ai même évoqué la possibilité que vous pourriez avoir envie de la rencontrer. Cette idée ne l'emballait pas, mais elle n'y était pas complètement opposée. Elle ne veut lier connaissance avec personne, indiqua Sandra, se penchant vers moi. Elle se suffit à elle-même. Elle ne va jamais dans la salle commune, et prend tous ses repas seule.

– À quoi s'occupe-t-elle toute la journée ? demandai-je, commençant déjà à douter qu'Alice soit un bon sujet pour un portrait.

– Elle lit.

– Surtout des romans policiers, selon Charlie, glissai-je. Il m'a raconté qu'elle aimait trouver de meilleures solutions que celles imaginées par les auteurs.

– C'est vrai. Mais Alice passe aussi beaucoup de temps à son ordinateur.

À ces mots, elle me décocha le plus rayonnant sourire institutionnel qui soit, la mimique paquet cadeau du personnel soignant plaquée tout en rose sur des masques de terreur pure.

– Elle est dans sa chambre, dit-elle. On y va ?

Alice était assise dans son lit, tapant à son ordinateur, quand nous entrâmes dans la pièce. Sur le moment, elle ne leva pas la tête, ne détourna pas son attention de l'écran légèrement scintillant, son front strié de rides profondes, ses paupières plissées comme quelqu'un qui cherche à voir distinctement une image floue. Teddy prenait la même expression quand il voulait se concentrer, ça me fit bizarre, si bien que, malgré moi, j'associai vaguement Alice au fils que j'avais perdu, comme on aperçoit parfois une caractéristique d'un mort – l'éclat d'un sourire, le frémissement d'un sourcil – sur un visage encore en vie.

– Bonjour, Alice ! lança Sandra d'un ton outrageusement enjoué à la lumière de ce que nous avions sous les yeux : Alice Barrows dans la splendeur de sa maladie, ses jambes repliées sous elle, presque aussi petites que celles d'une poupée.

Alice tourna lentement les yeux vers moi, mais en donnant l'étrange impression de s'imposer une épreuve effrayante, comme si on la faisait revenir de force à une réalité dont elle se passerait volontiers.

– Bonjour, dit-elle froidement.

– Salut.

Elle ne réagit pas, mais, d'une certaine façon, parut me jauger. Puis à mon grand étonnement, elle tourna la tête vers la fenêtre sur sa droite, avec un regard appuyé qui attira le mien par l'ironie particulière qui s'en dégageait.

Comme répondant à un ordre silencieux, je regardai dans la direction qu'elle indiquait et vis plusieurs créatures mythiques en verre coloré suspendues depuis le haut de la fenêtre, de sorte que la lumière les traversait, tachetant la chemise de nuit et les draps blanc hôpital d'Alice, et jusqu'aux murs de la pièce, de reflets de lutins, de Munchkins, de licornes et de différentes représentations de la fée Clochette.

– Ma mère aimait ce genre de choses, murmura Alice. Je les garde en souvenir d'elle.

Toutefois, ce ne furent pas ces personnages fantastiques qui retinrent mon attention, mais la reproduction d'un tableau, imprimée, à l'évidence, sur Internet et scotchée au mur à côté de la fenêtre : une vision effroyable dans le style de Jérôme Bosch qui montrait un groupe de *changelins* voleurs d'enfants secoués d'un rire démoniaque tandis qu'ils fourraient dans un sac de toile un petit garçon terrifié et en pleurs.

– Plutôt angoissant, remarquai-je d'un ton léger, surtout pour engager la conversation.

Alice me scruta longuement.

– Et pourtant ça arrive, dit-elle. Que des enfants soient enlevés.

Alors, je songeai : *Elle a fait une recherche à mon nom sur son ordi. Elle sait pour Teddy.*

– Oui, ça arrive, approuvai-je, haussant les épaules d'un air indifférent. Mais pourquoi s'attarder là-dessus ?

Alice ne répondit pas, et nous continuâmes de nous regarder jusqu'à ce que Sandra Parshall vienne à ma rescousse.

– Alice, comme tu l'auras sans doute deviné, c'est M. Gates, lança-t-elle gaiement. Le monsieur dont je t'ai parlé, le journaliste.

Alice ne me quittait pas des yeux, mais quant à savoir exactement à quelle évaluation elle se livrait, je n'aurais su le dire, car tout ce qu'elle pouvait voir, c'était un homme de taille et corpulence moyennes, portant une veste et une chemise à col ouvert, au physique tout à fait ordinaire.

Ce que je voyais moi, en revanche, était tout sauf ordinaire, car Alice Barrows, à douze ans, avait une tête de vieille femme. Et encore n'étaient-ce que les premiers effets que la progéria lui infligeait. Son menton était aussi pointu que l'extrémité d'un bâton taillé au couteau, et sa tête semblait y avoir éclos telle une fleur difforme dans un vase minuscule. Ses grands yeux marron étaient étoilés de plis profonds ; son visage, un lacis de rides. Il en allait de même pour ses mains où des veines bleutées dilataient sa peau diaphane, certes dénuée de tavelures mais néanmoins toute parcheminée. Elle était complètement chauve, ce qu'elle ne cherchait pas à dissimuler – ni chapeau, ni casquette, ni bandana –, si bien que le sommet de son crâne luisait légèrement sous la lampe, un peu oblong, deux oreilles finement ourlées en jaillissant de part et d'autre comme deux petits champignons accrochés à une écorce pâle.

Sandra nous regarda tour à tour.

– Bon, je crois que vous n'avez plus besoin de moi, je vous laisse…

Sur ce, elle partit, si bien qu'Alice et moi nous fîmes face sans intermédiaire et sans trop savoir comment poursuivre la discussion, ni même si nous le devions.

Finalement, je repris la parole :

– J'ai cru comprendre que tu lisais beaucoup, relançai-je, avec un coup d'œil vers les étagères à côté de son lit.

Elles étaient hautes d'à peu près un mètre vingt et croulaient sous les livres, surtout des romans policiers très connus : Agatha Christie et Arthur Conan Doyle, les contes de Poe étant le seul volume cartonné.

– Je vois que tu aimes les polars.

– Ma mère voulait que je ne lise que les livres qui finissent bien, répondit Alice, un peu sur la défensive, à croire qu'on tentait gentiment de lui soutirer des informations contre son gré. Je fais aussi des recherches, ajouta-t-elle. Sur Internet.

– Quel genre de recherches ?

Au lieu de répondre, elle me posa une question de son cru.

– Sandra m'a dit que vous aviez écrit un livre. C'est vrai ?

– Oui.

– C'est quoi, le titre ?

J'eus le sentiment qu'Alice connaissait déjà la réponse à cette question, mais je lui répondis tout de même.

– *Dans les limbes.*

– Ça parle de quoi ?

– De mystères non élucidés.

– Comme les meurtres ?

– Dans certains cas, mais parfois, seulement de quelqu'un qui a disparu, ou d'un corps qui n'a jamais été retrouvé. Des gens comme le juge Crater.

Avant que j'aie eu le temps de poursuivre, Alice baissa les yeux vers l'écran de son ordinateur, et se mit à taper.

– Joseph Force Crater, lut-elle sur la page qu'elle venait d'afficher. Un juge de la Cour suprême de l'État de New York.

– Tout à fait, lui confirmai-je, conforté dans l'opinion que le seul compagnon d'Alice était son ordinateur à la luminosité technologique neutre, œil qui ne rendait aucun regard, qui ne voyait pas une petite fille ratatinée, n'exprimait ni pitié ni répulsion.

– Disparu en 1930, poursuivit Alice, lisant toujours sur son écran. On ne l'a plus jamais revu. Qu'est-ce qui lui est arrivé, selon vous ? demanda-t-elle, relevant les yeux vers moi.

– Je n'en sais rien. Il est parti. Il a peut-être été assassiné. Mais élucider ces affaires n'est pas le sujet de mon livre.

Elle me considéra, intriguée.

– J'écris sur le besoin de trouver des réponses, expliquai-je. Ou seulement d'espérer en obtenir.

– Des réponses à quoi ?

– À ce qui disparaît. Comme le juge Crater.

– Ou la colonie perdue, indiqua Alice. Vous y êtes déjà allé ? Là où ils ont tous disparu[1] ?

– Quand j'écrivais des récits de voyages, acquiesçai-je.

Alice prit une profonde inspiration, un peu sifflante sur la fin.

– J'aimerais bien voyager, soupira-t-elle.

– Où aimerais-tu aller ?

Elle haussa les épaules.

– Avant tout, loin d'ici.

Elle avait une voix menue, sorte de pépiement humain, et quand elle parlait, de petits plis verticaux apparaissaient au-dessus de sa lèvre supérieure. Ses intonations contenaient aussi une terrible résignation, comme la voix d'un exécuteur dont le prisonnier condamné à mort ne serait autre que lui-même.

– Avant tout, loin d'ici, répéta-t-elle.

1. L'île Roanoke, au large de la Caroline du Nord, où les premiers colons qui s'y installèrent en 1585 disparurent, raison pour laquelle cette île s'appelle « la colonie perdue ».

Elle faillit ajouter quelque chose, mais se retint tandis qu'une expression apeurée envahissait brusquement ses traits et que sa main s'élevait lentement jusqu'à son nez, à la goutte de sang qui, soudain, en coulait. Elle éloigna sa main et regarda le bout rougi de son doigt.

– Je saigne ! cria-t-elle vivement.

Je me levai mais restai bras ballants, si bien que je dus paraître complètement paralysé à la grosse femme noire en blouse verte qui se précipita devant moi et souleva Alice dans ses bras.

– Je saigne ! hurla de nouveau Alice, emportée hors de la chambre, ses grands yeux fixés sur moi par-dessus la ligne fuyante de son épaule, un mouchoir en papier ensanglanté dans sa main ridée et tendue, tendue vainement dans le vide, comme j'avais mille fois imaginé celle de Teddy vainement tendue vers moi.

5

Le sang est un grand éveilleur de souvenirs dor-
mants. En repartant en voiture après ma brève rencontre avec Alice Barrows, je revoyais en pensée une
chambre où un meurtre avait été commis et où moi-
même m'étais rendu, alors jeune journaliste débutant
porté à découvrir tout ce que la noirceur du monde
avait à offrir.

– C'est du sanglant, m'avait averti le chef de l'équipe
de nettoyage sur laquelle j'écrivais un article.

Sur ces mots, il ouvrit la porte, et recula pour me
laisser passer, en ajoutant :

– Une vraie boucherie.

C'était vrai, ainsi que je le découvris : les murs, le
plafond et la literie portaient non pas de simples taches
de sang, mais en étaient carrément imprégnés, comme
si la pièce elle-même avait saigné. Un bref instant,
regardant Alice disparaître dans la salle de bains du
couloir, j'avais éprouvé la vague sensation de retourner
sur ce lieu du crime, le mouchoir ensanglanté d'Alice
mystérieusement relié à la précédente chambre imbibée
de sang, si bien que l'espace d'un instant effroyable,
glaçant, elle m'apparut comme une trame perpétuellement brisée et nourrie de sang, cette vie, comme un

vaste système incroyablement complexe de ruptures d'artères et de veines.

Chez moi, le voyant rouge de mon répondeur clignotait. J'enfonçai la touche et écoutai. Ce n'était qu'un message publicitaire automatique concernant la location de véhicules.

Je le supprimai, marchai jusqu'à mon bureau et, comme souvent, ouvris le tiroir pour regarder l'alliance de Celeste, me souvenir d'elle, puis de Teddy. D'habitude, même teintés du sentiment de perte, ces moments m'étaient agréables : réminiscences de voyages que j'avais faits avec Celeste, ou de petites sorties avec Teddy. Mais ce soir-là, ce fut au jour de la disparition de Teddy que je repensai, à la promesse que je lui avais faite d'aller le chercher à l'arrêt du car en cas d'orage, au fait indéniable que je n'y étais pas allé et que cette décision, si facile à prendre, avait tout bouleversé.

Du cœur de ces souvenirs, je jetai un coup d'œil à ma serviette et crus sentir une chose bouger à l'intérieur, presque physiquement, comme un petit animal mort depuis longtemps qui reviendrait mystérieusement à la vie.

Je l'ouvris et en sortis l'enveloppe qu'Arlo m'avait confiée en début d'après-midi. À l'intérieur, j'en trouvai deux autres, l'une marquée «Poèmes» et l'autre «Histoire». J'ouvris d'abord celle des poèmes, sans doute parce qu'elle était beaucoup moins épaisse, mais surtout parce que je n'avais jamais été grand amateur de poésie, et, comme tous ceux qui, préférant le glaçage du gâteau, le réservent pour la fin, je voulais tout simplement les lire au plus vite pour pouvoir passer au récit de fiction.

L'enveloppe contenait sept poèmes : des photocopies de textes manuscrits, si bien que je ne pouvais savoir si certains d'entre eux avaient déjà été publiés. Aucun n'était daté, mais on devinait que c'étaient des écrits de jeunesse. Presque tous correspondaient au genre d'hymne à la nature familier à quiconque a lu « Les Jonquilles » de Wordsworth. En les lisant, j'imaginai Katherine en anachronique accoutrement hippie, courant au milieu de champs en fleurs en jupe paysanne lui arrivant aux chevilles. Si elle ne prétendait pas qu'elle « allait solitaire, ainsi qu'un nuage[1] », longues flâneries en forêt et visions d'oiseaux ponctuaient ses poèmes, et elle tombait souvent en adoration devant le monde naturel dont la beauté et la bienveillance n'étaient, apparemment, jamais remises en cause.

Étaient-ils particulièrement bons, les poèmes de Katherine Carr ? Non, encore que, dans leur genre, ils n'étaient pas mauvais dans la mesure où elle forçait rarement la rime et contrôlait solidement la structure rythmique des vers. Au-delà de ces considérations purement techniques, une tendresse de cœur marquée se dégageait des sentiments qu'elle exprimait, si bien que l'impression que j'eus d'elle fut celle d'une âme bonne et inoffensive.

Tout cela était très gai, très juvénile et débordant d'espoirs extravagants, et j'en attendais plus encore en me penchant sur sa prose, au lieu de quoi je trouvai quelque chose de tout différent dans la première partie de cet « étrange petit récit » qu'elle avait laissé :

---

1. Premier vers du poème *Daffodils* (« Les Jonquilles ») de Wordsworth, dans la traduction de François-René Daillie, in *Poèmes*, éditions Poésie/Gallimard.

Le monde de Maldrow est plein d'objets tranchants et contondants : couteaux, scies, pics à glace, briques et battes, grossiers outils criminels à côté desquels une balle, rapide et propre, passerait presque pour le plomb d'une grâce obtenue. Maintenant, différentes scènes de crime défilent dans sa tête : crevasses rocheuses et chemins isolés, raccourcis et ravins, champs détrempés par la pluie. Il voit une bicyclette jetée sans ménagement dans un fossé, un petit camion rouge à l'envers dans un ruisseau bouillonnant, un tourniquet en métal grinçant dans une aire de jeu déserte, portant, telle la dernière offrande d'un plateau tournant, les restes déchiquetés d'une poupée décapitée. En plus de ces images, il se remémore ceux qui ont été étouffés avec des oreillers, ou pendus dans des caves, ou noyés dans des rivières et jetés dans des canaux d'écoulement, en menus morceaux morts.

Ce n'est pas pour rien, pense Maldrow, que les contes de fées de tout homme, ce sont les crimes.

Il ferme les yeux. C'est si dur à présent de vivre dans cette salle atrocement surchauffée de ce monde-là. Il tend l'oreille autant qu'il le peut et écoute la lourde pluie audehors. Il entend ses innombrables gouttes exploser sur la chaussée de l'autre côté de la fenêtre, d'autres qui éclaboussent les feuilles et les branches des arbres qui bordent la rue, et d'autres encore qui se regroupent en une armée diluvienne et prennent d'assaut les caniveaux et les égouts. Grotesquement amplifié de la sorte, ce bruit de tourbillon lui rappelle les acclamations qui montent de la foule de voyeurs quand la lame de la guillotine s'abat dans un murmure et que la tête tombe lourdement dans le panier.

Au début, la douloureuse acuité de son audition le rendait fou. Tel un homme ligoté à un amplificateur surpuissant, il entendait battre le cœur des oiseaux qui s'élevaient vers le ciel, déglutir les carnivores des forêts qui dévoraient leurs proies, s'effriter la terre grattée par les vers qui avançaient petit à petit dans le sol sous ses pieds. Mais plus tard, cette acuité, il l'avait trouvée réconfortante, une manière pour lui de libérer son esprit de l'horreur, de percevoir le monde des mouvements ordinaires : le percement de tunnels par les fourmis, la construction de nids, autant d'actes dénués d'intentions criminelles.

À présent, il entend la porte du bar s'ouvrir, des pas se rapprocher, un déplacement d'air, l'astucieux artifice de sang et de chair, l'imperceptible souffle d'une respiration retenue.

– Maldrow ?

Maldrow rouvre les yeux, scrute le visage du Chef, y voit d'autres visages, comme autant de repentirs dans un tableau : tous les grands criminels qu'il reconnaîtrait instantanément s'ils sortaient de leurs tombes et entraient tranquillement dans ce bar – le collier de barbe de Gilles de Rais, les joues rasées de près de Peter Kürten, le regard minéral d'Albert Fish.

– Tu as l'air fatigué, Maldrow, dit le Chef.

Maldrow jette un coup d'œil à son reflet dans le miroir. Il a du mal à calculer le nombre de ses années, bien qu'il ait l'apparence d'un homme d'environ quarante-cinq ans qui ferait encore relativement jeune pour son âge, au regard toujours vif. Lui, il a non seulement l'impression d'être vieux, mais aussi d'être une antiquité, une figure sculptée dans de la pierre érodée de tout temps, formidablement vieilli par les sinistres archives dont il est détenteur. Soudain, des lieux de sinistre mémoire défilent dans son esprit : les salles humides du château de Čachtice, le donjon de Malemort, les crimes qui y ont été perpétrés étant vengés depuis longtemps, tandis que d'autres, commis ailleurs, réclament encore justice.

– On l'a trouvée, annonce Maldrow.

Le Chef ne semble pas convaincu.

– Elle a une grande force en elle, assure Maldrow au Chef.

Il voit les regards morts des survivants, leur éclat aboli, des blessures qui ne cicatriseront jamais. Mme Budd, à sa fenêtre, regarde dans le vide ; Frau Ohliger pleure éternellement sur le parvis de la cathédrale ; la foule silencieuse attend que les excavatrices remplissent leur office autour du donjon de Machecoul.

– Contrairement à la plupart des gens, ajoute-t-il.

Le Chef remonte sur son nez ses lunettes à monture métallique.

– De la force, il lui en faudra beaucoup, c'est certain, dit-il.

Maldrow abaisse le regard sur la surface éraflée de la table. Un nom a été gravé dans le bois en lettres profondes et traits rapides, violents. Il fait courir un doigt sur les lettres de ce nom, voit le visage de celui qui l'a gravé, ses petits yeux furieux, le pli tombant que prenait sa bouche à chaque coup de couteau.

– Alors, reprend le Chef. Conte-moi son histoire.

Maldrow, faisant tourner son verre entre ses mains, y regarde tournoyer le liquide ambré.

– Elle s'appelle, commence-t-il par dire, Katherine Carr.

Un début énigmatique, pensai-je en tournant la page, mais somme toute assez banal : deux hommes dans un bar, plongés dans une mystérieuse conversation dont le sens réel nous serait sûrement révélé à la fin. Je n'avais pas non plus été bluffé que « Katherine Carr » apparaisse dans le récit en tant que personnage. D'autres écrivains avaient utilisé cet artifice : écrire sur soi en devenant le personnage de sa propre fiction, subterfuge bien connu qui agaçait ou non, mais auquel il fallait bien adhérer pour poursuivre sa lecture. Comme procédé littéraire, c'était loin d'être novateur, aussi ne fus-je nullement étonné que, à la page suivante, le récit opère un retour en arrière dans le temps, et que, en passant d'un narrateur omniscient à une voix narrative à la première personne, il nous éloigne de « Maldrow » et du « Chef » dans un bar pour nous plonger dans la subjectivité de « Katherine » :

AUPARAVANT

Je m'éveillai en sursaut, comme une enfant prise de panique, et cherchai aussitôt des yeux la brèche de lumière familière sous la porte fermée à clé de ma chambre, entaille fine mais rassurante.

Tu es chez toi, me dis-je. Personne ne t'a enlevée.

Une deuxième découpe lumineuse débordait un petit peu de sous une autre porte : la lumière de la salle de bains que je n'éteignais jamais non plus, plus étincelante, plus crue, comme celle des salles d'auscultation et des fauteuils dentaires.

Je pris une inspiration profonde, mesurée, apaisante. Tu vois, tu respires, me dis-je, encore que l'air lui-même m'éraflait la peau comme de minuscules épines.

Il en allait toujours ainsi le matin : j'avais le souffle coupé par la panique. Et pour cause : je savais qu'il se tenait au pied du lit, bras ballants, un éclat de métal au bout de sa main gauche. Sauf qu'il n'était pas seulement au pied de mon lit, bien entendu. Il était aussi avachi contre la fenêtre, tripotant les rideaux tirés, quand il n'était pas adossé de tout son poids contre la porte de ma penderie, ou bien affalé, jambes écartées, dans le fauteuil à l'autre bout de la pièce.

Je bondis sur mes pieds et me précipitai vers la salle de bains. Je savais qu'il serait là-bas aussi, obstruant le passage,

71

et que je devrais lui passer à travers, me confondre avec lui pour un instant intolérable avant de ressortir de l'autre côté, et que, en cet instant, je percevrais son odeur corporelle, entendrais battre son cœur, sentirais circuler son sang comme si c'était le mien. Parce qu'ils ne nous laissent jamais tranquilles s'ils s'en tirent, et de ce fait, nous vivons emprisonnés dans leur crime non élucidé.

Pourtant, malgré tout, chaque matin, je faisais ce que je devais faire : je me brossais les dents, me douchais, m'habillais, tout cela sous son regard. Pendant qu'il m'observait, indolemment assis à la table de la cuisine, je mangeais un muffin au-dessus de l'évier, puis passais dans le salon éclairé pendant que ce même inconnu se tenait devant la porte d'entrée, solidement campé sur ses jambes, bras croisés sous son tee-shirt à manches courtes.

Naturellement, je devais tout de même continuer quoiqu'il m'en coûte, et donc, encore une fois, je lui passai à travers pour sortir sur le perron, puis descendis les marches au bas desquelles je partis vers la gauche en direction de Gilmore Street.

À mi-parcours, à hauteur de Cantibell Street, j'aperçus Molly Vaughn qui bavardait avec un jeune homme grand et mince en qui je reconnus Ronald Duckworth. À mon approche, Ronald dit quelque chose à Molly qui changea de tête, se renfrognant comme si elle avait reçu une gifle. Là-dessus, elle tourna les talons et s'éloigna à pas pressés comme si elle avait peur, tel un petit animal fuyant un feu qui s'étend.

– Salut, me dit Duckworth quand j'arrivai à sa hauteur.

Ce mot me fit l'effet d'un hameçon piqué dans ma bouche.

– Tu habites par ici, c'est ça ? me demanda-t-il.

Je détournai le regard, et vis le même inconnu appuyé contre le capot d'une voiture. Il se grattait nonchalamment la poitrine. Son corps sec était visible sous sa chemise transparente, le dessin de ses côtes affleurant contre sa peau tendue. Son jean portait encore des taches de mon sang, des gouttelettes rouges étoilaient sa chemise. Seul son visage, comme toujours, était flou.

Quand je tournai de nouveau la tête vers Duckworth, celui-ci me regardait toujours.

– Je suis pressée, dis-je vivement.

Je le quittai précipitamment, en pensant à un poème que j'avais écrit autrefois, qui racontait que les premiers habitants de la terre devaient avoir éprouvé un besoin éperdu de mots, avoir profondément ressenti qu'ils leur manquaient, s'être sentis emmurés dans la privation de la parole, ne disposant que de grognements pour dire : « Je me sens seul. Aide-moi, s'il te plaît. J'ai perdu tout espoir. »

Je n'aurais su dire pourquoi, mais le début du texte écrit par Katherine Carr me fit penser à l'île Maitland, un lieu dont j'avais parlé dans un de mes articles. Toutes sortes d'animaux exotiques y avaient été importés dans le seul but d'être abattus pour procurer des trophées de chasse afin de décorer des salles qui en étaient déjà abondamment fournies. L'île, minuscule, mesurait à peine cinq kilomètres de long et un peu moins de deux à son point le plus large. La faune y errait en liberté, mais était continuellement poursuivie par de riches et oisifs chasseurs armés de carabines surpuissantes. Une fois lâchée, elle s'enfuyait aux quatre coins de la maigre superficie de Maitland, traquée et de temps à autre cible de tirs. Certaines bêtes étaient rapidement éliminées, tandis que d'autres, les moins gravement blessées, allaient d'un endroit à l'autre en traînant la patte, marquant le sol de gouttes de sang jusqu'à ce qu'elles soient tuées. D'autres encore, les plus petites, les plus agiles, réussissaient à échapper aux chasseurs pendant quelques heures, traversant l'île maintes et maintes fois jusqu'à finir par se rendre compte qu'elles n'avaient aucun moyen de s'échapper. À ce moment-là, elles avaient assimilé les piètres dimensions de l'île, qu'elles étaient totalement prises au piège, que, quelque butte qu'elles gravissent, quelque plage qu'elles parcourent, elles ne parviendraient jamais à se mettre hors de portée de leurs poursuivants. À mesure qu'elles fatiguaient, une terrible inéluctabilité les gagnait. Certaines, en dernier recours, sautaient à la mer, tandis que d'autres s'étendaient sur le sol, complètement épuisées, repliaient leurs pattes sous elles et, la tête tournée vers le vent, attendaient en silence.

Dans la fiction, l'univers de Katherine Carr était comme l'île Maitland, pensais-je : un lieu où elle fuyait, mais sans pouvoir se cacher, si bien qu'elle restait perpétuellement dans la ligne de mire d'un inconnu, et le personnage qu'elle avait inventé, en s'inspirant ou non d'elle-même, une proie continuellement condamnée.

Le personnage de Maldrow, lui, était plus difficile à cerner, toutefois la narration donnait des références précises sur son passé, matière dans laquelle le journaliste que j'étais pouvait mordre à belles dents, et comme je ne voyais pas sous quel autre angle aborder un futur article sur Arlo, je partis de là.

Je fis d'abord une recherche sur Čachtice et appris qu'il s'agissait d'un château de la Hongrie royale où fut assignée à résidence une certaine comtesse Erzsébeth Báthory, la Dame Sanglante de Čachtice, considérée comme la tueuse en série la plus tristement célèbre de toute l'histoire de ce pays, une femme qui avait torturé et assassiné des centaines de jeunes filles. Le château de Machecoul était la demeure ancestrale de Gilles de Rais, ce grand criminel du XVe siècle qui massacra des jeunes garçons, considéré comme le premier tueur en série connu. Albert Fish aussi était un meurtrier récidiviste – d'enfants surtout. Il fut finalement arrêté à New York, et exécuté à Sing Sing en 1936. Peter Kürten, «aux joues rasées de près», n'était autre que le «vampire de Düsseldorf», un assassin de femmes, pas seulement d'enfants. Il fut guillotiné, en 1931, à la prison qui porte le drôle de nom de Klingelpütz[1].

Je venais de terminer mes recherches quand le téléphone sonna. C'était Arlo McBride.

– Vous avez lu ce que je vous ai remis?

– Oui.

Plutôt que d'ajouter un commentaire négatif ou, pour le moins, peu enthousiaste sur les poèmes de Katherine Carr, je parlai tout de suite de sa prose.

– Elle a utilisé son propre nom dans son récit.

– Sans doute parce qu'il est en partie autobiographique, rétorqua Arlo. Elle a été agressée par un homme qui n'a jamais été arrêté.

– Ici, à Winthrop?

– À l'extérieur de la ville. Son grand-père était mort à ce moment-là, et elle vivait seule à la ferme.

– Quand a-t-elle été agressée?

– Cinq ans avant sa disparition, répondit Arlo.

– Pour quelle raison?

---

1. Au XIIIe siècle, ce quartier de Cologne appartenait à la famille Clingelmann, et il se trouvait plusieurs puits sur le terrain. En dialecte local, le mot «puits» se dit *Pütz*. On parlait alors de *Klingelmannspöötz*, qui s'est transformé plus tard en *Klingelpütz*.

– Le mal à l'état pur ne s'embarrasse pas de raisons, George, déclara Arlo. C'est justement pourquoi c'est le mal à l'état pur.

– Donc, ce n'était pas pour la violer, pour la voler ?

– L'homme lui a pris une bague, un anneau d'or qu'elle portait toujours. Elle lui venait de sa grand-mère. Il la lui a arrachée du doigt au cours de l'agression, mais personne n'a jamais cru que le vol était le mobile. Il aurait pu la dévaliser sans lui faire subir ce qu'il lui a fait subir.

– Quoi, au juste ?

– Il l'a battue jusqu'au sang. Puis, avec un couteau, il lui a tailladé les bras et les jambes.

– Pourquoi pas la gorge ? demandai-je.

– Parce qu'il ne voulait pas en rester là, je suppose. Quand il a eu fini de l'écharper, il lui a soufflé : «Ne m'oublie pas, je reviendrai. Alors, je finirai le travail.» À mon avis, il lui a dit cela pour la terroriser. Et ça a marché.

– C'est sinistre.

– Dois-je en conclure que vous n'avez pas envie de lire la suite de ce qu'elle a écrit ? voulut savoir Arlo.

Je n'étais pas certain d'en avoir envie, mais le travail, c'est le travail et il faut bien gagner sa vie. À part Alice Barrows, je n'avais aucun autre sujet de portrait et, à en juger par la dernière vision que j'avais eue d'elle, Alice était peut-être déjà morte. Si, pour me rapprocher d'Arlo, il me fallait lire tout ce que Katherine Carr avait écrit, alors soit !

– Si, au contraire, affirmai-je.

– D'accord. Je me charge de vous procurer l'épisode suivant.

À l'entendre, on aurait cru qu'il parlait d'un de ces romans-feuilletons si populaires au XIXe siècle. Dickens avait gagné une fortune en fractionnant la parution de ses histoires dans des revues mensuelles. Katherine Carr n'était pas Dickens, loin s'en faut, mais si sa prose sentait un peu trop le réchauffé à mon goût, je ne l'avais tout de même pas trouvée atrocement mauvaise. Je pourrais supporter d'en lire plus.

– Votre porte a une fente pour le courrier, hein ? demanda Arlo.

J'étais surpris qu'il le sache, mais il est vrai qu'il avait été policier pendant de nombreuses années, et à ce titre, était probablement entré et sorti de presque tous les immeubles de Winthrop.

– Ouais, lui confirmai-je. Vous pourriez le déposer là.

Nous discutâmes encore un peu de tout et de rien, puis je préparai mon dîner et lus un moment. Dans le livre, les Burannis pratiquaient leurs rituels ancestraux, lisant les noms de leurs innocentes victimes et remerciant Kuri Lam de creuser la fosse sans fond. C'était un rituel un peu ridicule, bien entendu, ridicule qui, à mon sens, ne faisait que souligner l'inanité de ces primitifs espoirs de justice.

En tout état de cause, je fus bientôt agacé par cette lecture et, quelques minutes plus tard, cédant à la même envie qui avait raison de moi presque chaque soir depuis la mort de Teddy, je me retrouvai chez O'Shea's.

6

Ce bar était tenu par une certaine Stella Owens, la fille par deux fois divorcée de Gilly O'Shea. C'était une forte femme aux cheveux roux fins et cassants, aux yeux bleu délavé, exactement le genre de tenancière qu'on s'attendrait à trouver dans un troquet comme le O'Shea's, le seul qui, dans notre ville radieuse et prospère, semblait toujours enraciné dans l'ombre de son propre passé.

– B'soir, George, lança-t-elle quand je franchis la porte.

– Stella.

– Tu veux manger ?

– Non, rien qu'un scotch.

Elle me servit, puis fit un signe de tête en direction du fond de la salle.

– Ta place n'attend que toi, me dit-elle.

– Merci.

Mon box était inoccupé, mais quelques clients étaient éparpillés entre les différentes tables, comme souvent à cette heure-là. Moi, j'étais un buveur solitaire, ce que ma manière de me tenir avachi devant mon verre indiquait clairement, aussi fus-je surpris d'entendre :

– Salut, George.

Je levai les yeux pour trouver Hollis Traylor, debout à ma hauteur.

– Salut, Hollis.

Nous nous étions croisés après la mort de Teddy, que j'essayais alors de surmonter en assistant aux matches de première ligue qu'il aurait dû disputer s'il avait encore été de ce monde. Ça n'avait pas marché, et j'avais cessé d'y aller bien avant la fin de la saison. Hollis était l'entraîneur d'une équipe adverse, et je n'étais pas certain que nous nous soyons jamais adressé la parole, mais, à l'évidence, il reconnaissait lors de ces matches mon visage de père miné par le chagrin qu'il avait dû voir souvent sur la chaîne de la télévision régionale ou dans le journal local.

Il se glissa dans le box, but une gorgée de sa bière, puis posa doucement le verre.

– Incroyables, les Wildcats, hein ? fit-il.

Il parlait de l'équipe qu'il entraînait.

– Ils sont bien partis pour les championnats d'État, ajouta-t-il.

Je le revoyais aux matches des Wildcats, encourageant son équipe à tue-tête, personnalité exubérante et énergique, jamais le dernier à hurler des vivats.

– Ils se sont battus comme des chefs pour remonter de la dixième place, ajouta Hollis avec un rire tonitruant.

J'approuvai de la tête.

– Teddy les a affrontés la dernière fois qu'il a joué.

Hollis me considéra joyeusement.

– Ouais, je sais, dit-il. Il a réussi un joli coup de circuit.

Certains s'apitoieraient sur ce souvenir : Teddy en tenue de base-ball, le balancement de la batte qu'il tenait fermement, sa frappe, la balle dessinant un arc de cercle très haut dans les airs en direction du champ central. Pour moi, c'était un poison, comme presque tous les souvenirs qu'il me restait de lui, le passé, un mélange toxique de colère et de regrets.

Hollis le comprit certainement. Il haussa les épaules.

– Pas de nouvelles, je suppose, murmura-t-il.

– Des nouvelles ?

– Du nouveau, j'entends, se reprit Hollis, se rendant compte de sa formulation maladroite. Dans… l'affaire.

– Vous voulez parler de Teddy ?

– Excusez-moi. Vous n'avez sans doute pas envie d'en discuter. Je comprends, acheva-t-il, agitant la main.

– Il n'y a pas eu de nouveau, indiquai-je. Et il n'y en aura jamais.

Je pris mon verre et bus une gorgée.

– Il court toujours, assénai-je.

Hollis risqua un rapide regard dans l'abîme sulfureux dans lequel il devait penser que j'étais plongé, puis jeta un coup d'œil vers la porte du bar.

– Il commence à pleuvoir, constata-t-il. Je ferais mieux de rentrer.

Je terminai mon scotch, puis en commandai un autre, le devant de la salle s'emplissant peu à peu de ces noctambules que côtoyait le client de passage occasionnel qui avait poussé la porte du O'Shea's simplement parce que ce bar était situé à proximité de la gare. Personne ne retint mon attention jusqu'à ce que, à la moitié de mon deuxième verre, je remarque, dans la pénombre, une femme dans un coin près du bar, assise seule et silencieuse, ses cheveux bruns retombant sur ses épaules dans le style des femmes fatales des années 40.

Le manteau qu'elle portait dégageait, lui aussi, un petit je-ne-sais-quoi passé de mode, notamment dans sa coupe vaguement militaire. Il émanait de ses gestes cette aura particulière d'un temps révolu : la manière dont elle avait posé les mains sur ses genoux, le va-et-vient calme et régulier de ses regards, le fait qu'elle ne parlait à personne et que personne ne lui adressait la parole, comme si elle n'était visible que par moi, une femme créée avec les débris du mystère non résolu qui était le mien.

La seule femme réellement mystérieuse de ma vie m'attendait lorsque j'arrivai chez moi quelques minutes plus tard, sous la forme du deuxième volet de son histoire, soigneusement glissé dans l'enveloppe kraft qu'Arlo avait laissée tomber par la fente courrier et qu'un de mes voisins avait gentiment ramassée et posée sur la console du vestibule.

Quand j'eus gagné mon appartement, je m'assis à mon bureau et l'ouvris. Comme la fois précédente, elle contenait la photocopie de plusieurs feuilles de papier ligné, rédigées de l'écriture qui m'était déjà devenue familière de Katherine Carr : le tracé appliqué, mais les lettres détachées si bien qu'aucun mot n'était complètement relié. Quelques années plus tôt, j'avais suivi un cours de graphologie et me souvenais que d'après cette science, qui de l'avis général était loin d'être exacte, pareille écriture révélerait une grande créativité, les cursives fracturées, caractéristiques des poètes, des écrivains et des fabulistes en tout genre, indiquant que Katherine était, comme eux, quelqu'un qui inventait des histoires.

– Elle vit seule, dit Maldrow, commençant de raconter l'existence que menait Katherine. Elle n'a personne.

Il se rappelle les nombreuses fois où il s'est posté devant la maison de Gilmore Street, le regard fixé sur la porte, attendant qu'elle descende les marches du perron, puis lui emboîtant le pas, attentif, scrutant son moindre geste, attentif au rythme saccadé de sa démarche, notant qu'elle était presque invisible aux yeux des autres quand elle passait parmi eux, si étrangement seule qu'elle faisait davantage penser à une lointaine planète qu'à un être humain.

– Pas de famille ? Pas d'amis ?

Il n'a jamais vu de visiteurs dans cette maison, jamais vu la porte s'ouvrir sur quiconque à part l'amie venue de loin, toujours seule, et le jeune garçon qu'elle amène parfois. Et encore ces visites sont-elles brèves, personne ne sort se promener avec elle dans Gilmore Street et Cantibel Street.

– Elle n'a pas de famille, répond Maldrow. Sa seule amie n'est pas d'ici.

– Elle vient souvent, cette amie ?

– Rarement.

– Jamais à l'improviste ?

– Il n'y aura pas de surprises, affirme Maldrow au Chef.

Le Chef s'en félicite par des hochements de tête approbateurs.

– Elle est totalement isolée, ajoute Maldrow. Il n'y a personne qui puisse l'aider.

– Tu en es sûr ?

– Oui.

– Elle a tout de même des voisins, non ? demande prudemment le Chef.

– C'est une inconnue, même dans son quartier, lui assure Maldrow. Les gens la croisent dehors, mais ils n'entretiennent aucune relation avec elle.

Maldrow repense à Katherine telle qu'il l'a entrevue dans la rue : la vivacité de son pas, les regards qu'elle jette sur le côté et derrière elle, son allure de biche aux abois.

– La peur est sa seule compagne, dit-il.

– Ah, murmure le Chef. Oui. Glaciale compagne, celle-là.

– Il n'y a rien de chaleureux dans sa vie, dit Maldrow. Absolument rien qui l'illumine ou l'adoucisse.

– L'ombre totale.

Maldrow la voit faire ce qu'elle doit faire : marcher par les rues dans la journée, arriver en ville, acheter le peu qu'il lui faut pour maintenir le fil si ténu de sa vie.

– On dirait une femme qui serait déjà morte.

Le Chef lève les yeux, comme vers des notes qu'il s'attendrait à voir écrites dans le vide, immémoriale profession de foi.

– N'y a-t-il rien que les mots ne puissent guérir ?

– Les mots ne peuvent plus l'atteindre.

– N'y a-t-il rien que l'amour ne puisse trouver ?

Maldrow secoue la tête.

– Qu'est-ce qui la retient sur terre ? demande le Chef.

Maldrow répond par une formule toute faite :

– Son cœur bat. Elle respire.

– Mais au-delà de ça ?

– Rien, à part la peur et la colère.

Le Chef jette un coup d'œil vers le devant de la salle où quelques hommes sont assis au bar.

– Dans ce cas, les conditions de base sont remplies, dit-il, se tournant vers Maldrow. Mais seulement les conditions de base.

– Je sais.

– Donc, maintenant, le plus difficile commence.

– C'est toujours le plus difficile.

Le Chef regarde Maldrow d'un air entendu.

– Alors, allons-y, dit-il.

Je m'émerveillais de voir avec quelle insouciance elles jaillissaient sur le parking avec de gros sacs dans les bras, les femmes de Winthrop. Elles ne jetaient de regard ni autour d'elles ni derrière elles en se dirigeant vers leurs voitures. Elles ne tenaient pas fermement leurs enfants par la main. Elles glissaient sur la glace, mais sans crainte parce que la glace n'avait encore jamais cédé sous leurs pieds.

Elle avait craqué sous les miens, et depuis lors, tout n'était que peur, pesanteur et obscurité, figé dans des ombres épaisses, où tu attends toi aussi – dans l'ombre – d'être déchiqueté, fusillé, poignardé, tabassé, pendu.

Je sursautai et me remis en mouvement. L'idée, c'était de filer comme une flèche dans la rue et en coup de vent d'un rayon à l'autre, d'acheter ce dont j'avais besoin mais sans rien emporter, le tout devant m'être livré, déposé à ma porte que j'ouvrirais pour, à la manière d'un crabe, tendre mes pâles pinces et tirer le tout d'un coup sec dans la caverne submergée, jusqu'à moi, par succions, sous ma petite carapace.

Je fis mes courses, apercevant l'inconnu à tous les coins, affalé contre le rayon laitages, le comptoir boulangerie, les bacs fruits et légumes. Il se tenait derrière la caissière, la regardait compter ma monnaie, puis pointait le doigt vers la vitre et le parking où il se trouvait déjà, appuyé contre un Caddie. Comme à son habitude, il me suivit aussi dans Gilmore Street, formant une double haie punitive à lui tout seul, se prélassant sur les balancelles des vérandas, adossé contre des arbres. Sa multitude représentait pour moi les lanières d'un même fouet.

Quand j'arrivai vers chez moi, j'étais à bout de souffle, en nage, avançant de plus en plus vite, jusqu'à ce que je remarque une vieille voiture noire, sale, à l'arrêt, ayant l'air d'avoir été abandonnée au bord du trottoir.

Je me figeai sur place comme soudain prise dans la banquise.

L'homme qui descendit de la voiture portait un costume sombre et une cravate rouge sang. Il vint lentement vers moi. Mon esprit se grippa. Je m'armai de courage et attendis.

En arrivant à ma hauteur, l'homme toucha son chapeau.

– Bonjour, me dit-il.

Il avait une façon de me regarder, de me dévisager un peu en connaissance de cause, comme quelqu'un qui m'avait déjà vue ou, pour le moins, savait des choses sur moi. Je me demandai si nous nous étions déjà rencontrés, voire connus par le passé. Pourtant, il gardait ses distances, et cette retenue lui donnait l'air de quelqu'un qui n'avait jamais vécu à Winthrop, ou bien il y avait si longtemps qu'il n'était plus habitué à ses habitants et à leurs usages.

– Katherine Carr, dit-il d'une voix ferme, comme s'il était décidé à me rappeler très précisément qui j'étais.

– Oui, dis-je. On se connaît?

– Je retrouve des personnes qui ont disparu.

Son costume était propre, mais lui allait mal, et il avait l'air un peu débraillé de quelqu'un qu'on a réveillé au beau milieu de la nuit.

– Je n'en connais aucune, lui dis-je.

– Si, rétorqua-t-il, me regardant avec un calme terrifiant. Lui, il a disparu depuis cinq ans.

Aussi bizarre que cela puisse paraître, je sus très exactement à qui il faisait allusion.

– Je m'appelle Maldrow, ajouta l'homme. Je vous reparlerai bientôt.

Sans un mot de plus, il regagna sa voiture et y monta, regardant tout le temps droit devant lui, s'en allant sans jamais se retourner. En le suivant des yeux tandis qu'il s'éloignait, mon imagination prit le dessus, et aussitôt je

85

vis d'autres véhicules le suivre à la queue leu leu, comme autant de prisonniers : charrettes et chariots, diligences, et finalement voitures, fantomatique procession sans conducteurs, comme portée par une vague invisible, d'années et de modèles différents, étrangers et américains, remontant en arrière sur des décennies, certains flambant neufs, d'autres mangés par la rouille, tous s'éloignant d'un abominable carnage, une famille exterminée ou un enfant massacré, leurs coffres pleins de cordes, de ruban adhésif et de bonnes longueurs de fil électrique, dans l'un la scie égoïne que quelqu'un a négligé de nettoyer.

Quelle drôle de petite histoire, songeais-je en posant ces pages écrites avec, me semblait-il, un formidable besoin de la raconter. J'avais déjà rencontré ce phénomène, bien entendu : l'écriture comme thérapie pour repousser ses démons intérieurs ou éviter que son noyau dur n'explose. Je m'étais moi-même livré à cet exercice après la mort de Teddy, couchant sur le papier de fugaces souvenirs de lui, imaginant la vie qu'il aurait pu mener. Il m'arrivait de tenir le Frisbee que nous avions lancé comme si c'était une porte magique par laquelle je pourrais l'atteindre, et même de sortir l'alliance de Celeste du tiroir de mon bureau et la faire tourner à la lumière en homme invoquant l'esprit du fils que nous avions perdu. Mais toutes ces pages avaient fini par atterrir dans la poubelle, mots impuissants à adoucir la cruauté de la réalité ou à me rendre la moindre particule de ce qui était perdu, amère leçon que, je n'en doutais pas, Katherine Carr avait bien dû se résigner à retenir, et sous le coup de laquelle elle avait soit arrêté d'écrire, soit changé de genre au profit, peut-être, de son autobiographie ou d'un roman policier, sa prose enfin devenue froide comme le corps après la mort.

Ce fut mot pour mot ce que je déclarai à Arlo quand je lui téléphonai quelques minutes plus tard.

– Katherine faisait bien plus que raconter sa vie, se récria-t-il. Elle la transformait.

– De quelle manière ?

– Eh bien, pour commencer, elle est retournée à la ferme.

Sur les lieux de son agression ? Cela me parut d'autant plus étrange que si les parties de son récit écrites à la première personne correspondaient à la réalité, elle trouvait à peine le courage de sortir dans les rues sans danger de Winthrop, alors à plus forte raison celui de revisiter l'endroit où elle s'était fait agresser par un inconnu devenu omniprésent.

– Quand y est-elle allée ? demandai-je.

– Peu avant sa disparition, répondit Arlo. Elle a dit à Audrey qu'elle devait le faire.

– Pourquoi ?

– Ça faisait partie du processus pour retrouver sa force.

– À la dure, remarquai-je. Vous me direz, en bon écrivain, sûrement n'y sera-t-elle retournée qu'en imagination.

– Ce n'est pas ce qu'elle a dit à Audrey, insista Arlo. Elle a affirmé s'y être réellement rendue.

– Mais Katherine invente des histoires, non ? lui rappelai-je. C'est une conteuse, après tout.

Arlo éluda.

– Vous devriez y aller, vous aussi. Sur la scène de crime.

Au cours de mes années de voyage, j'avais visité Drogheda, Auschwitz, ainsi que d'innombrables autres lieux de massacres du passé lointain ou plus récent. J'avais même trouvé, à l'instar de Thomas Hardy qui décelait une austère beauté dans les murs des prisons, que ces endroits dispensaient un charme étrange. Mais ça, c'était avant Teddy, avant que le navire de ma vie ne s'échoue tragiquement sur ses propres rivages.

— J'ai perdu le goût des scènes de crime, murmurai-je.

— Katherine n'a pas été assassinée à la ferme, me rappela Arlo.

— Vous m'avez compris.

— Oui, néanmoins je pense que vous devez aller y regarder de plus près, George, s'obstina Arlo. Vous y verrez un signe de sa personnalité.

Je tins bon et gardai le silence.

— Cela changerait-il quelque chose, George, si je vous disais que ce signe a été tracé avec son propre sang ?

7

Étrange, mais l'allusion faite par Arlo au sang de Katherine Carr me renvoya aussitôt l'image d'Alice Barrows disparaissant dans le couloir et dans la salle de bains, de son petit visage ridé saignant du nez. Notre première rencontre ne s'était pas très bien passée, loin de là, et au début, j'avais même senti chez elle une volonté de rechercher l'affrontement, du moins le réflexe de me tenir à distance. Tout avait basculé avec l'apparition de la première goutte de sang, au point que j'avais vu la petite fille dans le corps de vieillarde, la panique de l'enfance sous le visage ravagé, et sous cette vision, si brève fût-elle, j'avais senti en moi un élan me porter vers elle.

C'est pourquoi, rendez-vous pris pour aller avec Arlo à la ferme où Katherine s'était fait agresser, je raccrochai et appelai Sandra Parshall.

– Alice va bien ? demandai-je dès qu'elle eut pris la communication.

– Alice n'ira jamais bien, rétorqua Sandra. Elle s'affaiblit à chaque épisode.

– Pourquoi saigne-t-elle ?

– Le Coumadin. Un anticoagulant qu'elle doit prendre.

Mon père s'était vu prescrire ce même médicament, mais sur le moment ce ne fut pas à sa longue maladie que je pensai, mais à Teddy, à la seule fois où il avait fait une forte poussée de fièvre et dû être brièvement hospitalisé, à la nudité des murs de sa chambre quand j'y étais entré, à la pénombre de la pièce, à l'effroi que j'avais capté sur son visage juste avant que j'en franchisse le seuil, à l'immense soulagement qui l'avait submergé quand il m'avait vu, et à quel point il m'avait été doux, ce pouvoir de l'affranchir de sa terreur.

– J'aimerais bien revoir Alice, si elle est d'accord, proposai-je.

– Je crois qu'elle aussi aimerait bien vous revoir, assura Sandra d'un ton indéniablement surpris, comme si elle avait toujours jugé impossible de jeter un pont vers Alice pour rompre son isolement. Je crois bien qu'elle vous a trouvé sympathique, George.

Ses paroles se firent presque implorantes :

– Alors, j'espère que vous reviendrez bientôt, parce qu'au stade où elle en est…

Sandra laissa sa phrase en suspens, mais elle n'aurait pu être plus tristement claire : comme le plus petit microbe et la plus grande galaxie, Alice Barrows mourait entre les mains du Temps.

– Quand puis-je venir ? demandai-je.

– Quand vous voulez. Je ne vais tout de même pas restreindre ses heures de visite.

J'avais perçu comme une urgence dans la voix de Sandra quand elle prononça ces dernières paroles, aussi partis-je pour Brookwood Residential sitôt après avoir raccroché le téléphone.

Alice lisait quand j'entrai dans sa chambre.

– Salut, lançai-je.

Elle parut étonnée de me voir.

– Qu'est-ce que tu fais ? demandai-je.

Elle leva le livre, un poche tout fin, et me dit :

– Ce n'est pas très bon.

Je le lui pris des mains.

– Nero Wolfe[1], dis-je. C'est un détective, non ?

Alice opina de la tête.

– Mais c'est son acolyte qui fait tout le travail, expliqua-t-elle. Wolfe passe le plus clair de son temps à réfléchir.

Elle me retira le livre des mains et le posa à côté d'elle.

– Désolée pour l'autre jour.

Elle semblait gênée, mais moins d'avoir saigné du nez que de la réaction qu'elle avait eue.

– C'est à cause d'un médicament que je prends…

– Le Coumadin, oui, je sais, indiquai-je.

Comme il n'y avait pas matière à épiloguer sur un sujet aussi dramatique, j'en revins au livre.

– Wolfe habite à New York, c'est ça ?

Alice porta le doigt à son nez, pour vérifier qu'il n'y avait pas de sang, supposais-je, geste qu'elle répéterait souvent au cours de notre conversation.

– Dans une brownstone[2]. Avec dix mille orchidées. Son adresse n'est pas la même dans tous les livres, poursuivit-elle, fronçant les sourcils. De toute façon, j'ai regardé un plan de New York sur mon ordinateur,

1. Nero Wolfe est un détective créé par le romancier Rex Stout. Ses aventures, parues entre les années 30 et 70, sont toujours racontées par la voix de son éternel assistant Archie Goodwin.
2. Maisons mitoyennes et identiques à la façade en grès rouge.

et s'il avait réellement vécu à certaines d'entre elles, il aurait eu les pieds dans l'Hudson.

J'admirai son sens de l'exactitude, son œil de journaliste pour repérer l'erreur d'étourderie, et il me vint à l'esprit qu'elle avait dû écouter des dizaines de faux diagnostics, être un nombre incalculable de fois mal informée sur les effets indésirables de ses traitements, se voir offrir un tas de pronostics optimistes que sa maladie s'acharnait depuis toujours à contredire, et que, à partir de ce manque de rigueur et de cette légèreté vis-à-vis des faits, s'étaient développés chez elle un dégoût du bâclé et de l'approximatif qu'elle jugeait insultants, et la capacité de savoir avec une clarté absolue quand on la traitait avec condescendance ou mépris.

Elle avisa le livre que j'avais apporté.

– C'est celui que vous avez écrit ? s'enquit-elle.

Je m'approchai d'elle et le lui tendis.

– J'espère qu'il te plaira.

Elle y accorda à peine un regard, et ne dit rien.

Je m'assis sur la chaise la plus proche de son lit.

– Ou plutôt, repris-je, qu'il méritera ton estime.

Elle haussa les épaules, et ses yeux s'élevèrent vers la fenêtre, comme deux miniballons dirigeables.

– Il doit être bien, affirma-t-elle. Vous n'êtes pas le premier venu.

Je sortis un cahier et un stylo.

– Bon, parle-moi de ces figurines de verre, proposai-je, les embrassant du regard, remarquant telle licorne, tel ange. Tu disais qu'elles appartenaient à ta mère ?

Alice me considéra durement.

– Pourquoi êtes-vous venu ?

Je la regardai en silence.

– Parce que ça fait partie de votre travail ?

Elle se rendit compte que j'étais désarçonné par son ton résolument négatif, pourtant elle ne recula pas devant les exigences de sa question, au point que je mesurai combien elle était seule, recevant uniquement la visite de gens en blouse blanche qui la sondaient et la questionnaient, des gens pour qui son calvaire était leur travail.

– Non, pas parce que ça fait partie de mon travail, répondis-je d'une voix posée.

– Quoi, alors ? insista Alice. Teddy ?

Donc, j'avais vu juste. Alice avait fait des recherches sur moi et trouvé les articles de presse traitant de la disparition de Teddy, elle savait où et quand il s'était volatilisé, où on avait fini par le retrouver, elle avait regardé les photographies choisies parmi les moins macabres pour être publiées.

– C'est peut-être une des raisons, répondis-je, changeant de position, mal à l'aise sous son regard fixe. Peut-être que je voulais l'éprouver encore un peu, le goût de la paternité.

Alice assimila cet aveu, puis murmura :

– Oui, ça, je comprends.

Elle me sourit gentiment, l'air plus détendu, comme si une raison secrète, source de tension entre nous, n'existait plus.

– Allons dehors, proposa-t-elle.

– Dehors ?

Elle se redressa contre son oreiller.

– Dans le jardin. On étouffe, ici.

Un fauteuil roulant se trouvait dans un coin de la pièce. Je le rapprochai d'elle, puis la regardai s'y installer tout doucement. Une fois la manœuvre achevée, elle attrapa mon livre sur le lit et le cala sur ses genoux.

– Prête !

Elle me guida dans le couloir, devant une succession de chambres lugubres abritant sûrement des cas désespérés, des mourants, des léthargiques, des gens ravagés par un cancer, des victimes de congestion cérébrale entortillées dans leurs draps.

Le jardin était petit mais bien entretenu, agrémenté de modestes haies et de confortables bancs en bois, toutes ses allées et tous ses îlots de repos conçus en fonction des larges axes de rotation des fauteuils roulants.

Quand nous y arrivâmes, Alice me pria de placer son fauteuil dos à la petite fontaine et aux trottoirs, position qu'elle avait sûrement choisie pour passer la plus inaperçue possible aux yeux des gens. Puis elle abaissa le regard sur mon livre.

– Vous devez avoir voyagé un peu partout ?

– Oui, répondis-je.

– Vous êtes déjà allé à Lourdes ?

– Oui.

– Ma mère voulait m'y emmener. C'est comment ?

– C'est très triste. Surtout la procession nocturne, celle où les gens viennent en espérant guérir.

– Quel est l'endroit le plus triste où vous soyez allé ? voulut savoir Alice.

Ça me faisait bizarre de discuter de ma propre vie et non de la sienne, mais, à l'évidence, Alice voulait qu'il en soit ainsi, alors je m'inclinai.

– Kalaupapa, répondis-je sans véritable raison sinon que ce fut le premier endroit qui me vint à l'esprit. C'est

94

à Hawaï. Une léproserie y est établie depuis 1869, mais il ne s'y trouvait qu'une cinquantaine de lépreux quand j'y suis allé.

Je me disais qu'il était fort possible qu'Alice ait besoin de cruels antidotes à l'irréductible et perpétuel optimisme de sa mère. J'avais observé cette réaction chez mon père, son rejet de toute vision réconfortante de cette vie ou de toute vie future, une armure qu'aucune flèche trempée dans l'espoir ne pouvait pénétrer.

– En réalité, c'est un très bel endroit, repris-je. Ce qui rend d'autant plus affreux ce qui s'y est passé.

– Racontez-le-moi, me dit Alice.

Ce que je fis.

Des siècles durant, Kalaupapa était resté un village de pêcheurs très isolé et presque inaccessible de l'île de Molokai, lui expliquai-je, et c'était justement l'isolement de ses rivages inhospitaliers qui l'avait rendu si attractif pour y implanter une colonie de lépreux. Les falaises côtières qui l'isolaient de l'intérieur des terres, parmi les plus hautes du monde, culminaient à près de cinq cents mètres. Aucune route ne partait du village, et pour les lépreux, estropiés comme ils l'étaient, les mains et les pieds noueux, les muscles atrophiés, l'étroit sentier de montagne qui constituait la seule voie de sortie aurait été impraticable.

– Donc, c'était une prison, remarqua Alice.

– Oui. Où les prisonniers arrivaient par bateau, encore qu'on puisse difficilement parler d'une arrivée, étant donné qu'ils étaient parfois purement et simplement jetés par-dessus bord.

Alice me regarda gravement, mais ne souffla mot.

– C'était dans de l'eau salée qu'on les larguait, bien entendu, continuai-je. Si bien qu'avec leurs plaies ouvertes, nager jusqu'au rivage devait être un supplice – pour ceux qui savaient nager.

Mais ce n'était que le début de leurs tourments, indiquai-je à Alice, car une fois sur la terre ferme, les lépreux avaient découvert qu'aucun abri n'avait été construit à leur intention et avaient donc vécu blottis dans des cavités naturelles des parois des falaises, en étant réduits à se couvrir le corps de feuilles pour se protéger contre les intempéries. Il n'y avait pas de médicaments et, le plus souvent, le ravitaillement leur était lancé par-dessus bord, de sorte qu'un grand nombre de leurs provisions coulaient par le fond ou étaient emportées au large.

– Donc, ils sont morts de faim et de froid, murmurai-je. En parias.

Comme Alice continuait de s'intéresser à ce récit, je le poursuivis en lui parlant des conditions de vie à Kalaupapa, le développant jusqu'à la venue du charitable et vénéré père Damien.

– Les choses se sont améliorées après son arrivée, dis-je. Il a construit des cabanes et érigé une église.

À la mort de Damien, un prêtre tout aussi charitable le remplaça à Kalaupapa, racontai-je à Alice, et apporta d'autres améliorations jusqu'au jour où le bannissement fut levé et où les lépreux furent autorisés à partir.

– Ce qu'ils ont fait ? interrogea Alice.

Je secouai la tête.

– Peu d'entre eux. Ils étaient presque tous très âgés et avaient perdu tout contact avec leurs familles. Quelques-uns ont quitté l'île, mais la plupart ne sont jamais retournés dans leur village.

– C'est aussi bien, trancha Alice sur un haussement d'épaules.

– Pourquoi penses-tu cela ?

Ma question parut la surprendre.

– Mais parce que s'ils y étaient retournés, répon-dit-elle, ils seraient devenus des bêtes curieuses.

8

Des bêtes curieuses.

Ce ne furent pas les dernières paroles d'Alice ce soir-là, mais par une mystérieuse association d'idées, elles ramenèrent mes pensées vers Katherine Carr. Avait-elle, elle aussi, été une bête curieuse, me demandais-je, rendue telle à cause de ce qu'un inconnu lui avait fait subir ? Ce genre de question ne servait qu'à souligner le peu qu'on savait sur tel ou tel sujet, et ce fut exactement l'effet que celle-ci eut sur moi alors que je me rendais à mon travail le lendemain matin.

Notre quête de connaissance est tout à notre honneur, certes, mais elle a ceci de particulier qu'on l'entreprend rarement pour la beauté du geste. En tout cas, ma décision d'aller à la bibliothèque municipale pour en apprendre le plus possible sur Katherine Carr était tout sauf désintéressée. En premier lieu, je n'en étais pas dupe, c'était dans le but d'ôter à Arlo le moindre doute qu'il pourrait avoir sur l'intérêt que je portais à cette femme, alors que, à ce stade, le principal objet de ma curiosité, c'était lui.

La bibliothèque de Winthrop se trouvait dans une ancienne maison de maître que la famille Winthrop avait léguée à la ville à laquelle elle avait également donné son nom. Une colonnade de style géorgien abritait un portique agrémenté de rocking-chairs blancs dans lesquels les lecteurs se prélassaient pour lire à la chaleur de l'été. Cette propriété se dressait au sommet d'une colline, ce qui donnait l'impression qu'elle regardait la petite ville d'un air sévère, comme les yeux du Dr Eckleburg, l'ophtalmologiste ruiné dans *Gatsby le Magnifique*, contemplent symboliquement, depuis le panneau publicitaire, la « vallée des cendres » à la limite de East Egg. Il s'en dégageait un silence tout aussi troublant : celui d'un dieu passif, indifférent, observant à distance nos crimes et nos forfaits, ce grand carambolage généralisé de l'humanité, sans chercher à démêler le pourquoi du comment, le Dieu « propriétaire absent » du déisme, soit indifférent, soit incapable d'intervenir dans le pauvre drame qui se joue sur terre.

Je n'eus aucune difficulté à trouver les éléments dont j'avais besoin. Je tapai tout bonnement « Katherine Carr » dans le cadre réservé à cet effet sur la page du catalogue de recherche, et une courte liste de citations apparut sur l'écran. La première mention de son nom n'avait rien de surprenant : UNE JEUNE POÉTESSE REMPORTE LE CONCOURS DES TROIS COMTÉS.

Cela se passait en 1973, si bien que la première image que je vis de Katherine Carr montrait une adolescente mince en corsage blanc et jupe foncée. Elle se tenait sur une petite estrade, serrant une plaque contre elle, souriante. Elle avait remporté le « Concours d'atelier d'écriture des classes de quatrième » avec un poème intitulé *Les Yeux de mon grand-père*. Dans un encadré, le journal l'avait imprimé *in extenso* :

Ils contiennent toute son histoire,
Ces bleus petits orbes, ces interstices du ciel,
Regard de jeune fermier, grain dans son œil,
Et dans sa bouche et dans ses cheveux.

Avant les Ardennes et le bois de Belleau,
Où la moutarde les a enfumés de gris,
Ses yeux bleus brillaient au jour nouveau,
Comme ceux de tous les garçons jeunes et beaux.

Mais le feu et le gaz et les coups de fusil
Ont soufflé la flamme qui jusqu'alors y avait lui.
Et la fumée, qui seule désormais s'accroche
   à ses cheveux,
L'empêche de voir ce qu'il ne pourrait raconter.

C'est pourquoi au printemps, au temps du renouveau,
Assis, il regarde sans dire mot
Les fleurs éclore en rouges flammèches,
Sous ses yeux assombris d'une fêlure sèche.

Je n'avais pas d'opinion très arrêtée sur la poésie
scolaire, mais je percevais quelques lourdeurs dans
le poème de la toute jeune Katherine Carr : inversions
maladroites, rimes forcées. Cependant, le « qui seule
désormais s'accroche à ses cheveux » était une formulation plutôt prometteuse pour une gamine de douze
ans, aussi ne fus-je pas étonné que la mention suivante
signale qu'elle avait remporté un autre concours l'année
suivante, puis décroché, à dix-sept ans, une bourse pour
l'université d'État.

Six années s'écoulèrent avant que le nom de Katherine Carr ne réapparaisse, cette fois dans les pages du

tout nouveau *Winthrop Examiner*. Elle avait alors vingt-trois ans, et sur la photographie, elle se tient devant une ferme modeste, le bras passé autour des épaules d'un vieil homme en fauteuil roulant. Le titre indique UNE POÉTESSE LOCALE CULTIVE SON JARDIN, et l'article relate en détail le retour de Katherine Carr à Winthrop, le fait qu'elle commençait à publier ses poèmes dans de petites revues littéraires, «une vie simple», que décrit le journaliste dans un style assez bucolique, «qui s'écoule au rythme des saisons, où les mots peuvent germer lentement, comme les blés».

C'était un papier élogieux et très couleur locale, clairement admiratif des capacités d'adaptation de cette jeune femme à la vie rurale, qui faisait l'inventaire de son potager et allait même jusqu'à donner une recette que le journaliste appelait «le ragoût du poète». Tout cela était très idyllique et laissait entendre en filigrane que Katherine Carr n'était ni plus ni moins qu'une provinciale qui faisait sensation, vivait comme elle l'entendait et paraissait y trouver son bonheur.

Ce qui ne rendait la mention suivante que plus choquante : UNE HABITANTE DE LA RÉGION VICTIME D'UNE VIOLENTE AGRESSION.

Celle-ci s'était produite le 27 août 1982, dans la ferme où Katherine Carr vivait seule depuis le décès de son grand-père. Il était environ six heures et demie du soir, et elle rentrait d'une fête locale où elle avait emmené le fils d'une amie. Selon l'article, elle s'était fait agresser dans le garage alors que le fils de son amie dormait sur la banquette arrière de la voiture. Elle avait été attaquée au couteau, indiquait le journal sans donner d'autres détails. «L'inconnu», ainsi que le journal désignait l'agresseur, portait une cagoule noire et tout semblait indiquer qu'il l'avait laissée pour morte sur le sol en ciment du garage.

Les numéros suivants évoquaient l'enquête, laquelle n'avait rien donné, si bien qu'au bout de quelques semaines, aucune mention de cet acte crapuleux n'apparaissait plus dans les pages du *Winthrop Examiner*, à part un drôle de petit résumé de l'affaire, un article signé – qui l'eût cru – par un pigiste alors en stage d'été au journal qui, à en juger par les accents tristement compatissants de son papier, avait dû être ému non seulement par ce qu'il était arrivé à Katherine Carr, mais aussi par les terribles conséquences que cela avait eu :

> C'est peut-être la dernière fois que vous entendez parler de Katherine Carr, car selon son amie, elle n'écrit plus de poésie. Mlle Carr a, quant à elle, refusé de nous accorder une interview, mais nous avons appris qu'elle avait vendu la ferme qu'elle partageait autrefois avec son grand-père pour venir habiter en ville, à une adresse qu'on nous a demandé de ne pas divulguer. Sans aller jusqu'à dire qu'elle vit confinée chez elle, on la décrit menant une vie « retirée », « méditative », « recluse ». Si bien que, alors qu'elle est toujours parmi nous, on pourrait presque dire que Katherine Carr s'est, comme qui dirait, évanouie dans la nature.

Bonne chute, songeais-je, parcourant du regard l'encadré, et n'étant pas surpris que le journaliste en herbe qui l'avait signé ait monté en grade jusqu'à devenir le rédacteur en chef de l'*Examiner*.

– Tu avais eu l'occasion de la rencontrer ? demandai-je à Wyatt dans son bureau, une petite heure plus tard.

Il secoua la tête.

– Non, mais ceux qui l'ont connue n'en disaient que du bien.

– C'est-à-dire ?

– Oh, la façon dont elle a pris soin de son grand-père, les gens lui tiraient leur chapeau, répondit Wyatt. Voilà le genre de femme qu'elle donnait l'impression d'être : une bienfaitrice-née.

– Ce n'était quand même pas une sainte ! remarquai-je, méfiant.

– Elle devait bien avoir des défauts. Mais en préparant mon papier sur elle – les quelques lignes que tu as lues –, je n'ai trouvé personne pour en dire du mal. On la décrivait comme « très gentille » ou « très sympathique ». Comme on parle des morts.

– Il y avait bien quelqu'un qui la connaissait, insistai-je.

– Ouais, qui ? Ses parents s'étaient tués dans un accident de la route quand elle avait trois ans. Ensuite, elle a vécu à la cambrousse chez son grand-père. L'école, pour elle, c'était à la maison, pour la simple raison qu'il était invalide de la Première Guerre mondiale. Jambes foutues. Yeux foutus. Elle restait auprès de lui, raconta Wyatt, me regardant d'un air entendu. Puis le vieux est mort, et Katherine a commencé à s'ouvrir au monde. C'est ce qui rend d'autant plus moche la tuile qui lui est arrivée. Parce qu'elle sortait de plus en plus souvent en ville, assistait à des concerts, liait connaissance avec des gens qu'elle rencontrait. Bref, elle menait une vie normale.

Il hocha la tête.

– Là-dessus, reprit-il, elle est traumatisée par un connard, suite à quoi elle devient une sorte de fantôme.

Wyatt me servit alors un de ses soupirs de journaliste à qui on ne la fait pas.

– On n'éradiquera jamais la violence humaine, George. Mais haut les cœurs : les animaux, c'est encore pire.

Emporté par cet autre sujet, il se lança alors dans une description particulièrement abominable du monde animal : les viols collectifs commis par les colverts, le taux des meurtres chez les écureuils terrestres, et en toute logique, j'aurais dû reprendre ma routine quotidienne après l'avoir quitté, regagner mon bureau pour mettre la touche finale à mon papier sur la nouvelle confiserie qui venait d'ouvrir en ville. Mais quelque chose au sujet de Katherine Carr – ou peut-être d'Alice – me préoccupait, si bien que je sortis du journal et allai m'asseoir sur un des petits bancs sur le côté du bâtiment. L'agitation habituelle de la ville, les bruits et le trafic ordinaires, le flot des passants, les éclats de voix auraient dû noyer toute autre pensée à part la journée devant moi et les tâches en souffrance. Pourtant, je me surpris à repenser aux dernières remarques de Wyatt, à son postulat, universellement admis ou presque, que la nature est moralement neutre, que le monde animal est simplement une question, comme disait Wyatt, de griffes et de crocs.

C'est le cas, bien sûr, et néanmoins, alors que la voix de Wyatt résonnait toujours dans mon oreille, il me revint en mémoire un moment où un événement inexplicable s'était produit dans ce monde-là. À l'époque, je n'y avais pas prêté particulièrement attention, si bien que m'en rappeler soudain de façon si saisissante m'apparut comme étant mystérieux en soi, nos souvenirs, des fantômes dans une maison d'un million de pièces, errant sans but jusqu'au moment où brusquement, miraculeusement, on les invoquait.

Cela s'était passé en fin de journée dans un village ougandais où mon car était tombé en rade. J'avais oublié depuis longtemps le nom de ce village, mais la chaleur étouffante, sans un souffle de vent, restait gravée dans ma mémoire. Elle montait par vagues infernales de toutes les surfaces alentour : le carré de terre argileuse du marché, les capots et les pare-chocs de quelques voitures hors d'usage, les toits en tôle ondulée des habitations et des étals de légumes. Je venais de m'avachir à l'ombre dérisoire d'un flamboyant, cet arbre si bien nommé, quand j'aperçus pour la première fois les chiens, meute famélique, leurs yeux brûlant de trouver le moindre reste pourri, une goutte d'eau rancie. Ce fut le chef de la meute qui retint mon attention. Il semblait suprêmement indifférent à la petite armée de moucherons et de mouches qui grouillait autour de son long museau noir, buvant quand ils le pouvaient aux filets d'humidité sécrétés par sa gueule. Ses congénères trottaient derrière lui, valetaille de bâtards courts sur pattes, au museau écrasé, dont aucun n'avait l'ombre de son port altier, ni rien de sa façon de parfois s'arrêter brusquement, la tête figée, les oreilles dressées, comme s'il écoutait, dans le lointain, l'appel à la prière lancé par le muezzin.

Pendant un moment, la meute trotta à la périphérie de la place, reniflant le sol, les entrées des cases, les éventaires, en quête de n'importe quel résidu de nourriture qui aurait survécu à la chaleur, à la poussière et au piétinement incessant de la foule. Ils ne trouvaient rien, mais continuaient de chercher, humant éperdument la terre, tournant une fois, puis une autre, en un cercle stérile que rien ne semblait motiver sinon la pure et simple instinctive pulsion de vie.

Savais-tu que les colverts mâles violent leurs femelles si brutalement qu'elles en meurent souvent noyées ?

La voix de Wyatt résonnait encore à mes oreilles comme à mi-distance entre le banc où j'étais assis dans Winthrop, d'une propreté exemplaire, et la fournaise poussiéreuse de cet après-midi ougandais dont le souvenir, tout à coup, se faisait si vif.

Savais-tu que si nous calculions le taux d'homicides chez les écureuils en le ramenant à l'échelle humaine, cela reviendrait à dire qu'ils anéantissent chaque nuit une ville de la taille de Houston ?

Wyatt m'avait exposé ces faits quand j'étais dans son bureau quelques minutes plus tôt, et ils étaient sûrement vrais, mais alors que je me les remémorais, je revis le chaton apparaître comme tant d'années plus tôt, minuscule boule de totale innocence sortant petit à petit de sous l'étal de bananes plantains, rose, sans poils, les yeux encore fermés, si bien qu'il n'avait aucune idée du monde affamé vers lequel il rampait, ni du regard féroce des chiens quand ils l'aperçurent.

L'immobilité des chiens ne dura qu'un dixième de seconde avant qu'ils ne s'élancent, masse confuse sous l'effet de leur vitesse, un nuage de poussière toxique soufflant à travers la place aride.

Le chaton avait réussi à reculer à moitié de biais sous le plancher de la hutte quand le premier chien s'aplatit devant lui, grognant comme un fou, l'attrapant par l'oreille et le jetant sur le côté, où il tournoya dans les airs tandis que le reste de la meute se déployait autour de lui, mais sans attaquer, comme dans les transes d'un rite sacrificiel, l'encerclant en montrant les crocs, gueules lcvées dans la chaleur accablante, prêtes à plonger, à déchiqueter cette proie sans défense, mais savourant leur force en un instant de malveillante tergiversation.

Soudain, le meneur fendit leur cercle et se dressa au-dessus du chaton en piteux état, regardant ses congénères avec un air d'intraitable autorité. D'abord, les chiens ralentirent, puis s'immobilisèrent, ils attendaient à présent, remuant de gauche à droite, courbant l'échine, fixant le chaton, mais n'osant lui tomber dessus.

L'espace d'un instant, tout parut s'être figé. Pas uniquement les chiens dans leurs mouvements incertains, pas uniquement le chaton qui donnait aveuglément des coups de patte dans la poussière, mais toute l'agitation du village, les pas traînants, l'air miroitant, et jusqu'aux gros nuages blancs qui flottaient au-dessus de tout cela.

Dans cette immobilité, le meneur communiqua son ordre, à la suite duquel les autres chiens se résignèrent à faire demi-tour et à briser le cercle pour reprendre leurs rondes, flairant et grognant dans le village qui reprenait vie. Il n'abaissa pas le regard sur le chaton et ne fit aucun mouvement vers lui. Il ne le lécha pas, il ne le poussa pas sous la hutte. Ce n'était quand même pas Lassie. Au lieu de quoi, il s'éloigna et poursuivit son chemin, suivant les autres à présent, sans jamais se retourner, si bien que j'en fus quitte pour m'interroger sur ce qui pouvait expliquer ce comportement inattendu, sinon la présence au tréfonds de l'obscurité de l'animal d'une étincelle inexplicable pour nous, une invisible étoile au cœur du vide moral.

– George ?

La voix me ramena aux contrées plus fraîches d'Amérique du Nord.

– Oui ?

C'était Arlo. Il m'avait vu assis devant les locaux du journal et rejoint.

– Vous sembliez être dans un état second, ajouta-t-il.

– Ah bon ?

– À quoi pensiez-vous ?

J'aurais pu répondre « à l'Ouganda » ou « à un chien », mais il me semblait que ce n'était ni à l'un ni à l'autre.

– On en sait si peu, murmurai-je. Je me disais qu'on en savait si peu… ça, c'est certain.

Cependant, même cela ne me semblait pas restituer le cours de mes pensées.

– Si peu sur quoi ? demanda Arlo.

De toutes les réponses possibles, je savais laquelle lui plairait entre toutes, et assez cyniquement, la lui fis.

– Sur Katherine Carr, répondis-je.

Arlo me sourit, aux anges.

– Eh bien, pourquoi ne pas essayer d'en apprendre davantage ?

9

Quelques minutes plus tard, nous nous engagions sur une route non pavée qui serpentait le long d'un ruisseau bordé de roseaux secs. Alors qu'il n'y avait pas un souffle de vent, ils se balançaient et bruissaient, gémissements à peine audibles mais persistants qui les rendaient pareils à un long cortège funèbre plongé dans un chagrin éternel. C'était une vision dérangeante. Pour m'y soustraire, je fixai mon attention sur la route devant nous, remarquant comme elle longeait le cours d'eau puis s'enroulait brusquement sur elle-même pour disparaître dans le grand mur vert de la forêt.

La ferme, une bâtisse en bois brut au garage attenant, était typique de l'époque de sa construction, avec sa toiture basse et ses petites fenêtres – pas une résidence secondaire, mais une ancienne ferme agricole, avec une grange non loin du corps principal, ainsi que plusieurs enclos et stalles.

Quand nous descendîmes de voiture, les riches senteurs de l'air me submergèrent : celles de l'herbe, des champs et de l'épais sous-bois au-delà. Souvent, ces effluves me ramenaient par la pensée à des lieux, parfois même à des gens : l'odeur de poussière des villages d'Espagne, celle des fleuristes de Paris. Celeste utilisait un savon particulier qui laissait sur son corps un subtil arôme de lavande. L'haleine de Teddy sentait un peu le caramel, comme le pop-corn des salles de cinéma.

Pourtant, c'était à Katherine Carr que je pensais à présent. Tout juste si je ne ressentais pas sa présence dans la légère brise qui m'enveloppait : une fille de la campagne qui fauchait l'herbe, cueillait les œufs et allait sûrement faire la sieste dans le grenier à foin de la vieille grange qui se dressait non loin de la maison.

Mais il y avait une ombre à ce tableau idyllique, une demi-teinte qui avait toujours dû être là, perceptible par quiconque tournait le regard vers l'horizon et pressentait les merveilles du vaste monde.

— Je parie qu'elle en avait assez de cet endroit. Je parie qu'elle avait envie de voyager, de voir Paris, Rome, déclarai-je, levant les yeux vers le vaste ciel bleu. Je la ressens, c'est physique.

— Quoi ?

— Sa soif. Sa soif de liberté. Sa sensation d'être prise au piège.

Arlo contempla la ferme.

— C'est Audrey la propriétaire des lieux aujourd'hui, précisa-t-il, se mettant à marcher en direction de la maison. Elle vient ici de temps en temps.

Il s'immobilisa et fit un signe de tête vers le garage.

— C'est là que Katherine s'est fait agresser, indiqua-t-il.

Son regard était devenu très intense, comme de l'ambre qui se consume lentement.

— Elle s'apprêtait à glisser la clé dans la serrure. C'est à ce moment-là qu'il a surgi derrière elle.

Nous atteignîmes l'entrée du garage et nous arrêtâmes face à la porte de communication avec la maison.

– Le fils d'Audrey dormait à l'arrière de la voiture, poursuivit Arlo. Elle n'avait pas voulu le réveiller. La journée avait été longue, entre le trajet jusqu'à la fête foraine à la périphérie de la ville, les tours de manège, la barbe à papa. Il s'était endormi sur le chemin du retour.

– Donc, il n'a rien vu ? demandai-je.

– Il a dormi tout le temps.

Arlo s'avança, je le suivis jusqu'au fond du garage. Il montra la marche qui permettait d'accéder à la maison.

– C'est très exactement ici que l'agression s'est produite, dit-il.

Il fit un signe de tête vers l'entrée du garage, à une distance d'une douzaine de mètres.

– Et c'est là-bas que Katherine était étendue quand Cody a fini par se réveiller et l'a trouvée, continua-t-il. Sur les photos prises par la police, on voit une large traînée de sang qui va de cette marche jusqu'à la porte du garage.

Il arrêta son regard sur moi.

– Elle a rampé sur cette distance, murmura-t-il, comme stupéfié par cet exploit. Les traces qu'elle a laissées parlent d'elles-mêmes. Elle le poursuivait, George.

Son ton se durcit quand il ajouta :

– Elle n'a jamais cessé de le poursuivre.

Je décelai dans la voix d'Arlo toute l'admiration qu'il éprouvait pour la détermination de Katherine Carr. C'était donc cela ce « signe mystérieux » qu'elle avait tracé avec son sang, en une tentative héroïque, mais sans doute faite dans un état d'hébétude, de rattraper son agresseur.

– Katherine n'avait rien de la victime habituelle, ajouta-t-il.

Puis il resta silencieux, comme s'il étudiait la distance sur laquelle Katherine Carr s'était traînée en une vaine poursuite de l'inconnu qui l'avait attaquée.

– Vous arrive-t-il de retourner dans Jefferson Street, George ? demanda-t-il au bout d'un moment. Jefferson Street, entre Park Avenue et Lansdale Street ?

Teddy avait disparu entre ces deux rues.

– Non, répondis-je.

– Je pense que Katherine serait retournée dans Jefferson Street si Teddy avait été son fils. Qu'elle aurait revisité tous les lieux qui le lui auraient rappelé. Tout comme elle est revenue ici.

– Elle est revenue ici ? Mais pourquoi ?

– Pour recouvrer ses forces, c'est ce qu'elle a répondu à Audrey.

Arlo m'observa sans rien dire pendant que je jetais des coups d'œil autour de nous.

– Elle cherchait peut-être des indices, suggérai-je. Si elle essayait vraiment de retrouver la trace de son agresseur. Une boîte d'allumettes qu'il aurait pu oublier. Une broutille de ce genre.

– C'est tout à fait ça, confirma Arlo. On espère toujours tomber sur quelque chose.

Il me considéra d'un air inconsolable.

– Ou alors ce qu'on cherche, murmura-t-il, c'est seulement l'espoir de ne pas perdre espoir.

Il en resta là, et en revint aux circonstances de l'agression, au fil desquelles il me guida étape par étape, puis il se tut brusquement, sortit une photographie de sa poche et me la tendit.

C'en était une de Katherine Carr prise après son agression, couchée dans un lit d'hôpital, le bandage blanc qui entourait sa tête ne permettant d'apercevoir que ses yeux tuméfiés.

– C'est la dernière image qu'on ait d'elle, m'expliqua Arlo. Après l'agression, elle ne laissait plus personne la photographier. Pas même Audrey.

Je tentai de l'imaginer d'après le peu que j'avais lu de son histoire : jeune femme sur le point de vivre pleinement sa vie, mais qu'un inconnu avait jetée dans les ténèbres d'un puits sans fond.

– Elle devait avoir la rage, hasardai-je.

Arlo acquiesça.

– Tout autant que vous, George, répondit-il.

Il était dans le vrai, naturellement. Depuis longtemps la rage était le seul sentiment qui m'animait, et ce fut sûrement cette flamme toujours aussi vive qui m'incita à me rendre dans Jefferson Street environ une heure après qu'Arlo m'eut déposé au journal.

En temps ordinaire, je serais rentré directement chez moi. Mais la visite à la ferme – première que je faisais d'une scène de crime depuis bien des années – avait dirigé mes pensées non seulement vers Teddy, mais aussi vers le dernier endroit où il avait été vu vivant.

Pourquoi donc m'étais-je senti obligé de venir ici ? C'était la question que je me posais en descendant de voiture et en regardant dans Jefferson Street ce soir-là. Pour y chercher vainement des indices ? Non, sûrement pas : je savais pertinemment que l'homme qui avait enlevé mon petit garçon n'était pas à ma portée, ne l'avait sûrement jamais été sinon pendant ces brefs instants où lui-même avait été présent dans Jefferson Street, quelque part entre Park Avenue et Lansdale Street, ou dans une ruelle adjacente, un promeneur comme un autre, drapé dans un ciré jaune, passant devant telle ou telle maison, puis devant la suivante, avançant vers un lointain angle de rue, vers un car scolaire à l'arrêt peu de temps, deux petits garçons rieurs, l'un d'eux abaissant d'un geste vif la visière de la casquette de base-ball rouge de son compagnon, puis l'un, laissé seul par l'autre, attendant son père sous la pluie diluvienne. Seulement, le père de Teddy était resté au 237 Jefferson Street, étroite maison de ville victorienne à la façade en brique rose, regardant par la fenêtre de la pièce sur rue, pensant non pas à la promesse qu'il avait faite à son petit garçon le matin même, ni aux trombes d'eau ni aux grondements de tonnerre, mais à la lointaine Estrémadure des régions désertiques d'Espagne.

La maison à une fenêtre de laquelle je regardais cet après-midi-là était toujours du même rose que lorsque j'en étais parti, « rose sucre glace » comme disait Celeste. Sauf qu'à présent, il me rappelait celui de la Casa Rosada, la Maison rose, siège du gouvernement argentin à Buenos Aires devant lequel les mères argentines défilaient vainement d'année en année, avec les photos de leurs fils et filles disparus. Comme elles, j'avais envie de brandir un portrait de Teddy, de rappeler à mes anciens voisins de Jefferson Street qu'ils avaient perdu un des leurs, qu'un crime avait été commis dans leur quartier, lequel, même s'il n'avait pas changé, ne serait, du moins tant que je vivrais, plus jamais pareil, tout comme la ferme ne l'avait sans doute plus jamais été pour Katherine Carr.

Soudain, dans le prolongement de cette pensée, j'imaginai cette femme à la grotte, seule, le corps presque inerte, le regard fixe, les yeux grands ouverts. C'était une vision mélodramatique, cela va sans dire – pourtant, en cela même, ce produit de mon imagination me fit revenir à la singulière histoire qu'elle avait écrite, si bien que, lorsque je finis par rentrer chez moi ce soir-là, je m'y replongeai :

MAINTENANT

Maldrow fait tournoyer le verre de bourbon entre ses mains, écoutant une bourrasque de vent éclabousser de pluie la vitre du bar – comme un bruit de coups de feu étouffés. Combien de milliers en avait-il entendus, tirés au fusil, au pistolet, au derringer à crosse de nacre sortis de holsters de cheville ? Combien en avait-il vu, des hommes serrant la blessure ruisselante en tombant de leurs tabourets de bar ou sur des tables, sur des lits ? Combien avaient titubé avant de s'écrouler dans des fossés, des puits, des carrières, main pressée sur la gorge, la poitrine, le coude, le genou ?

– Il faut que Katherine ressente tout, c'est impératif, murmure le Chef d'une voix douce.

Maldrow abaisse le regard sur la table. Les coups de couteau s'abattent en surimpression, et chacun d'eux lui rappelle les longues heures de son éducation, le Chef lui faisant traverser de vastes époques de cruelles actions, une rivière de sang dans laquelle ils avaient nagé côte à côte. Il lui semblait avoir écouté pendant une éternité, et à présent, il sent soudain le poids accumulé de cette longue absorption, tout un monde de plaies encore à vif, de gens tirés du troupeau, comme des retardataires dévorés par les loups. Il a la vision fugace des fioles bouillonnantes de François Prelati, de la maison du meurtre de Bluebird Lane, du petit fauteuil qui agrémentait le salon d'Ed Gein[1] – comme il

1. Tueur en série et nécrophile américain arrêté en 1957. On retrouva chez lui des parties des corps de ses victimes.

avait dû s'y asseoir confortablement pour contempler ses nombreux trophées.

Le Chef observe Maldrow sans rien dire, puis examine ses mains.

La peau comme une feuille de gélatine. La lumière passe au travers. Plus grand-chose ne subsiste de... comment dit-on ? « L'étincelle de vie ».

Il regarde Maldrow d'un air entendu.

– Tout doit être sans cesse recommencé, Maldrow.

Maldrow redresse la photographie posée sur la table. Katherine y a cinq ans de moins qu'aujourd'hui.

– On ne dirait plus les mêmes ensuite, dit le Chef. Comme après un orage. Tout a été dispersé, déchiqueté.

Soudain, Maldrow revoit Katherine telle qu'elle lui est apparue quelques jours plus tôt, sortant de chez elle : sur le perron, elle s'immobilise et regarde de l'autre côté de la rue ; il se concentre sur son visage pour l'étudier attentivement, remarque la légère contraction de ses paupières, le frémissement de sa bouche.

– Elle a eu un pressentiment, le premier matin.

– Te concernant ? demande le Chef.

Maldrow repense à l'expression de Katherine quand il s'est approché d'elle ce matin-là.

– Non, la concernant.

Il revoit son regard se fixer sur lui tandis qu'elle marchait dans sa direction, redressant les épaules, se tenant très droite, comme si elle se préparait à exécuter une tâche encore inconnue d'elle.

– Je voyais à sa façon de venir vers moi ce matin-là qu'elle avait appris quelque chose sur elle-même.

– Qu'avait-elle appris, au juste ? demande le Chef.

– Qu'elle voulait que ça finisse autrement, répond Maldrow d'une voix tranquille.

– Quoi ?

Maldrow voit aussitôt non pas ce que c'était – un champ en friche –, mais ce que ç'avait été cinq ans auparavant : Katherine flânant en compagnie d'un petit garçon, les tourbillons bleus de la barbe à papa, la cascade de sa chevelure.

– Son histoire.

AUPARAVANT

Je voyais les lumières tournoyer follement, sentais la douceur sucrée de la barbe à papa, entendais les sonorités sifflantes d'un orgue à vapeur.

– C'était ici, dis-je.

J'avais du mal à accepter le fait que j'étais revenue là, que Maldrow se trouvait en ce moment même assis à côté de moi à l'avant de sa voiture, que nous avions tous les deux roulé dans le brouillard matinal et étions arrivés à cet endroit. Il m'avait téléphoné un peu plus tôt et demandé s'il pouvait passer me chercher. Il tenait à me montrer quelque chose. J'avais accepté, puis attendu à la fenêtre, regardant le brouillard monter de la rivière et duquel sa voiture avait paru surgir tout d'un coup. Il m'avait suivie des yeux pendant que je descendais les marches du perron et montais à bord du véhicule. Puis, sans un mot, il avait parcouru Gilmore Street jusqu'à Main Street, et continué jusqu'au champ de foire dont l'étendue désertée et brumeuse était précisément ce à quoi je faisais face.

– C'était ici, répétai-je avec crainte.

Maldrow opina de la tête, puis descendit de voiture et s'éloigna de quelques pas.

Je me fis la remarque que les dernières miettes de brouillard parurent reculer devant lui, si bien qu'il me fit penser à un vieux vaisseau délabré fonçant dans la brume vers son port de repli.

– L'entrée de la fête foraine se trouvait là, me dit Maldrow quand je le rejoignis.

Il posa la main dans mon dos, m'invitant à avancer, alors tous deux nous frayâmes un chemin dans les vestiges du brouillard, et pendant un moment, j'eus davantage l'impression de flotter à quelques centimètres au-dessus du sol que d'y marcher.

– Le fils de votre amie était avec vous, dit-il.

Je regardai ma main, surprise par la façon dont le souvenir me revenait, non seulement mentalement, mais aussi physiquement, le contact de celle de Cody quand il la glissa dans la mienne redevenant une sensation si concrète que je levai ma main droite et l'examinai comme si je m'attendais à trouver l'empreinte des petits doigts de Cody sur ma peau, tels des stigmates.

– Dites-moi ce que vous vous rappelez, m'encouragea Maldrow.

Je fermai les yeux et vis l'image d'un petit homme rond, avec une moustache en guidon de vélo.

– Il donnait l'impression d'appartenir à un autre siècle, dis-je, l'homme qui a deviné le poids de Cody. Il portait un chapeau en paille.

Maldrow hocha la tête et, ensemble, nous reprîmes notre marche jusqu'au moment où je m'arrêtai à ce qui me parut être l'endroit exact où Cody s'était posté devant un manège.

– L'homme des autos tamponneuses était très gentil, dis-je. Très grand. Il avait les dents du bonheur.

Je repassai dans mon esprit les virevoltes des voitures, Cody qui tournoyait sur place, le regard enflammé.

– Je crois que c'était son manège préféré, ajoutai-je. Il était déçu que ça se termine.

Je lançai un regard à travers le champ où le brouillard continuait de se dissiper lentement.

– Après, je lui ai acheté une barbe à papa.

Je revis sa mine réjouie pendant que l'homme faisait tournoyer la masse collante, sucrée, dans un cône en carton et le lui tendait, vaporeuse montagne de bleu.

– Puis nous avons poursuivi notre promenade dans la fête foraine, et nous sommes arrêtés au stand de tir à la carabine.

Le regard de Maldrow était plus concentré, plus profond, comme si, plus nous approchions des derniers moments de cette journée-là, plus il devenait solennel.

– Le soleil se couchait, dit-il.

Je sentis aussitôt l'air se rafraîchir autour de moi, s'assombrir un brin.

– Il était peu après six heures quand vous et Cody êtes retournés à la voiture.

C'étaient les derniers moments où je m'étais sentie bien en ce monde, la dernière fois où j'avais aimé sentir le soleil sur mon visage.

– Pourquoi m'avez-vous amenée ici ? demandai-je.

Sa réponse ne fit que confirmer ce que je pensais.

– Pour que vous vous rappeliez ce que vous avez perdu.

Je posai la dernière page de cet autre passage, me levai de mon bureau, gagnai la fenêtre et regardai les rues mêmes que Katherine Carr avait parcourues quelque vingt ans plus tôt. Elle avait, solitaire, tenté ainsi de se les réapproprier, supposais-je, encore qu'il était impossible de mesurer les efforts qu'elle avait dû faire pour s'armer mentalement : cette manière particulière de revenir dans le monde, par le portail d'une histoire, d'un récit dans lequel elle créait un homme dont le but réel – au-delà du personnage qu'elle en faisait – était de l'arracher aux griffes d'un inconnu. Je me rendais parfaitement compte que, toutes proportions gardées, la tentative de Katherine Carr pour, grâce à l'écriture, retrouver une vie normale pouvait être considérée comme héroïque. Toutefois, elle m'apparaissait atrocement inappropriée : à quoi bon imaginer un monde plus prometteur que le vrai où de parfaits inconnus surgissent de nulle part pour vous tendre une main secourable ?

J'allais appeler Arlo pour en discuter avec lui, mais le téléphone sonna avant que j'aie eu le temps de décrocher.

– George ?

C'était Alice, sa voix encore plus faible que lorsque nous nous étions parlé un peu plus tôt.

– Ça va ? demandai-je.

– Je suis à l'hôpital. J'ai encore saigné.

Dans le silence qui suivit, je sentis qu'Alice ne savait plus très bien comment continuer, ni même ce que je représentais pour elle qui justifie qu'elle m'appelle. Puis, comme portée par une brise légère, j'entendis la voix de Teddy me demander : «Tu viendras me chercher ?», ce qui, sur le moment, me parut être aussi ce que réclamait Alice.

Raison pour laquelle je lui dis :

– J'arrive.

L'hôpital de Winthrop se trouvait en rase campagne à une quinzaine de kilomètres de la ville. Il était construit en briques jaune pâle, d'une austérité tout institutionnelle en dépit de la petite fontaine ronde qu'on avait eu l'heureuse idée de placer devant l'entrée. À l'accueil, une grande peinture murale était censée représenter un coucher de soleil sur une plage, mais ses rouges criards créaient un effet apocalyptique de planète abandonnée après le cataclysme d'une guerre ou d'une catastrophe naturelle.

Dans le hall, des gens d'âges divers, affalés sur des chaises de couleur orange, feuilletaient des magazines ou regardaient dans le vide comme des animaux hébétés. Ils avaient l'air d'escompter soit une triste nouvelle, soit des ambiguïtés de mauvais augure, attendant, comme leurs chers affligés, de connaître le degré de la constriction des artères, la dimension de la tumeur, l'étendue de la maladie, si l'espoir était réel ou illusoire. Courbés en avant, avachis ou quasiment couchés, les jambes allongées, tendues comme des rampes de débarquement vers la moquette rouille, tous semblaient pareillement écrasés par le grand ordre des choses, tels des prisonniers condamnés pour des crimes qu'ils n'avaient pas commis et desquels ils n'avaient pas même été complices.

– C'est pour quoi ?

La question m'était posée par un gros homme aux yeux ronds de hibou que les verres épais de ses lunettes rendaient démesurément grands.

– Je viens voir Alice Barrows, précisai-je.

L'homme tapa sur des touches de son clavier d'ordinateur, les lueurs de l'écran se reflétant étrangement dans les verres de ses lunettes.

– Pédiatrie, indiqua-t-il. Chambre 406.

Le service était situé dans une aile du bâtiment à laquelle on accédait par un large couloir bordé de brancards et de chariots d'urgence qui me rappelèrent la dernière hospitalisation de mon père, véritable petite ville d'étroites tours chromées qui contenaient des instruments, des écrans et toutes sortes de poches et de tubes en plastique contre lesquels il s'était battu juste avant son ultime sédation, les prenant, dans ses visions, pour la charge sauvage d'une armée de « Japs », jeune soldat terrifié, lançant désespérément des grenades tout aussi imaginaires que les coups de baïonnette qu'il donnait en ces derniers instants, si bien que là, aux confins de sa vie, il semblait encore combattre au corps à corps.

La chambre d'Alice se trouvait au fond du couloir, la porte était entrebâillée, si bien que j'entendais le bourdonnement d'une télévision. Je frappai doucement puis poussai le battant et pénétrai dans la pièce.

– Salut ! lançai-je.

Sous les couvertures, Alice paraissait encore plus menue que la fois précédente, ses yeux d'autant plus grands, et son nez ressemblait encore plus à un bec couvert de chair.

– Salut.

Elle fit un signe de tête vers le téléviseur où je vis une de ces périodiques alertes AMBER : le visage d'une petite fille, du Kansas cette fois, de bientôt huit ans, toute souriante pour la photographie scolaire.

– Encore une disparition d'enfant, m'informa Alice. Ils disent que si on ne la retrouve pas dans les vingt-quatre heures, c'est qu'elle sera probablement morte. C'est vrai ?

– Oui.

Alice me décocha un regard pénétrant qui me fit comprendre que l'étincelle de colère dans ma voix ne lui avait pas échappé. Elle faillit dire autre chose, mais se ravisa, et tout bien considéré, tira mon livre de sous les couvertures et en examina la jaquette.

– Vous aimez lire quel genre d'histoires, George ? demanda-t-elle.

Sa question me parut curieuse, et je serais sûrement resté sans réponse si, lors d'un de ces coups d'œil involontaires qu'on jette comme si une présence invisible nous disait « Tourne la tête par-là », je n'avais regardé par la fenêtre et aperçu au loin la silhouette d'un petit garçon dont les cheveux lancèrent des lueurs blondes quand il passa sous un réverbère.

– Je dirais que j'aime les histoires qui ont un petit quelque chose de mystérieux, répondis-je.

Une voiture noire était garée quelques mètres plus loin et le petit garçon s'en approchait sans se rendre compte qu'elle était là, son attention fixée sur ce qu'il tenait dans sa main, une bille peut-être, ou un chewing-gum.

– … de mystérieux…

Un homme était assis au volant, parfaitement immobile, la tête légèrement redressée de sorte qu'il semblait surveiller dans le rétroviseur l'approche du petit garçon. Quand celui-ci fut tout près, l'homme se pencha du côté passager, celui le plus proche du trottoir, et attendit.

– … et de…

La portière passager s'ouvrit brusquement quand le petit garçon arriva à sa hauteur, et l'homme se repositionna vivement derrière le volant pour que l'enfant puisse monter, homme qui, manifestement, devait être le père de ce garçon, venu attendre son fils à l'arrêt du car et le ramener sain et sauf à la maison, contrairement à moi avec Teddy.

– … tragique.

– Vous en lisez une comme ça en ce moment ? continua Alice.

Je repensai à Katherine Carr, à sa curieuse histoire que je lisais depuis quelques jours, à l'atmosphère étrange qu'elle y avait insufflée : la conversation inquiétante entre Maldrow et le Chef, le don d'ubiquité de l'inconnu qu'elle décrivait avec tant d'insistance, la manière dont tout cela suggérait une vie menée dans une sorte de no man's land entre une constante rêverie et des crises de panique.

– Je crois que oui, répondis-je.

– Ça parle de quoi ?

Ce qu'Alice me demandait, ce n'était pas grand-chose, tout juste d'en savoir un peu plus sur ma lecture du moment, mais je craignais que cette histoire particulière, avec ses fragments d'horreur et ses détails sanglants, ne soit trop éprouvante pour une petite fille dont le triste destin approchait à grands pas.

– Son auteur est une certaine Katherine Carr, répondis-je avec prudence. Elle l'a écrite, puis elle a disparu.

– Ma mère me lisait des histoires, dit Alice. Et vous, vous en lisiez à Teddy ?

– Oui.

– Vous m'en liriez à moi aussi ?

Je voyais dans les yeux d'Alice un grand désir de créer un lien entre nous, et savais avec une absolue certitude que j'éprouvais la même chose, que, de façon différente, elle et moi avions été dépossédés d'une étincelle vitale qu'il nous fallait rallumer.

– L'histoire de Katherine Carr, ajouta Alice. Vous me la lirez, s'il vous plaît ?

Les forces qui nous incitent à prendre telle ou telle décision sont immatérielles. En dépit de leur pouvoir, elles demeurent intangibles, invisibles. Nous savons seulement qu'elles agissent sur nous, et à ce moment-là, je savais sans conteste et sans l'ombre d'un doute qu'elles agissaient sur moi ; je le savais, même si la seule preuve concrète que j'aurais pu donner en faveur de leur mystérieuse emprise était la promesse que je fis.

– Oui, dis-je. C'est d'accord.

DEUXIÈME PARTIE

– Ah, en réalité, c'est donc l'histoire d'Alice que vous me racontez ! s'exclame M. Mayawati, faisant étalage de sa perspicacité littéraire. Pas celle de Katherine, mais celle de la petite fille.

Il sourit, pas peu fier de sa découverte. Il semble soulagé que l'histoire prenne cette tournure, se présente sous une forme familière, bien ficelée, bien dosée, obéisse à une vieille recette.

– Alice Roy[1], ce n'est pas une célèbre détective amateur ? s'enquiert-il.

– Oui, en effet.

– Et la petite Alice Barrows de votre histoire va faire comme elle, non ? Elle sera une «Alice» à sa façon ?

Des singes s'ébattent dans les arbres proches de la rive du fleuve, se jetant de branche en branche en hurlant, si près du bateau que c'est tout juste si je n'entends pas les battements effrénés de leurs cœurs. Mais c'est au cœur aveugle de M. Mayawati que je m'intéresse pour le moment, à l'histoire qu'il s'imagine avoir percée à jour.

---

1. C'est la «Alice» des célèbres romans de Caroline Quine parus dans la collection «Bibliothèque verte».

– Alice Roy, répète-t-il en riant. Elle est très populaire dans mon pays. Toutes les petites filles lisent ses aventures.

Il s'interrompt, comme pour rectifier un point.

– Évidemment, votre Alice à vous, elle n'est pas jolie.

– Non, effectivement, confirmai-je.

– Mais c'est le cœur qu'on doit regarder, ajoute vivement M. Mayawati.

– Le cœur, oui. Le sien. Le mien.

Je laisse une lueur noire noyer mon regard, et j'ajoute :

– Le vôtre.

Il me fixe d'un air un brin méfiant, comme si un aspect moins agréable de sa personne venait de m'être révélé.

– Tous les enfants sont beaux intérieurement, énonce-t-il.

Un aigle huppard s'envole du gantelet vert de la forêt et tournoie lentement au-dessus de nous.

– Dans mon village, une petite fille aimait beaucoup lire ces histoires, poursuit M. Mayawati. On la voyait très souvent dans le parc. Toujours la tête plongée dans un livre. C'est beau, vous ne trouvez pas, un enfant qui lit ?

– Beau, oui.

La brume matinale s'est presque entièrement dissipée, l'opacité verdâtre du fleuve suit son cours tranquille autour de nous. Pourtant, les petites nappes de brouillard qui subsistent encore suffisent à envelopper le lointain de la rive de fantomatiques filaments de nuages.

– Et les jeux mystères. Elle aimait beaucoup les jeux, cette petite fille, ajoute M. Mayawati. Peut-être que votre histoire est comme une partie de Cluedo.

Je n'abonde pas dans son sens, rien dans ma voix ni dans mon regard ne le conforte dans sa conjecture. M. Mayawati s'en rend compte, et sa belle certitude de savoir où va l'histoire s'évanouit aussitôt.

— Je me trompe ? lâche-t-il, sur le qui-vive.

Il remarque la gravité de mon expression, y lit l'indication que le noyau obscur de l'histoire reste à élucider. L'appât que je lui lance alors remonte à Schéhérazade.

— Vous voulez que je vous raconte la suite ?

M. Mayawati ne répond pas sur-le-champ, et je décèle dans son hésitation une subtile terreur.

— J'espère que je ne serai pas déçu, murmure-t-il d'un air distant. Par la fin.

— Quelle fin voudriez-vous ?

— Une de celles que nous espérons tous. Que les méchants ne restent pas impunis.

— Dans ce cas, vous ne serez pas déçu.

— Des méchants, il me semble qu'il y en a beaucoup dans votre histoire, remarque M. Mayawati, d'un air dubitatif. Aucun n'en réchappera ?

Mon sourire dissipe ses doutes et lui donne l'espoir que l'histoire finira bien.

— Pas un seul.

10

Il y a des années, j'ai parcouru la côte amalfitaine, route de légendaires virages en épingle à cheveux offrant peu de visibilité au bord d'un profond précipice. Au bout de ce traître parcours, au sommet d'une colline abrupte, la Terrasse de l'Infini domine la Méditerranée. Par temps clair, il est impossible de dire où le ciel rejoint l'océan, si bien que le regard se perd dans l'inconnu absolu, ni terrestre ni aquatique. On sait que c'est là, tout un vaste monde dont on ne voit rien. Je me rappelle avoir repensé à Max pendant que je me tenais à cet endroit, à ce qu'il m'avait dit à Vienne : *N'oublie jamais, George, le Non-Visible.*

C'était encore lui qui occupait mes pensées tandis que je me dirigeais vers ma voiture le lendemain matin, et, de ce fait, réfléchissais à la façon dont la vie est pleine de mystères non résolus : certains insignifiants, comme le stylo qui n'est plus à sa place et qu'on ne retrouvera jamais ; d'autres bien plus graves, comme le meurtre d'un petit garçon, le sort d'une femme qui a disparu.

À la sortie de Winthrop, la route me fit longer la rivière, passer devant la petite grotte creusée dans la roche où Katherine Carr avait été vue pour la dernière fois. Je l'imaginai enveloppée dans un brouillard des plus mélodramatiques, bras croisés sur la poitrine, faisant les cent pas devant l'entrée de la grotte. Pourquoi était-elle venue là, me demandais-je, sans pourtant m'attendre réellement à jamais le savoir, et avec le sentiment que mon but, ce matin-là, n'avait de toute façon que peu à voir avec la vraie Katherine Carr. C'était la suite de son histoire que je cherchais, en partie, supposais-je, pour qu'Arlo continue de mordre à mon hameçon, mais surtout parce que j'avais promis à Alice de la lui lire et que, par conséquent, je devais mettre la main dessus.

J'étais rarement allé à Kingston. Il n'y avait là-bas rien pour exciter l'œil ou l'esprit, et aussi triste qu'elle soit, l'histoire de l'usine locale moribonde n'avait rien d'original, ce genre d'agonie n'étant devenu que trop familier, entre des commerces fermés dans une rue autrefois animée, les anciens locaux commerciaux cédés à des revendeurs de vêtements de seconde main, des prêteurs sur gages ou de la religion de bazar.

Audrey habitait à l'extérieur de la ville, dans l'un des rares quartiers des classes moyennes de cette localité sur le déclin. Les maisons en bardeaux, relativement cossues, trônaient sur de vastes pelouses, le tout joliment entretenu et bien conservé, et donnaient une fausse impression d'invulnérabilité qui me rappela l'existence que j'avais brièvement menée dans Jefferson Street.

Celle d'Audrey occupait une parcelle en angle de rue. Un long moment, ne sachant comment présenter la chose, je restai assis dans ma voiture à la regarder. Comme écrivain, j'avais maintes fois visité des demeures devenues célèbres parce qu'un illustre personnage y avait vécu ou rendu l'âme, mais ce fut la Mystérieuse Maison Winchester qui me vint à l'esprit, cet étrange édifice plein de coins et de recoins qui, à l'origine, appartenait à l'héritière de la fortune des Winchester, laquelle, à la mort de son mari, en était venue à croire qu'elle ne mourrait pas tant que sa maison ne serait pas achevée, et par conséquent, avait, sur une période de plus de trente-huit ans, de manière obsessionnelle ajouté des pièces, des fenêtres, des escaliers. À sa mort, la maison était devenue une sorte de folie labyrinthique d'escaliers qui ne menaient nulle part, de portes qui s'ouvraient sur des murs, de fenêtres aux planchers et aux plafonds – rien de plus, au final, que la concrétisation architecturale du rêve d'éternité, financé à outrance, de sa propriétaire.

Déjà de l'extérieur, la maison d'Audrey donnait le même étrange sentiment de refléter l'état mental de son occupante. La véranda était décorée de figurines sculptées, dans du bois pour la plupart, d'inspiration vaguement totémique. Un grand masque africain était suspendu à côté de l'entrée, le visage d'un chef, l'expression sévère comme il se devait. Des rideaux de perles, et non de tissu, habillaient les fenêtres, et au lieu de la traditionnelle balancelle en bois, deux hamacs étaient accrochés à chaque extrémité de la véranda, et même eux ne ressemblaient pas aux modèles usuels, avec leurs couleurs vives, leurs cordages plus fins et plus élastiques, comme ceux que j'avais vus sur l'île de Cozumel et au Yucatán.

– Je suis George Gates, annonçai-je à la femme qui vint m'ouvrir. Arlo vous a parlé de moi hier soir, je crois.

– Oui, il m'a téléphoné, répondit Audrey. Il m'a dit que vous aimeriez lire ce que Katherine a écrit d'autre.

– En effet.

Cette femme était grande, mince et élégante, ses cheveux grisonnants noués en un chignon serré. Je ne sais pourquoi, je l'avais imaginée plus petite et d'un abord plus revêche, un peu comme ces chiens de manchon toujours prêts à mordre, et maintenant qu'elle était devant moi, elle me semblait moins impressionnante, mais aussi plus triste et plus résignée que je ne m'y étais attendu.

– Je ne laisserai personne lire l'histoire de Katherine pour se moquer d'elle, m'avertit-elle. Elle a commis des erreurs. Mais elle ne mérite pas qu'on la tourne en ridicule.

Arlo m'avait très peu parlé d'Audrey, seulement prévenu qu'elle s'était mariée et avait eu un fils, puis avait divorcé et ne s'était jamais remariée. Elle avait l'air assuré d'une femme qui ne se laisse pas ébranler facilement.

– Je vous imaginais plus vieux, dit-elle. Je m'attendais à voir un homme plus âgé.

Je haussai les épaules.

– Désolé.

– Katherine aurait la cinquantaine aujourd'hui, si elle avait vécu.

Un profond chagrin transparaissait dans sa voix, si bien que, naturellement, je songeai à Teddy, le voyant, en cet instant, non pas tel qu'il était à l'époque où il avait été tué, mais tel qu'il serait maintenant, un blondinet de quinze ans.

Audrey parut deviner mes pensées, que sa remarque m'avait renvoyé à un drame qui me touchait de plus près que celui de Katherine Carr.

– Vous avez perdu votre fils, Arlo me l'a dit.

– Oui. Il a été assassiné il y a sept ans.

– On n'a jamais retrouvé son meurtrier, poursuivit Audrey, ce dont Arlo lui avait de toute évidence fait part.

– C'est exact.

– Vous espérez qu'il ne s'en tirera pas à si bon compte, l'homme qui a tué votre fils ?

Je secouai la tête.

– Non, je ne me fais aucune illusion là-dessus.

Audrey ouvrit sa porte en grand et recula.

– Tant mieux, dit-elle. C'est préférable.

La lueur interrogatrice dans mon regard ne lui échappa pas.

– D'abandonner tout espoir d'une solution miraculeuse, ajouta-t-elle. Ce à quoi Katherine aurait dû se résoudre.

Elle hocha la tête.

– Elle serait encore parmi nous si elle l'avait fait, monsieur Gates. Elle serait vivante et en parfaite santé, mais elle a choisi le côté sombre, et en est tombée amoureuse.

C'était une remarque sibylline, que, sur le moment, je jugeai préférable de ne pas approfondir alors que nous nous tenions tous deux toujours debout dans l'entrée, un peu raides, dans une atmosphère si fragile que je trouvai que garder le silence était le choix le plus judicieux.

– Mais entrez donc, proposa Audrey.

Je la suivis dans un petit couloir, puis dans une pièce au mobilier en bois massif : une table à pieds griffus, un secrétaire aux portes vitrées biseautées. Un tapis aux teintes foncées recouvrait une bonne partie du sol. Tout semblait pesant, morne.

– Vous avez lu les poèmes de jeunesse de Katherine ? voulut savoir Audrey.

– Oui.

– Donc, vous vous êtes rendu compte qu'à cet âge-là, elle vivait sur son petit nuage, dit-elle d'un ton qui me parut plus mélancolique que désapprobateur. C'est comme ça que je l'appelais. Petit Nuage. Une poète de la nature.

Brusquement, ses traits se décomposèrent.

– Mais Katherine a découvert que la nature abritait des bactéries, des virus, qu'elle finit par vous tuer. L'agression dont elle a été victime lui a appris qu'on ne vivait pas sur un petit nuage. De ce point de vue-là, ç'a peut-être été salutaire.

Je ne fis pas de commentaire.

– Vous écriviez des récits de voyages, si j'ai bien compris, reprit Audrey. Dans ce cas, vous deviez compter sur la gentillesse des inconnus. Les voyageurs en sont tributaires, pas vrai ?

– Souvent, oui.

Audrey secoua la tête.

– Mais tous les inconnus ne sont pas gentils, n'est-ce pas ?

Elle prit une profonde inspiration, l'air abattu.

– Katherine l'a appris à ses dépens, ajouta-t-elle. Si elle avait vécu assez longtemps pour en parler, elle serait devenue un grand écrivain.

Il était évident qu'Audrey attribuait des dons exceptionnels à son amie disparue, était en plein processus de mythification. C'était une réaction très courante après une perte brutale, et je repensai aussitôt à une femme dont le fils avait été tué au World Trade Center. «Il aurait changé le monde», avait-elle affirmé. Sauf qu'il avait plus de trente ans au moment de sa mort, ce conseiller en gestion de patrimoine, sans doute un homme très bien qui ne devait rien à personne, mais sûrement pas un créateur de mondes nouveaux. J'avais essayé de faire tout le contraire en ce qui concernait Teddy, de garder le sens de la mesure, d'imaginer son potentiel comme celui de tout un chacun, sa perte d'autant plus grande et plus poignante pour moi parce que c'était lui qui se perdait et moi qui le perdais, et non le monde qui perdait quelqu'un qui l'aurait changé.

Audrey désigna une chaise.

Je pris place, puis la regardai marcher jusqu'au secrétaire, ouvrir un tiroir et en sortir une petite pile de feuilles identiques à celles qu'Arlo m'avait confiées, des photocopies de pages de cahiers de brouillon, le manuscrit original étant sans doute caché dans un tiroir fermé à clé ou bouclé à double tour dans un coffre. Elle y avait ajouté plusieurs photographies de Katherine Carr à différents âges.

– Il est toujours bon d'avoir une idée précise de ce à quoi ressemble quelqu'un, vous ne croyez pas? demanda Audrey.

– Oui.

– Mais ce qui compte vraiment, c'est ce que Katherine a écrit, ajouta-t-elle avec un petit signe de tête vers les feuilles qu'elle venait de prendre. Il n'y a pas grand-chose, comme vous le voyez.

Elle alla s'asseoir sur le canapé.

– Savez-vous quel était son poème préféré quand elle était petite?

Sans me laisser le temps de répondre, elle se mit à réciter :

– « Hier, dans l'escalier, j'ai rencontré un homme qui n'était pas là[1]. »

Elle se tut, me regardant avec gravité.

– Le problème, c'était que cet homme était là.

Voyant que cette remarque me laissait perplexe, elle saisit la première page de la pile qu'elle avait posée sur ses genoux, et me la tendit.

– Ceci devrait expliquer cela, dit-elle.

C'était un poème intitulé *Le Titre de Munch*, et il était clair qu'elle m'enjoignait de le lire avant de poursuivre notre discussion.

Un marchand l'a appelé Le Vampire,
Elle avait du sang dans les cheveux, pensait-il,
Son étreinte, l'étau de la mort,
Des crocs dans sa bouche invisible.
Du visage de l'homme,
Le sang a reflué,
Car tandis qu'elle le serre contre elle,
La vie le quitte,
Pour la nourrir d'éternité.

Munch, lui, l'a appelé Amour et Peine,
Ne voyant rien de surnaturel dans notre besoin de nous
*   étreindre,*
Ni nœud coulant dans le cercle de nos bras,
Ni arme camouflée sous nos lèvres.
L'amour, pour Munch, était en soi bien trop acéré,
Nul besoin de morts-vivants,

1. Début du célèbre poème *Antigonish* de Hughes Mearns (1875-1965).

Ni d'immortels complots sanglants.
Tels que nous sommes, cela lui suffisait.
Plus, peut-être, qu'il ne pouvait endurer.

– C'est un poème d'amour, vous ne trouvez pas ?
demanda Audrey quand j'eus fini de le lire.

– En un sens, oui.

– Ce tableau se trouve au Metropolitan Museum de
New York. Le grand-père de Katherine nous y avait
emmenées, elle et moi. D'ailleurs, ç'a été la toute dernière sortie qu'elle a faite. Ensuite, il était devenu trop
faible pour voyager.

Elle haussa les épaules.

– Quoi qu'il en soit, ce tableau n'a rien d'extraordi-
naire, reprit-elle. On y voit un homme et une femme,
exactement comme Katherine le décrit dans son poème.
On dirait qu'ils sont tous les deux assis dans le noir.
La femme serre plus ou moins l'homme contre elle,
comme si elle le consolait. Comme Katherine le faisait
pour tous ceux qui avaient besoin de l'être.

Elle se tut, me regarda attentivement, puis ajouta :

– Vous devriez aller voir ce tableau, on comprend
beaucoup de choses en l'examinant attentivement.

– Beaucoup de choses sur quoi ?

– Sur Katherine.

Le poème frémit sous une brise soudaine qui souffla
par la fenêtre ; rien qu'une légère brise, pourtant elle
produisit l'effet surnaturel de ces doigts invisibles qui
dansent sur les touches d'un piano mécanique.

Audrey abattit fermement sa main sur les pages,
et dans ce geste, je reconnus la réaliste pure et dure
qu'Arlo m'avait décrite à grands traits la veille au soir,
cette femme qui avait travaillé dans les quartiers pauvres

de Hartford et de New Haven, en avait sûrement vu des vertes et des pas mûres qui ne risquaient pas de la mettre sur un petit nuage. Il ne se dégageait d'elle pas l'ombre d'une fantaisie. Elle donnait presque l'impression d'en vouloir à son amie d'avoir disparu, un soupçon de ressentiment teintant chacune de ses paroles, Katherine Carr devenant l'auteur de sa propre destruction.

– Arlo ne m'a pas dit pourquoi vous l'aviez contacté, relançai-je.

– Parce que je pense que les policiers se sont trompés, répondit Audrey. À leurs yeux, Katherine était un stéréotype féminin. Une jeune poétesse. Une recluse. Elle leur était tout autant étrangère que si elle avait débarqué de la planète Mars. C'est pourquoi j'ai voulu donner une autre image d'elle. Pour mémoire, pourrait-on dire.

Son regard se fit plus intense.

– À votre avis, qu'est-il arrivé à Katherine, monsieur Gates ?

Je haussai les épaules.

– Je n'en ai pas la moindre idée. Je ne l'ai pas connue. Je n'ai d'elle que son histoire.

– Son histoire, oui, enchérit Audrey. À part un petit poème, c'est tout ce qu'elle a laissé, et la police s'est tout de suite focalisée dessus.

– Et n'a rien trouvé, je suppose ?

– Rien de concret. Alors, l'enquête a conclu au suicide de Katherine. Affaire classée.

Elle me scruta un long moment, avant d'ajouter :

– La police était convaincue que ce n'était qu'un personnage qu'elle avait inventé pour les besoins de son histoire. Mais si ce n'était pas le cas ? S'il était réel, cet homme qu'elle appelle « Maldrow » ?

Dans le peu que j'avais lu jusque-là, Maldrow apparaissait comme une vague silhouette, baignant dans une aura plus ou moins fantastique. De toute évidence, Audrey faisait allusion à un genre de personnage très différent : non seulement réel, mais douteux.

– Si c'était un traquenard ? interrogea-t-elle. Toute cette combine pour retrouver l'homme qui l'avait agressée ? Un traquenard dès le début. Si ce Maldrow – quel que soit son vrai nom – en voulait à son argent ? Elle n'en avait pas, en réalité, mais il croyait peut-être le contraire.

Je ne voyais pas comment faire rebondir la conversation, car tout cela me paraissait trop spéculatif, une interprétation de signes.

– Vous imaginez combien Katherine devait être vulnérable, déclara Audrey avec fougue. Seule comme elle l'était. Une proie rêvée pour un tel homme.

Une étincelle de fierté brilla dans son regard.

– Du moins, au début. Mais Katherine aurait fini par le démasquer, affirma-t-elle, se redressant, le visage fermé. Alors, elle se serait lancée à sa poursuite.

Je revis la traînée sanglante que Katherine Carr avait laissée sur le sol de son garage en rampant pour tenter de rattraper son agresseur, et la dernière affirmation d'Audrey m'apparut comme probablement vraie. Elle n'aurait jamais laissé un deuxième inconnu échapper à sa rage.

– Il a pu avoir ce mobile, ajouta Audrey, l'air sombre. Parce qu'elle avait vu clair dans son jeu et qu'elle l'aurait confondu pour s'assurer qu'il ne recommence jamais plus, ne profite jamais plus d'autres femmes. C'est pour ça qu'il l'aurait tuée, parce qu'il avait compris qu'elle le dénoncerait à la police.

À mon grand étonnement, j'imaginai sans peine ce meurtre hypothétique sous la forme d'une scène mélodramatique en diable : Katherine Carr affrontant celui qui avait voulu abuser de sa crédulité, exposant tout son plan au paroxysme de la fureur et du désespoir, l'homme qui l'avait trahie, totalement confondu à présent, l'écoutant donner libre cours à sa colère, conscient qu'il ne pourrait rien faire pour l'apaiser, en arrivant à la conclusion qu'il n'avait plus le choix.

– Ce n'était pas le premier venu, hein ? continua Audrey. Il n'aurait pas fait ça chez elle, ni ailleurs dans le coin. Il avait un camping-car. Dans l'histoire que Katherine a écrite. Moi, ce que je crois, c'est qu'elle est allée le voir pour lui dire qu'elle savait ce qu'il mijotait. Alors, il l'a tuée. Sur place, dans son camping-car, puis il a roulé et il l'a enterrée ou jetée à la rivière.

C'était le genre d'explication – un mobile de meurtre plausible allié à l'opportunité de le commettre et de s'en tirer – typique d'un roman policier, mais cela ne la rendait pas moins possible dans la réalité.

– Vous me direz, ce n'est pas de cette façon que l'histoire de Katherine se termine, précisa Audrey, comme à regret. Dans l'histoire, Katherine ne cesse jamais de faire confiance à Maldrow. Vous le constaterez par vous-même quand vous la lirez.

À ces mots, je compris qu'elle avait décidé de me confier la suite de ce que Katherine Carr avait laissé.

– Mais pour moi, ce n'est pas Katherine qui a écrit cette fin, s'empressa-t-elle d'ajouter.

Une supposition que j'entendais pour la première fois.

Avec prudence, je demandai :

– Si, comme vous le pensez, ce n'est pas elle qui l'a écrite, alors qui ?

Audrey ne prononça pas de nom en me tendant la suite de l'histoire, mais je le vis aussitôt écrit sur les murs, les sols, les miroirs et les portes du nombre incalculable de pièces où des crimes avaient été commis, effort de mourante d'innombrables femmes assassinées pour permettre d'identifier celui qu'elles n'entendaient pas laisser impuni, les lettres de son nom tracées crûment, luisantes, d'un rouge à jamais dégoulinant : M A L D R O W.

11

Scénario un peu noir que ce portrait de Maldrow par Audrey, escroc qui aurait choisi une mauvaise cible et, par conséquent, été obligé de la tuer. Mais cela m'importait moins que le fait qu'elle m'ait confié la suite de l'histoire de Katherine Carr, récit que je pourrais dévoiler à Alice, disséquer et analyser avec elle en détectives amateurs, pour peut-être, en échangeant le sourire satisfait de deux joueurs de Cluedo, aboutir à la conclusion que le coupable était le colonel Moutarde qui l'avait tuée avec un revolver dans la bibliothèque.

En passant devant la salle commune, je constatai qu'Alice ne s'y trouvait pas avec les autres enfants, âgés de six ou sept ans pour la plupart, et même plus jeunes pour certains. Quelques-uns étaient assis à de petites tables, faisant des puzzles ou jouant à des jeux de cubes. D'autres étaient par terre, avec les divers jouets fournis par le service pédiatrique. Ils avaient des rires d'enfants, joyeux et insouciants, mais qui ne masquaient ni leurs graves infirmités, ni l'effort qu'ils faisaient pour y échapper un bref moment, s'oublier en s'amusant. En les observant, j'osais à peine imaginer le crime commis contre eux : assassinés par leurs propres corps, ils ne disposaient même pas de la silhouette d'un inconnu prenant la fuite, de ce quelqu'un, quelque part, qu'ils pourraient encore pourchasser. C'était la main ensanglantée de la Nature qui s'en était prise à ces enfants, et donc, selon le plus ténébreux et le plus ancestral ordre des choses, jamais personne ne paierait pour ce qu'ils avaient subi.

Alice braqua son regard sur moi quand j'entrai dans sa chambre, mais son énergie parut déjà se dissiper quand elle m'adressa la parole.

– Vous avez apporté l'histoire ? murmura-t-elle.

– Oui, répondis-je, prenant une chaise et m'asseyant. Mais avant tout, je vais t'exposer ce que j'ai lu jusqu'à présent.

Alice prit son ordinateur portable sur la table de chevet, tendant ses bras fins comme de pâles roseaux qui purent tout juste porter l'appareil et le poser sur ses genoux.

– Ça y est, dit-elle en l'allumant. Je suis prête.

Pendant quelques minutes, au rythme régulier du pianotage des doigts d'Alice sur les touches du clavier, je lui expliquai tout ce que j'avais appris sur la vie de Katherine Carr, ce qu'Arlo et Audrey m'avaient dit d'elle, ainsi que les éléments que j'avais recueillis dans le *Winthrop Examiner*. Puis je lui relatai tout ce que j'avais lu de l'histoire jusqu'au moment de ma rencontre avec Audrey.

Alice m'écoutait attentivement, baissant rarement les yeux en tapant. Son regard brûlait d'un étrange appétit, d'une avidité à absorber tout ce que je lui disais dans les moindres détails, et je compris que son esprit était sevré depuis trop longtemps de tels échanges, du son d'une voix qui ne soit pas celle d'un médecin, d'une présence autre que celle de quelqu'un venu la voir à titre professionnel, lui parlant d'autre chose que de sa maladie.

De ce fait, je m'employai à récapituler plus lentement qu'en temps normal ce que j'avais retenu du début de l'histoire, développant les conversations et donnant des détails sur les lieux : la maison d'Audrey, le petit restaurant où j'avais rencontré Arlo, l'aspect de Gilmore Street le soir où je m'y étais rendu, la grotte creusée dans la roche au bord de la rivière où Katherine Carr avait été vue pour la dernière fois.

– Des questions jusque-là ? demandai-je à un moment.

Alice fit non de la tête.

– Pas encore, dit-elle.

Je poursuivis donc ma narration, l'interrompant pour lire les parties du manuscrit que m'avait confiées Arlo, ou pour répondre aux questions qu'Alice se décida enfin à poser, la plupart très concrètes, portant le plus souvent sur l'identité de telle ou telle crapule mentionnée dans la partie « Maintenant », les archives criminelles de Maldrow.

Alice m'accordait toute son attention, mais, par moments, elle tournait les yeux vers la fenêtre et regardait au loin. Elle parlait rarement alors, mais je sentais que ce silence était nourri, que pendant ces moments de curieuse méditation, elle piochait dans les pièces d'un puzzle, commençait peut-être à les assembler selon un ordre établi par elle depuis longtemps.

Finalement, elle demanda :

– Vous croyez qu'Audrey a raison au sujet de Maldrow ?

– Que ce serait un escroc, tu veux dire ?

Elle secoua la tête.

– Non, qu'il ait réellement existé.

Ce point était fondamental, en ce qu'il touchait la question essentielle de savoir si le récit de Katherine Carr était une fiction, une non-fiction, ou se situait entre les deux.

Je lui fis la seule réponse qui me parut raisonnable sur le moment.

– Je ne sais pas.

Alice parut s'en contenter, ce qui me fit subitement prendre conscience que je ne devais jamais la devancer dans la lecture, ne jamais en savoir plus qu'elle, que, dès lors, nous devions explorer ensemble les rebondissements éventuels de l'histoire de Katherine Carr, comme deux voyageurs découvrant le cours d'une rivière à bord du même bateau.

– Tu en sais autant que moi maintenant, non ? demandai-je. Autre chose avant que je commence à lire ?

Elle redressa les épaules, prit une petite inspiration dans une heureuse expectative et positionna ses doigts sur le clavier de son ordinateur.

– Prête, annonça-t-elle.

MAINTENANT

– Tu as très vite gagné la confiance de Katherine, dis-moi, fait remarquer le Chef. Mais il est vrai que tu sais te faire apprécier.

Maldrow voit le regard plein de rancœur que Mme Budd lance par sa fenêtre, ses cheveux blancs en tremblent, elle est incapable de penser à autre chose qu'à un petit cottage de White Plains et à la promenade de l'horreur pour laquelle sa petite fille est partie en tenant la main d'Albert Fish. Tant d'autres comme elle. Épuisés d'angoisse, attendant qu'il vienne.

– Naturellement, la colère rend vulnérable, poursuit le Chef. Nous avons appris au moins cela, Maldrow.

Maldrow repense à l'expression de Katherine quand elle contemplait les magazines éparpillés sur le sol. La fureur qu'il avait vue dans son regard lui avait rappelé celle de Yenna, stimulée par ce qu'elle avait appris, ses yeux verts à jamais en quête de la silhouette du meurtrier sur la place du village, lui emboîtant le pas tandis qu'il marchait tranquillement parmi la foule, achetant du fromage et du pain, s'arrêtant chez le rémouleur. Sans Stanovich, elle serait à ses côtés à présent – complices, pour ainsi dire, dans le crime.

– Surtout quand elle est vaine, ajoute le Chef.

Maldrow se remémore les autres, et ils sont légion, qui ont vécu dans cette rageuse inutilité, incapables de passer à autre chose, menant leur existence dans la stérile contemplation d'un inconnu dont la liberté leur était une torture sans fin, une douleur que nulle miséricorde ne pouvait soulager, nul pardon infléchir.

– Katherine a-t-elle conscience de cela ? demande le Chef en insistant lourdement sur les mots.

Maldrow revoit Katherine telle qu'elle était en descendant du bus : les cendres d'elle-même, consumée par ce qu'elle avait vu, néanmoins allant de l'avant.

– Oui, répond-il. Elle en a conscience.

Le Chef abaisse le regard sur les longs doigts de Maldrow qui les plie et les tend à un rythme régulier.

– Tu n'es pas comme d'habitude, dit-il.

Maldrow se masse les doigts.

– Il me tarde de clore l'affaire Katherine.

Dans le regard du Chef, brille une petite lueur annonciatrice d'ennuis imminents.

– Dans ce cas, déterminons si nous avons vraiment trouvé celle qu'il nous faut. Nous n'avons pas droit à l'erreur.

– Je sais.

Le Chef considère Maldrow avec gravité.

– Elle croit en toi ?

– Oui.

Le Chef s'enfonce dans sa chaise et inspire longuement, l'air songeur.

– Ce ne serait pas la première, murmure-t-il.

Maldrow revoit le corps de Yenna flottant sur le ventre, emporté par le courant de la rivière.

– Tragique, à chaque fois, ajoute le Chef. Ça a pesé sur toi, à chaque fois.

Il réfléchit un moment, puis se décide à poser la question :

– Tu n'avais jamais envisagé personne après Yenna, n'est-ce pas ?

– Pas jusqu'à maintenant.

– Pourquoi ?

Maldrow en revoit beaucoup d'autres qui n'ont jamais surmonté leur désespoir, des gens qui ont sauté du haut d'un pont, se sont pendus à un chevron ou ont glissé le froid canon d'acier dans leur bouche puis pressé la détente. D'autres se sont égarés dans l'alcool, la folie ou peut-être dans les replis du chagrin qui les enveloppait.

– Ils n'aimaient plus la vie, répond Maldrow. Il faut aimer la vie en soi pour y tenir.

– Même cela ne suffit pas, dit le Chef.

– Non, c'est vrai.

– Alors, en quoi Katherine est-elle différente ?

Maldrow revoit l'expression de Katherine après qu'il eut terminé de lui raconter l'histoire de cette espèce de vieux porc assassin d'enfants. C'était cet air brisé et pourtant inflexible des témoins appelés à la barre, victimes d'atrocités dont ils pouvaient à présent identifier les auteurs. *C'est lui, c'est cet homme qui a fracassé la tête de mon bébé contre un mur.* C'était le regard de ceux qui avaient reconnu Eichmann à Jérusalem, de ceux qui savaient que si la justice était faite par les hommes, si mortels soient-ils, d'autres témoins encore aujourd'hui désigneraient le roi Léopold II ou le duc de Padoue et beaucoup d'autres massacreurs tout autant impunis, ceux qui portaient les coups d'épée à Jéricho, ceux qui maniaient les mitrailleuses à Babi Yar. Mais surtout, c'était le regard sombre de ceux qui n'ignoraient pas la cruelle vérité que le Ciel ne pouvait devenir Paradis que par l'obstination d'impitoyables tribunaux.

– Son côté sombre, répond Maldrow.

Un côté sombre encore plus implacable que chez Yenna, et il avait compris que ce serait sans aucune pitié qu'elle les aurait affrontés : Lawrence Bittaker lavant des pinces dans un évier en aluminium, John Joubert fourrant une corde et un couteau de chasse dans son casier de l'armée, Vladimir Ionosyan boutonnant son faux uniforme de Gaz de Moscou.

– Ah oui, dit le Chef posément. Qu'y a-t-il de plus désirable que cela ?

Je me tus et écoutai crépiter les touches du portable.

– Comment s'écrivent ces derniers noms ? s'enquit Alice au bout d'un moment. Ceux que vous venez de lire.

Je lui tendis les pages, puis la regardai s'appliquer à reporter ces noms. Après les avoir tapés, elle en vérifiait l'orthographe en comparant le texte avec l'écran, un souci d'exactitude qui me rappela ma jeunesse, le besoin impérieux que j'avais alors de transcrire correctement les faits dans mes devoirs d'école. Quand elle en eut terminé, elle tourna vers moi un regard plein d'impatience.

– C'est la fin de cette partie, dis-je. Y a-t-il des points dont tu veuilles discuter ?

– Qui est Yenna ? demanda-t-elle.

– Je ne sais pas, répondis-je.

– Elle est liée d'une manière ou d'une autre à Stanovich, et tous deux sont liés à Maldrow.

– Oui. À mon avis, ce lien, nous l'apprendrons plus tard dans l'histoire.

– Alors, dit Alice, lisons la suite.

AUPARAVANT

Je les imaginais pendant leurs interminables voyages, éternels vagabonds traversant avec difficulté des champs de blé battus par les vents, s'adossant, fatigués, contre des murets de terre à moitié éboulés, s'accroupissant à côté d'un piquet de clôture. Je les voyais cherchant inlassablement dans de hautes herbes, avançant tant bien que mal sur des chemins détrempés, suivant des traces de pas boueuses ; je les voyais pieds nus dans de vieilles sandales, ballottés dans une charrette, se faufilant dans la chaleur étouffante d'un entrepont, en costume ample, peignoir sale, chemise de crin, robe de mousseline en lambeaux ; je les voyais la peau sur les os, l'œil aux aguets, examinant tel ou tel objet incriminant à travers des lunettes à monture métallique.

– Parlez-moi encore de Stanovich, dis-je.

Maldrow eut un petit sourire.

– C'est ce que vous espériez : la fin de son histoire. C'est ce que vous espérez tous.

– Est-ce pour cette raison que vous faites ce que vous faites ?

– C'est l'unique raison.

– Quand vous l'a-t-on proposé, ce… travail ?

– Il y a longtemps.

Il se leva et, comme subitement poussée à l'action, je l'imitai et nous sortîmes sous la véranda. La nuit était belle

153

et fraîche, les étoiles et la lune scintillaient, la ville s'étalait à nos pieds, figée dans une lumière bleutée.

– Tout paraît si plein, dis-je.

Maldrow contempla la ville en me donnant l'impression que rien, aucune de ses innombrables pièces, n'échappait à son regard. Puis il jeta un coup d'œil vers Main Street, là où la rue se terminait à hauteur d'une petite grotte creusée dans la roche.

– À quoi pensez-vous?

– À un homme, répondit Maldrow. Il s'appelait Albert Fish. Il a assassiné beaucoup d'enfants.

Puis Maldrow me décrivit méticuleusement les choses horribles que Fish avait fait subir aux enfants tombés entre ses mains.

– Est-il resté impuni? demandai-je.

– Non. Il a été arrêté et exécuté.

– Comment?

– Par électrocution.

Une électrocution salopée, m'expliqua Maldrow avec force affreux détails, Fish connaissant une mort réellement atroce.

– Donc, comme vous le voyez, me dit Maldrow en arrivant au terme de l'histoire de Fish, il ne s'en est pas tiré à bon compte.

Mais je savais bien que si.

Je me tus de nouveau.

– C'est la fin de cette partie, dis-je.

Alice me regarda d'un air songeur.

– Pourquoi Katherine pense-t-elle que ce Fish s'en est tiré à bon compte? demanda-t-elle. S'il a été exécuté?

– Je ne sais pas, répondis-je avec un haussement d'épaules. Mais Fish a réellement existé et a été exécuté.

154

De tout ce que Maldrow dit à Katherine, ça, au moins, c'est véridique.

Comme j'allais tourner la page pour poursuivre ma lecture, Alice ne m'en laissa pas le loisir.

– Je peux voir la première partie ? exigea-t-elle. Celle que vous aviez déjà lue ?

Elle voulait parler des passages que je lui avais résumés, ceux qu'Arlo m'avait donnés en premier, et dont je lui avais lu des extraits, compte-rendu qu'elle semblait à présent juger insuffisant.

– Bien sûr.

Je pris les pages en question et les lui remis.

Pendant un moment, elle se concentra sur le manuscrit de Katherine Carr, en examinant la première page avec ses yeux de vieillarde. Puis brusquement, elle redressa la tête, comme s'il lui venait une idée qu'elle n'était pour autant pas disposée à me faire partager.

– Je peux les garder ?

– Bien sûr, lui assurai-je.

Elle en reprit la lecture, s'y plongeant si intensément que je sentis le moment venu pour moi de la quitter, et par conséquent, me levai.

– Où allez-vous ?

– Chez moi, répondis-je. Je me disais que tu préférerais peut-être rester seule.

– Pourquoi voudrais-je rester seule ? Dites plutôt que vous avez envie de partir.

– Non, protestai-je. Pas du tout.

Je me rassis et attendis qu'Alice relance la conversation, moi-même en étant curieusement incapable, et une fois de plus je ressentis le poids du temps qui s'était écoulé depuis la dernière fois où j'avais parlé à un enfant.

Alice dut percevoir mon malaise, car elle tourna vivement la tête vers l'écran de son ordinateur qu'elle orienta vers moi.

C'était un horrible site consacré aux tueurs en série, les visages de ces hommes disposés en mosaïque, à la manière de photos d'identité judiciaire, des visages de toute couleur, de toute race, de tout type ethnique, leurs noms et ceux de leurs pays d'origine écrits en un lettrage noir vaguement gothique, un Coréen maigre, un Slave au visage grêlé de cicatrices d'acné, tous ayant au moins un autre point commun que leur cruauté : TOUJOURS EN FUITE.

– Pourquoi vas-tu voir ce genre de choses ?

– Parce que j'ai lu votre livre. Je me demandais si vous aviez déjà écrit sur ces gens-là.

– Tu veux dire, des meurtriers ?

– Des meurtriers qui n'ont jamais été arrêtés.

– Pourquoi diable écrirais-je sur eux ?

Elle parut déçue par ma réponse, comme quelqu'un à qui, au moment où il prend le risque de faire un pas en avant, on barre la route.

– Pour rien, rétorqua-t-elle en redressant l'écran, et tapant autre chose avant d'éteindre l'ordinateur.

Elle se tut, le regard fixé sur l'écran vide. Puis, comme sous la prise de conscience d'un échec cuisant, elle murmura :

– Vous feriez peut-être mieux de partir. Je suis fatiguée.

C'était un changement d'humeur brutal, que je n'avais d'autre choix que d'accepter.

– D'accord, dis-je. À demain.

– Demain ? m'interrogea Alice avec l'air de douter.

– Oui, demain. Pour que nous lisions ensemble la suite de l'histoire.

Elle était tout étonnée que j'aie l'intention de revenir si vite, et à cette surprise, je mesurai le nombre de gens qui n'avaient fait que passer dans sa vie, les multiples visages qui s'étaient brièvement attardés à son chevet, pétris de gentillesse et de sollicitude, prometteurs d'attentions, puis avaient disparu.

– Nous devons connaître la suite de l'histoire de Katherine Carr, non ? ajoutai-je. Apprendre qui est Yenna, par exemple. Et Stanovich. Et pourquoi Katherine pense que Fish s'en est tiré à bon compte.

Alice me sourit.

– Oui, bien sûr.

– À demain, alors.

Sur ces mots, je me levai, et me dirigeai vers la porte. Là, je me retournai vers Alice pour lui souhaiter bonne nuit, mais sa tête s'était affaissée, son crâne glabre brillait un peu sous l'éclairage tandis qu'elle examinait le manuscrit de Katherine Carr, dont, de ses petits doigts fripés, elle tournait les pages, lentement, une à une.

12

Ce fut sans doute cette dernière vision d'Alice plongée dans l'histoire de Katherine Carr qui, tandis que je regagnais ma voiture ce soir-là, ramena mes pensées vers son auteur disparu depuis longtemps. Tout en roulant vers chez moi, j'avais l'impression de la sentir à mes côtés, mais d'une drôle de façon : quelqu'un qui n'est plus là dès qu'on se retourne, file comme une flèche au détour d'un couloir ou dans une pièce contiguë, silhouette si fugace qu'on en arrive à douter qu'elle ait jamais été là.

C'était une présence absente, et je suppose que ce sont mes piètres capacités d'évocation qui m'incitèrent à m'installer devant mon ordinateur quand j'arrivai chez moi. Je n'avais aucun moyen de trouver une image de Katherine Carr, bien entendu, mais il en existait une qui avait intrigué cette femme, qui lui avait inspiré un poème, et qui, après que j'eus tapé sur quelques touches de mon clavier, apparut sur mon écran.

Le tableau de Munch, qu'on l'appelle *Le Vampire* ou *Amour et Douleur*, correspondait parfaitement à la description qu'Audrey en avait faite. Petit, sombre, on y voyait deux personnages. Mais l'atmosphère y était aussi extrêmement dramatique, en ce qu'il saisissait

158

l'instant pendant lequel un homme et une femme s'en-
laçaient en une farouche étreinte. La cause de cette
douleur, que ce soit la mort, la perte ou le rejet, demeurait indéchiffrable, mais son intensité, austère, inconsolable, était gravée dans les deux visages. Pour autant,
leur expression était différente. L'homme paraissait
avoir de la peine pour une raison inconnue, alors que
la femme semblait en éprouver pour cet homme qu'elle
serrait tendrement dans ses bras ; un homme brisé,
c'était mon impression, donc loin du portrait sinistre
qu'Audrey avait fait de Maldrow.

En réalité, l'homme du tableau de Munch avait
l'air plus proche du Maldrow que Katherine Carr avait
dépeint dans son histoire, seulement à demi visible, les
traits indéfinis et indistincts, personnage trop incons-
istant pour être assimilable à tout ce que j'avais pu
rencontrer en matière de psychologie littéraire.

Mais s'il avait réellement existé, pensai-je, Maldrow
avait très bien pu être un sombre manipulateur des faibles
et des innocents, comme en était persuadée Audrey. Je
savais qu'à travers l'Histoire, ce genre d'intrigant sans
scrupule avait existé, parfois à une échelle monumentale.

Mais par-dessus tout, avoir lu à voix haute l'histoire
de Katherine Carr y avait ajouté une indéfinissable
étrangeté de ton, surtout en ce qui concernait le passage
où Katherine se tenait avec Maldrow sur le perron de
chez elle, le regard levé vers l'ordonnancement du
firmament, tandis qu'il abaissait le sien vers le chaos
du monde des hommes. À ce moment-là, elle le faisait
s'exprimer sur un ton un peu pontifiant, ce qui indiquait
que son expérience du monde était bien plus profonde
que celle de Katherine, et le plaçait comme son professeur, son mentor… ou son gourou.

Katherine aurait-elle été vulnérable à ce genre de stratagème ? Si oui, cela se serait-il soldé par sa mort ?

J'envisageai d'abord la théorie de la police, celle qu'Audrey réfutait si violemment : que Katherine Carr s'était suicidée. À mon grand étonnement, je n'eus aucune difficulté à envisager Katherine sous le même angle que la police : une jeune femme en plein désarroi, cherchant une délivrance, n'en trouvant aucune, et, dans la terrible solitude de son désespoir, allant se noyer. Les célèbres vers d'Emily Dickinson me revinrent en mémoire : qu'à une grande douleur succède un calme olympien, les tourments enfin au repos. Il était sûrement raisonnable de penser que Katherine Carr avait fini par atteindre cette obscure sérénité, que ses nerfs sensibles s'étaient, pour reprendre les mots de Dickinson, « figés, comme de solennels tombeaux ».

Je songeai à la petite grotte au bord de la rivière, l'endroit où elle avait été vue pour la dernière fois. Elle était seule, selon le chauffeur du car de la Route 34, les épaules drapées d'un long châle foncé, les cheveux retombant en un épais rideau noir sur ses épaules. Par une telle description, elle rejoignait les grandes suicidées légendaires : Ophélie flottant parmi les pétales de fleurs, Eustacia Vye se jetant dans un cours d'eau furieux, incapable d'être sauvée, comme l'écrit Thomas Hardy, par les dieux terrestres sans entraves. Et bien sûr, il y avait Virginia Woolf, remplissant ses poches de pierres, puis s'avançant dans la rivière Ouse.

L'espace d'un instant, je me demandai si c'était là le sort que je souhaitais à Katherine Carr, aussi littérairement chargé et envoûtant soit-il : une femme allant se noyer. Quelle meilleure fin pour elle qu'une mort volontaire, tout souci endormi, avec, en arrière-plan, la beauté de la nature ?

J'entendais le clapotis de l'eau, j'imaginais la rive tranquille. Le soir, cet endroit devait être encore plus joli, et je ne doutais pas que, de ce point de vue, comme lieu de suicide approprié, il fasse l'unanimité. Car il était notoire que les candidats au suicide aiment souvent mourir dans la beauté qui les entoure : le panorama du Golden Gate Bridge, les falaises anglaises de Beachy Head, ou dans les profondeurs attirantes de la forêt d'Aokigahara où un nombre considérable de Japonais se sont tués. Ces sites naturels de prédilection pour se donner la mort avaient tous en commun une splendeur stupéfiante en totale contradiction avec les pancartes et affiches prosaïques, incitations placardées un peu partout : « Téléphonez à un ami », « Pensez à votre famille ».

Audrey, de toute évidence, n'accepterait jamais une telle mort, raison pour laquelle – surtout par acquit de conscience – j'envisageai sa supposition sur la fin de Katherine Carr : celle-ci avait découvert la vérité sur Maldrow, l'infâme vérité, et l'avait menacé de dévoiler le charlatan qu'il était.

Je m'enfonçai contre le dossier de mon siège pour examiner une nouvelle fois le tableau de Munch, mais n'y trouvai rien qui me permette de franchir une étape supplémentaire. Je savais que je ne pouvais pas continuer de lire l'histoire : c'eût été déloyal vis-à-vis d'Alice.

Par chance, ce n'était pas ma seule source.

À sa voix endormie, je compris tout de suite que je tirais Arlo du lit.

– Excusez-moi, dis-je aussitôt. Je ne me rendais pas compte de l'heure.

– Audrey m'a appelé. Elle m'a dit qu'elle vous avait confié la suite de l'histoire de Katherine.

– Effectivement. Mais je ne peux pas la lire pour le moment.

– Ah bon, pourquoi ?

– C'est un petit jeu que je joue avec Alice, lui expliquai-je. La gamine atteinte de progéria. Nous la lisons ensemble, je ne veux pas prendre de l'avance sur elle. Parce que, voyez-vous, nous essayons à nous deux de découvrir la solution. Elle aime se livrer à ce genre d'exercice.

– Il n'y a pas de solution, déclara Arlo. Il y a seulement… de l'espoir.

L'espoir. Le mot me parut curieux, même si on le retrouvait souvent sous la plume de Katherine Carr, comme un étrange petit thème mineur.

– L'espoir de quoi ?

– L'espoir de ne pas perdre espoir, répondit Arlo.

– Mais quel…

– Vous comprendrez, m'interrompit Arlo, d'un ton sans réplique. Ou pas.

Il était évident qu'il dressait un mur pour me dissuader de poser d'autres questions sur le sujet, aussi en revins-je à mon propos initial.

– Audrey m'a appris que la police avait conclu au suicide de Katherine.

– C'est exact. D'après elle, Katherine serait entrée dans la rivière, se serait éloignée à la nage et noyée. Le courant est rapide. Le corps aurait pu être emporté très loin.

– Audrey, elle, pense que Maldrow l'a assassinée.

– Audrey est une fervente catholique, poursuivit Arlo. Elle se refuse à penser que sa meilleure amie puisse être allée en enfer.

– Que s'est-il passé selon vous, Arlo ? Vous ne m'avez pas encore fait part de votre opinion personnelle.

– Bah, elle a peut-être tout simplement quitté la ville. Des gens disparaissent de cette façon régulièrement. Ils s'évanouissent dans la nature. On ne les revoit plus. Mais pourquoi aurait-elle pris cette décision ? Et pour quelles raisons aurait-elle laissé cette histoire derrière elle ?

– Donc, vous pensez qu'elle s'est tuée ?

– C'est très possible, affirma Arlo, mais dans ce cas, où ? Si elle est partie à la nage dans la rivière, on n'a jamais retrouvé son corps, ce n'est pourtant pas faute d'avoir dragué le cours d'eau.

– Cela nous laisse le meurtre, observai-je.

– Oui, c'est vrai, admit Arlo. Elle a peut-être été assassinée, comme Audrey le pense, par un homme qui serait parti en camping-car ou en voiture, puis l'aurait enterrée très loin d'ici ou simplement jetée dans un fleuve ou dans un lac.

– Beaucoup de possibilités, mais où nous mènent-elles ?

– À un mystère, répondit vivement Arlo. Que vous et Alice devez élucider.

Élucider un mystère.

Une formule intrigante, de celles qui piquent la curiosité, et qui continua de me poursuivre non seulement après que j'eus raccroché le téléphone, mais aussi plus tard, une fois couché, ce soir-là. En fait, je l'avais toujours à l'esprit le lendemain, pendant que je travaillais à un article sur le jardinage d'été que Wyatt m'avait refilé presque un mois plus tôt. Entre les plantes annuelles et vivaces, les bruyères et les violettes cucullées, je voyais Katherine Carr pénétrer dans la rivière ou se faire tirer dessus, poignarder, tabasser à mort, et ce d'une manière tout aussi atroce, éprouvant presque la même terreur que toutes les fois où j'avais imaginé le meurtre de Teddy avant et après la découverte de son corps.

Une fois de plus, je me remémorai la pièce ensanglantée que j'avais visitée des années plus tôt, la « boucherie » qui y avait eu lieu et dont les miasmes subsistaient dans l'air, l'alourdissaient, le plombaient, le dotaient d'une ambiance trouble et inquiète, pas tout à fait sinistre, sûrement plus imaginaire que réelle, mais porteuse de la sensation que des gens s'y étaient trouvés, au sens littéral, sur le fil du rasoir, à l'instant de la fin des choix.

Je n'avais aucun moyen de savoir si la vie de Katherine Carr s'était terminée de manière aussi brutale, pourtant cette possibilité s'imposa à moi d'heure en heure, et m'incita à sortir me promener dans les rues à la tombée du soir, puis à prendre ma voiture et à rouler avec la même certitude de ne pas avoir de destination en tête, l'enchaînement de mes idées et de mes mouvements finissant par me ramener dans Gilmore Street.

La nuit était tombée, la rue s'était figée dans une obscurité brisée seulement par la faible lumière qui brillait aux fenêtres d'autres maisons, et l'éclairage plus lointain des réverbères à hauteur de Cantibell Street, toute proche.

Je ne sais plus combien de temps je suis resté assis dans ma voiture, à regarder dans le silence la maison d'où Katherine Carr avait disparu. Je me disais que beaucoup de criminels retournaient sur les lieux de leurs crimes, parfois pour les revivre, parfois pour se féliciter de ne pas s'être fait arrêter pour les actes horribles qu'ils avaient commis. Mais je n'ignorais pas que certains revenaient pour une tout autre raison : ils revenaient, comme on s'y emploie si souvent par le souvenir, parce que c'est à cet endroit particulier que le cours de notre vie a changé, brutalement et irrévocablement, et que tout est allé de mal en pis.

— Vous cherchez quelqu'un ?

Sur ma gauche, une lumière aveuglante fonça sur moi, illuminant l'intérieur de ma voiture, faisceau d'une telle intensité que j'eus aussitôt la sensation que la température de l'air augmentait. La voix qui s'éleva derrière cette source de clarté exhalait à la fois de la peur et de l'agressivité, un peu comme un petit animal faisant un grand mais dérisoire numéro devant dix fois plus gros que lui.

— Vous êtes là depuis un bon moment.

J'inclinai la tête pour essayer d'apercevoir le visage derrière la lumière, mais le halo, trop intense, demeurait impénétrable.

Puis la lumière recula et obliqua vers la droite, révélant le visage d'une femme, ou plutôt, pour être exact, la moitié d'un visage de femme, car le côté droit était enveloppé dans l'obscurité de sa capuche.

— Surveillance de quartier, expliqua-t-elle.

Je savais que le *Winthrop Examiner* suivait le registre de la police à la lettre, rendait compte de la moindre hausse de la criminalité. Les riverains n'avaient aucune raison d'organiser des rondes dans Gilmore Street.

— Je suis George Gates, lui dis-je. Je travaille pour l'*Examiner*.

La lumière recula un peu plus, puis se détourna vers le sol, nous laissant tous les deux figés dans son faisceau décoloré. Je descendis de voiture et fis un signe de tête vers la maison de Katherine Carr.

– Je prépare un article sur la femme qui habitait là. Elle s'appelait Katherine Carr.

La lumière s'éteignit, et nous nous retrouvâmes tous les deux dans le noir, le visage de la femme ne formant plus devant mes yeux qu'une tache grisâtre. Nous ne restâmes dans l'obscurité qu'un très court instant, car la lumière se ralluma, mais orientée bizarrement, de sorte que je ne voyais plus que les plis du côté droit de la capuche.

– Vous habitez ici depuis longtemps ? demandai-je.

– Depuis toujours, répondit la femme.

Son visage, fondu dans la grisaille, émergea légèrement de l'obscurité, demeura brièvement dans cet entre-deux, plongea de nouveau dans le noir, puis réapparut, un peu plus net à présent, si bien que je distinguais les rides autour de ses yeux et de sa bouche.

– On ne l'a jamais retrouvée, n'est-ce pas ? murmura-t-elle.

– Non, elle a disparu.

La femme sourit du bout des lèvres, comme malgré elle, sans la moindre trace d'amusement.

– « La bête curieuse du quartier », il l'appelait.

– Qui « il » ?

– L'homme qui la suivait. Il habitait à l'autre bout de la rue. Tout au bout. Il la traitait de bête curieuse, continua-t-elle d'une voix plus dure, mais il ne s'en est pas tiré à si bon compte.

– Que voulez-vous dire ?

Le sourire de la femme me donna l'impression non pas de s'estomper, mais de tomber net, comme un corps qui bascule dans le vide.

– Ce que je veux dire, c'est qu'il ne s'en est pas tiré à bon compte, répéta-t-elle.

Je fus secoué de ce fameux petit frisson qui a fait les beaux jours des vieux films noirs, quand l'histoire rebondit, prend un tour inattendu, en général par accident ou coïncidence, mais en même temps, de façon qui paraît étrangement prédestinée, comme si c'était là, à cet instant précis, que le montreur de marionnettes devait tirer les ficelles.

La femme agita brièvement la lumière, des tranches de son visage jouant à cache-cache dans la clarté jaunâtre.

– On l'a découvert recroquevillé sur lui-même dans une ruelle derrière O'Shea's.

Le faisceau de la torche obliqua vers la droite, laissant la femme dans le noir.

– Après ça, il est devenu une sorte d'ermite, ajouta-t-elle.

– Où est-il maintenant ?

– Potter's Lake, répondit la femme.

Je ne connaissais que trop bien ce lac : la police l'avait dragué lors des recherches infructueuses du corps de Teddy

– Il a un nom, cet homme ? m'enquis-je.

– Ronald.

Rien ne brisait l'obscurité totale autour d'elle, si dense, si impénétrable que cette femme aurait pu, en cet instant, n'être qu'une voix désincarnée.

– Ronald Duckworth.

13

Je n'eus aucune difficulté à le trouver, mais je dus attendre le lendemain soir après mon travail pour me rendre à cette maison au bord de Potter's Lake. Je naviguais depuis le matin dans un monde ordinaire, au milieu de commerçants, d'employés et de politiciens d'une petite ville. J'avais assisté à une réunion à la Chambre de commerce et dûment consigné ses débats, puis étais allé voir le maire inaugurer le site de construction de la nouvelle mairie. C'était, dans tous les sens du terme, une vie vécue au grand jour que la mienne en cette journée passée à prendre des notes, et ce fut peut-être cette totale visibilité qui me parut former un violent contraste avec l'homme qui ouvrit sa porte, un être si décharné qu'il en paraissait presque intangible, n'être plus qu'une vague transparence de lui-même.

– Ronald Duckworth ?

Dans un semblant de mouvement, il opina très doucement de la tête.

– Je m'appelle George Gates. Je suis journaliste au *Winthrop Examiner.*

Il ne dit rien, ne montrant aucune intention de m'inviter à entrer, à franchir le seuil de sa maison vétuste, tout juste une cabane de pêcheur améliorée qu'il occupait sur les berges de Potter's Lake. Je n'étais même pas certain qu'il m'ait entendu. Mieux encore, il semblait, d'une certaine façon, être absent, ne pas réellement appartenir à notre monde, ce qui me fit repenser à une histoire que Celeste m'avait racontée. Un jour qu'elle était assise au bord du terrain de football d'une université, elle avait levé les yeux vers les gradins et vu un jeune homme aux cheveux si blonds qu'ils en étaient presque blancs. Elle lui avait souri et fait joyeusement un signe de la main, salut qu'il lui avait rendu avec tout autant de vieille familiarité. Quelques minutes plus tard, il la rejoignait sur le banc de touche où ils bavardèrent tout juste assez longtemps, m'avait-elle dit, pour se rendre compte qu'ils ne s'étaient jamais rencontrés. À aucun moment il n'y avait eu le moindre jeu de séduction entre eux. « J'avais l'impression, m'avait expliqué Celeste, d'être en famille. » Il s'appelait Hamsun, comme le célèbre écrivain norvégien, et tout en parlant, ils riaient de voir à quel point était fort leur sentiment de se connaître depuis toujours. Puis ils s'étaient séparés, ne s'étaient plus jamais revus et ce ne fut que bien des années plus tard, en classant de vieilles lettres au décès de sa mère, que Celeste apprit que son grand-père maternel avait changé de nom en arrivant en Amérique, préférant Harris à… Hamsun.

Ronald Duckworth, qui me regardait en silence à travers la moustiquaire rouillée de sa porte, me donnait lui aussi l'impression d'être davantage le dernier avatar de quelque bizarrerie d'antan qu'un être humain fait de chair et de sang.

– Je viens vous parler de Katherine Carr, lui annonçai-je.

Alors qu'il allait refermer sa porte, le battant s'immobilisa, comme bloqué par un verrou invisible surgi de nulle part. Duckworth poussa le soupir fatigué de celui qui baisse les bras face à une vérité extrêmement désagréable, et sur ce, recula, laissant la moustiquaire s'ouvrir lentement, tournant sur ses gonds en douceur, sans effort, semblant obéir à une autre force que celle de sa main.

– Entrez, alors, marmonna-t-il d'un ton résigné.

Je franchis le seuil et fus saisi par le grand dénuement dans lequel il vivait : une seule pièce avec un poêle à bois, des murs dépourvus de photos de famille, mais encombrés d'hameçons, de filets et de bobines de fil de pêche. Il n'y avait même pas de calendrier grâce auquel il aurait pu suivre la succession de ses jours. Sur des étagères s'alignait son stock de conserves, principalement des haricots, à côté de paquets de café, de boîtes de sel, de sucre. Tout dans la pièce – les étagères, les quelques sièges, les deux petites tables de jeu – était assombri par une patine de poussière, et au plafond, on voyait plusieurs traces d'humidité et une seule ampoule, nue. De petits tas d'hameçons rouillés étaient éparpillés sur le plateau d'une des tables. Ils étaient classés par taille, et aucun n'était très gros. Une carabine était calée dans un angle de la pièce, mais ce n'était qu'une vieille 22 long rifle tout juste bonne à tirer les oiseaux et les écureuils. Ronald Duckworth avait, de toute évidence, passé sa vie à traquer du petit gibier.

– Y a un fumoir derrière, précisa-t-il, en homme désireux de prouver qu'il possédait plus que ce qu'il pouvait montrer, qu'il avait mille fois plus de choix et de possibilités en réserve. Qui vous a parlé de moi ?

– Quelqu'un que j'ai rencontré dans Gilmore Street.

Duckworth me considéra d'un air soupçonneux.

– Y a plus personne dans Gilmore Street qui se souviendrait de moi.

– C'était une femme.

– Une femme ?

Duckworth se laissa tomber dans un des deux fauteuils, un rocking-chair filiforme qui, comme les autres meubles, semblait avoir été récupéré à la décharge du coin.

– Ça devait être Edna May Gifford, bougonna-t-il. Une vieille toquée. C'est la seule et unique bonne femme que j'ai connue dans cette rue.

– À part Katherine Carr, insistai-je.

Duckworth tressaillit, comme si m'entendre prononcer ce nom revenait à lui avoir donné un coup de couteau.

– Je la connaissais pas. J'en savais pas plus que les autres sur elle.

– C'est-à-dire ?

Duckworth ferma à demi ses petits yeux et, l'espace d'un instant, je crus qu'il allait les lever vers le plafond pour me faire croire qu'il réfléchissait, mais ils demeurèrent fixés sur moi, minuscules étaux.

– J'étais au courant qu'elle restait presque tout le temps enfermée chez elle, dit-il.

La fente de sa petite bouche mince frémit aux commissures, mais pas en un sourire narquois ou dédaigneux, et il n'y avait pas la moindre trace de colère dans son expression. Au contraire, il paraissait infiniment las, mais de quoi, c'était difficile à dire. Quand il reprit la parole, sa voix exprimait le même abattement, le même vide.

– Elle ne sortait jamais, sauf pour vite faire ses courses, s'acheter à manger et le reste. Elle avait peur de tout.

– Avait-elle peur de vous ?

Duckworth me foudroya du regard.

– J'étais à l'hôpital quand elle a disparu, gronda-t-il. J'y suis resté presque une semaine.

– La police vous a-t-elle interrogé à son sujet ? Avez-vous été suspecté ?

Il haussa les épaules.

– Elle avait mis mon nom dans un truc qu'elle avait écrit. Les flics sont venus m'interroger, mais j'étais à l'hosto, alors je pouvais pas être mêlé à ce qui avait bien pu lui arriver.

– Pour quelle raison étiez-vous hospitalisé ?

– Parce que j'avais reçu une raclée.

Il semblait rassembler ses idées, réunir dans sa tête les fils d'une histoire qu'il avait, je le pressentais, rarement racontée, si bien que, dès qu'il la commença, je pris mon carnet, soupçonnant qu'il inventait au fur et à mesure, la construirait différemment une prochaine fois, des modifications que mes notes révéleraient aisément.

– Parce qu'un type m'avait tabassé.

Il se tut, inspira vivement, presque à bout de souffle, comme un nageur remontant à la surface pour chercher de l'air. À cet instant, il me donnait l'impression d'être un homme totalement étranger à notre monde qui menait sa vie selon les caprices d'une force qui le dépassait, impuissant face à cette brutale et invisible emprise, attendant que ça revienne le chercher comme un prisonnier attend dans sa geôle le retour de son tortionnaire.

172

– Il est arrivé de nulle part, reprit-il. Il a fondu sur moi.

Il parut étonné par l'expression qu'il venait d'employer, en homme sachant que l'histoire qu'il raconte est vraie, mais qui, pourtant, n'y croit pas.

– En tout cas, c'est l'impression que ça m'a fait. Je revenais du bar.

– Quel bar ?

– Le O'Shea's. Je travaillais là-bas, je nettoyais la salle. Je rentrais chez moi après le boulot quand, pfffft, il a fondu sur moi.

Fondu sur lui. Cette description était si étrange que je me pris à imaginer non pas un homme, mais un redoutable oiseau de proie animé d'intentions meurtrières.

– Ça s'est passé dans la ruelle qui relie Pryor Street à Gilmore Street, continuait Duckworth.

C'était comme si un poids terrible lui était tombé dessus de très haut, un poids qui l'avait projeté à terre et étalé de tout son long sur la chaussée caillouteuse, au point qu'il avait eu la sensation que tout son corps était réduit en poussière sous un colosse.

– J'avais l'impression d'être une chips que quelqu'un serrait dans son poing, ajouta-t-il. Une petite chips tout en miettes.

Mais le poids l'écrasait encore et toujours plus, à tel point qu'il finit par avoir la sensation de se retrouver « sous terre encore plus profond que dans les mines. Encore plus enfoui que sous des éboulements rocheux ou des coulées de boue ».

Si bas qu'il avait commencé de suffoquer.

– Je pouvais plus respirer. J'étais… mort.

Et brusquement, il s'était retrouvé projeté en l'air, projeté contre le mur en ciment qui bordait la ruelle.

– Je suis resté collé à ce mur comme un chewing-gum ou une tomate qu'on y aurait jetée et qui serait restée éclatée sur place, poursuivit Duckworth. Pendant que j'étais accroché là, c'était comme si on me tirait dessus, on me poignardait, on m'étranglait, tout ça en même temps. Qu'on me donnait des coups de pied sur le crâne et dans les côtes, et qu'on me brisait les genoux à coups de marteau. Puis y avait des trucs qu'on m'enfilait sur la tête, qu'on me nouait devant les yeux, qu'on m'enfonçait dans la gorge, des vieux chiffons qui puaient à croire qu'on les avait trempés dans du kérosène, ils ont explosé, pan, comme ça, et c'était comme si toute la peau de mon visage pelait dans les flammes. Ce dont j'étais sûr jusqu'à…

D'un seul coup d'un seul, ça s'était arrêté, toute cette mécanique meurtrière éteinte brusquement, tous ses rouages immobilisés, plus de vrombissements de moteur, plus de tournoiements de lames et d'instruments contondants, cette machine infernale alors réduite à l'immobilité et au silence.

– On ne me frappait plus avec des briques, des battes et des marteaux, poursuivait Duckworth. On ne me donnait plus de coups de couteau et de tessons de bouteilles. On ne m'étranglait plus avec plein de lacets et de cordes.

Dès lors, je me disais que l'étrange histoire de Duckworth devait sûrement s'arrêter là, mais pour lui, il n'en était rien.

– Ensuite, ça n'a plus été que du froid. Un froid terrible, déclara-t-il, portant sa main à sa joue qu'il effleura d'un doigt tremblant. C'était comme si je me vidais de mon sang. Je le sentais couler sur mon visage et imbiber ma chemise. Comme si on m'égorgeait.

Il tourna lentement sa main vers moi, le bout du doigt qui avait touché sa peau tout propre et pourtant étrangement luisant.

– Alors, j'ai simplement… attendu.

Duckworth me regardait avec une sorte d'ahurissement inquiet.

– Attendu quoi ? demandai-je.

On eût dit un homme qui se trouvait confronté à une vérité trop brutale pour qu'il puisse la regarder en face.

– Rien, dit-il. À partir de ce moment-là… plus rien.

14

Le trajet pour aller de la bicoque de Duckworth jusqu'à l'hôpital de Winthrop me fit traverser le centre-ville et longer le parc où la vision de la petite grotte creusée dans la roche me frappa par sa soudaineté, comme une apparition. J'étais souvent passé par là, bien entendu, mais pour la première fois, je remarquai son aspect particulier : ce n'était pas seulement un entassement plus ou moins conique de rocaille, mais une sorte de chapelle extérieure avec, au centre, une table en pierre. Devant la grotte, se trouvait un prie-dieu, également en pierre. Il n'y avait aucune représentation religieuse ni à l'intérieur ni à l'extérieur, néanmoins on avait l'impression que c'était un endroit où l'on pouvait se rendre lorsqu'on était en détresse spirituelle, si bien qu'une fois encore, je me pris à imaginer Katherine Carr au dernier jour de sa vie, y faisant les cent pas tandis que la brume qui montait de la rivière se refermait autour d'elle.

En un éclair, je dépassai la grotte. Sitôt apparue, sitôt disparue, pourtant la rémanence de son image flottait toujours dans mon esprit quand j'arrivai devant la chambre d'Alice.

– Salut ! lançai-je.

Elle jeta un coup d'œil à l'horloge suspendue en face de son lit.

– Je ne vous attendais plus.

Je perçus dans le ton de sa voix l'indéniable résignation de la longue habitude d'entendre des promesses non tenues.

– Je pensais que vous étiez trop occupé pour venir.

– Non, pas du tout, lui assurai-je.

Elle se redressa du mieux qu'elle put, ce qui exigea d'elle un effort surhumain, et en observant son combat contre de telles limites, je songeais à quel point Katherine Carr devait avoir été différente d'Alice Barrows au même âge, se promenant autour de la ferme de son grand-père dans la pleine lumière du soleil, lisant des odes à la nature, écrivant sur l'ordre naturel des choses qu'elle avait sans doute cru totalement bienfaisant.

– J'ai fait des recherches sur eux, m'annonça Alice, retrouvant un semblant d'énergie. Les hommes de l'histoire de Katherine.

Elle me tendit une page où les noms en question étaient écrits de son écriture appliquée : *Bittaker, Joubert, Ionosyan.*

– Ce sont tous des assassins.

Elle gémit doucement et changea de nouveau de position.

– Ce qui m'intrigue, reprit-elle, c'est comment a-t-elle pu entendre parler d'eux ? Elle n'avait pas Internet, donc ce n'est pas par ce moyen. Même si elle était allée en bibliothèque, comment aurait-elle pu trouver des informations sur des crimes commis à l'étranger ?

Je n'ignorais pas que la bibliothèque municipale de Winthrop possédait néanmoins une collection limitée d'ouvrages sur ces sujets, mais que, il y a vingt ans, celle-ci devait être encore plus restreinte, voire inexistante.

– Alors, où aurait-elle obtenu ces informations, à ton avis ? m'étonnai-je.

– Peut-être par Maldrow ? hasarda Alice sans conviction, juste histoire de tâter le terrain des hypothèses. C'est lui qui lui a parlé d'Albert Fish, vous vous souvenez ?

– Oui, en effet.

Elle me regarda d'un air songeur.

– Ce qui donnerait à penser qu'il a réellement existé, murmura-t-elle. Qu'il n'est pas le fruit de l'imagination de Katherine Carr.

– Mais dans ce cas, quelqu'un l'aurait vu !

– J'ai relu le début, répondit Alice. J'ai remarqué que, à part la première fois, Maldrow vient toujours la voir par temps de brouillard, que ce soit le jour ou la nuit. Ou alors, ils vont dans un endroit désert. Comme le champ de foire.

– Ça, ce sont les grands classiques des atmosphères fantastiques. Il y a toujours de la brume, ce genre de choses.

Alice y réfléchit un moment, puis dit :

– Sans doute que, dans son domaine d'activité, Maldrow devait… passer inaperçu.

C'était envisageable, à condition de s'appuyer sur des suppositions inquiétantes.

– Parce que ce qu'il fait dans la vie ne peut pas être légal, ajouta-t-elle. Sauf si c'est un chasseur de primes.

– Un chasseur de primes, répétai-je en souriant. Bien vu, Alice. Tu dois avoir raison.

Elle fit un petit signe de tête vers la page que j'avais déjà sortie de ma serviette.

– Voyons cela, dit-elle.

– Tu lui as donc parlé de Fish, ce vieux salopard tueur d'enfants, murmure le Chef d'une voix posée.

– Oui.

– Et c'est quand tu lui as raconté son exécution que, pour la première fois, tu as perçu son potentiel, ajoute le Chef. Explique-moi ce que, selon toi, elle a puisé dans ce récit. Ce « quelque chose » qui la rend différente.

– Elle a compris qu'on ne pouvait pas atteindre Fish, répond Maldrow avec gravité. Qu'il était au-delà du châtiment.

Le Chef considère Maldrow d'un air perplexe.

– Au-delà du châtiment ? Il a été électrocuté. Ce n'est pas un châtiment, ça ?

– Pas pour lui. C'est ce que Katherine a saisi. C'est ce qu'elle a senti dans sa mort, répond Maldrow en se penchant en avant. Pendant que je lui décrivais ce qui est arrivé à Fish – son électrocution –, elle a réagi…

Il s'interrompt, cherchant ses mots.

– … Elle a ressenti sa mort… elle l'a vécue physiquement.

Le Chef regarde Maldrow du coin de l'œil.

– Ce qui lui a appris quoi ? demande-t-il.

– Tu sais ce qui s'est passé, poursuit Maldrow. Que Fish avait planté plein de petites aiguilles de couture dans sa peau, qu'elles ont provoqué un court-circuit de la chaise électrique la première fois qu'ils ont envoyé le courant.

– Katherine l'a ressentie ? insiste le Chef. La douleur de Fish ?

– Pas sa douleur, non. C'est ce qui était inhabituel. Ce qu'elle a ressenti, c'est la façon dont Fish a supporté cette douleur. Autrement dit, ça n'avait rien à voir avec de la douleur. Pas pour lui. Pour lui, c'était le plaisir ultime, raison pour laquelle il était inaccessible au châtiment.

– Parce que la douleur, chez lui, s'est confondue avec une jouissance, dit le Chef.

Maldrow acquiesce.

– Comme Fish se détestait, il a accueilli la mort avec joie. Ce qui veut dire qu'il était indifférent à tout ce qu'on aurait pu lui faire subir. Il se faisait une joie d'être puni et trouvait le bonheur dans le déni, c'est pourquoi il était toujours gagnant.

Maldrow attend que le Chef réponde, mais son silence se prolonge, et son regard est plus dur que jamais.

– Je continue ? propose Maldrow.

– Oui.

Maldrow sort la photographie de la poche de sa veste et la pose sur la table.

– Elle a été prise avant son agression. Huit jours avant.

Le Chef regarde la photo : Katherine, dans la cour de la ferme ; le garage sur sa droite, obscur et vide.

Maldrow montre un endroit dans un coin sombre de l'image où l'on distingue un gilet de sauvetage un peu flou suspendu au mur en bois brut.

– C'est là que ça s'est passé.

Le Chef se penche en avant, plante son index droit sur la photographie et la fait glisser lentement vers lui.

– Pas étonnant qu'elle n'ait plus d'espoir, dit-il.

Maldrow se rappelle alors la première mission que lui a confiée le Chef, l'homme qu'il avait décrit, aussi pervers que retors, doué pour le meurtre et la fuite, laissant dans son sillage la sombre vague du désespoir. Les dernières paroles du Chef résonnent encore à ses oreilles : « Maintenant pars, et rétablis l'équilibre. »

– Oui, renchérit Maldrow.

– Alors, tu sais que…

Le Chef s'interrompt comme le serveur s'approche du box.

– Qu'est-ce que ce sera ? demande-t-il, s'arrêtant à leur hauteur.

– Même chose, répond Maldrow.

Le serveur acquiesce, le visage inexpressif, prend le verre et repart vers le bar.

Maldrow le suit des yeux tandis qu'il s'éloigne à petits pas dans l'allée, penchant la tête sur la droite comme pour mieux le voir, mais mine de rien, à l'insu de tous. Quand il le perd de vue, il reporte le regard sur le Chef assis de l'autre côté de la table, en face de lui.

– Tu sais que rien ne doit interférer une fois que le choix est arrêté, reprend le Chef.

Maldrow revoit le corps de Yenna flottant sur l'eau boueuse à seulement une cinquantaine de mètres de la gare ferroviaire, tournant lentement sur lui-même, la corde noirâtre serpentant à son cou, un cadavre abandonné, Yenna, se rapprochant peu à peu de la berge où il s'accroche à une branche flottante et finit par s'immobiliser.

– Yenna, dit-il tout bas.

– Y a-t-il le moindre risque que pareille chose arrive à Katherine ? demande le Chef, avec un regard appuyé.

Alors, Maldrow voit le jeune homme s'enfoncer toujours plus profondément dans l'obscurité de la ruelle, sait le mal qu'il a fait et le mal, encore plus grand, qu'il compte faire.

– Plus maintenant, répond-il.

Je me tus, me demandant tout à coup par quel moyen je pourrais rendre l'histoire de Katherine plus captivante pour Alice, quel nouvel élément pourrait épaissir le mystère.

– C'est curieux, dis-je. Ce jeune homme auquel pense Maldrow. Celui qui s'éloigne dans l'obscurité. Celui dont il semble penser qu'il pourrait, d'une façon ou d'une autre, interférer.

Alice me regardait sans comprendre.

– Je me suis rendu à l'ancienne adresse de Katherine Carr, repris-je. J'ai croisé une femme. Nous avons un peu bavardé, elle m'a parlé d'un jeune homme qui avait habité dans Gilmore Street. Il s'appelait Ronald Duckworth.

Alice me transperça d'un regard tranchant comme le rasoir, et voyant le feu de l'enthousiasme s'allumer dans ses yeux, j'eus la certitude d'avoir pris la bonne décision : l'histoire de Katherine, malgré son côté tordu et sanglant, était faite pour elle.

– Je l'ai retrouvé, continuai-je, il vit à l'extérieur de la ville, sur les bords de Potter's Lake. À l'entendre, il lui est arrivé une drôle de chose. Quelqu'un l'aurait agressé quelques jours avant la disparition de Katherine Carr. Une attaque très bizarre, telle qu'il la décrit. Il dit avoir eu l'impression qu'on le poignardait, qu'on le frappait et qu'on l'étranglait en même temps.

Je regardai Alice avec gravité.

– J'en arrive à me demander si ce Duckworth et le type auquel pense Maldrow dans ce passage ne seraient pas une seule et même personne. Et si ce ne serait pas Maldrow qui l'aurait agressé.

– Pourquoi aurait-il fait cela ? demanda Alice.

– Peut-être pensait-il que Duckworth allait interférer avec…

Je m'interrompis, réfléchis à la question, puis ajoutai :

– … avec leur plan. À Maldrow et à son chef.

– Leur plan concernant quoi ?

– Concernant Katherine, répondis-je.

J'avais eu dans l'idée de pimenter notre lecture commune par cette petite supposition destinée à en relancer l'enjeu, mais soudain, je vis les deux histoires se fondre en une dans l'esprit d'Alice : celle que Katherine Carr écrivait et celle qu'elle vivait, si bien qu'à l'instant où Alice éprouvait des craintes pour la Katherine fictive, elle les éprouvait aussi pour la personne réelle : celles d'un danger imminent, d'un drame qui rôde, de l'impuissance de cette femme face à tout cela.

– Mais, me diras-tu, nous ne savons pas s'ils ont un plan, ajoutai-je.

Alice me regarda avec gravité.

– Eh bien, lisons, dit-elle.

AUPARAVANT

J'ouvris la porte et sentis l'étrange puissance d'une force dont la violence se dissipait, comme le contrecoup d'une explosion.

– Entrez, dis-je, m'effaçant pour laisser passer Maldrow.

Il s'assit et me regarda calmement, en silence, en homme ayant une longue habitude de l'immobilité.

En l'observant, je perçus la dimension épuisante de sa tâche, la traque incessante de ceux qui ont fait du mal, nous ont violés et assassinés, ont enlevé nos enfants, investi nos maisons, revendiqué notre espace et, ce faisant, pris quelque chose d'essentiel à notre vie, un élément qui, à la suite de ces dommages, serait toujours manquant.

– Ces gens s'imaginent que jamais rien ne se mettra en travers de leur route, dis-je. Que jamais personne ne viendra pour eux.

Maldrow eut un léger sourire.

– Sauf que ce quelqu'un viendra, dit-il.

Le silence retomba, et un bref instant, je sentis de vastes desseins se former en moi, immatériels, inexprimés, n'en devenant que plus réels.

– Que dois-je faire ? demandai-je.

– Vous employer à ce que d'autres croient.

– À quoi ?

Il effleura ma joue.

– À votre histoire.

Je posai la page, convaincu à présent que Maldrow ne se révélerait pas être le sombre personnage que j'avais cru qu'il serait, et que, par conséquent, l'histoire de Katherine aurait un dénouement beaucoup moins perturbant que la terrible incertitude de l'histoire de sa vie.

– Il semblerait que j'avais tort au sujet de Maldrow et du Chef, lançai-je.

Alice tourna la tête vers la fenêtre et regarda dehors, comme si elle s'attendait à voir l'apparition fantasmagorique de la vieille berline poussiéreuse de Maldrow.

– On va me mettre ailleurs, m'annonça-t-elle. À l'hospice.

Son regard obliqua vers moi.

– C'est ce qu'ils font quand il n'y a plus d'espoir, me dit-elle.

Je sentis une ombre noire s'étendre sur moi : tout le poids de sa mort prochaine.

– Où est-ce ? demandai-je.

– Pas loin d'ici, répondit Alice avec un petit sourire. Mais j'aurai le droit de sortir. Je ne serai pas tenue de garder la chambre, comme ce serait le cas si je restais à l'hôpital. Donc, on pourra aller se promener ensemble, George.

– Où aimerais-tu que je t'emmène ?

– Là où se déroule l'histoire de Katherine. Là où ça s'est passé. Comme vous-même êtes allé voir les lieux dont vous parlez dans votre livre.

– D'accord, dis-je. On le fera.

Je m'attendais à ce que, fidèle à son caractère méthodique, Alice me dise tout de suite l'endroit qu'elle avait le plus envie de voir – Gilmore Street ou la grotte au bord de la rivière, par exemple. Au lieu de quoi, elle s'enfonça dans son oreiller et murmura :

– Racontez-moi une histoire qui s'est passée dans un endroit que vous avez visité.

D'innombrables endroits auraient pu se présenter à mon esprit, mais en voyant les grands yeux d'Alice me regarder sans ciller, un lieu et une histoire se détachèrent de tout le reste.

– C'était juillet, à Grenade, commençai-je. Très, très chaud. Ma sœur s'était mise à vomir, alors mon père et moi l'avons laissée avec ma mère dans notre chambre d'hôtel où il faisait une chaleur étouffante, et avons hélé un taxi. Mon père ne se débrouillait pas très bien en espagnol, mais il a expliqué la situation au chauffeur du mieux qu'il a pu, que sa fille était très malade et qu'il devait trouver une pharmacie le plus vite possible.

Alice remua, et ce mouvement, je le vis, la fit grimacer de douleur, mais elle leva aussitôt la main.

– Non, ça va aller, fit-elle. Continuez.

– C'était un dimanche. La plupart des pharmacies étaient fermées, alors le chauffeur a dû passer de l'une à l'autre à toute allure. Il a fini par en trouver une de garde, mon père a pu acheter le médicament et le chauffeur nous a reconduits à l'hôtel. Mon père m'a tendu le médicament, a sorti de l'argent et séparé les billets pour payer la course, mais le chauffeur n'a rien voulu entendre. « ¿ Por qué no ? », lui a demandé mon père. « Pourquoi ? » Le chauffeur l'a regardé d'un air de dire qu'il n'avait rien compris à la vie, malgré son argent, ses voyages et sa culture. Il a tout juste haussé les épaules et répondu : « *Porque tengo una hija.* » « Parce que j'ai une fille. »

Je jetai un coup d'œil par la fenêtre, regardai un moment l'obscurité au-dehors, puis reportai mon attention sur Alice, lui faisant de nouveau face.

– J'aurais voulu pouvoir raconter cette histoire à Teddy, ne pus-je me retenir de dire.

Une vague acide me submergea, aussi ténébreuse, aussi fangeuse que les eaux dans lesquelles avait été jeté le corps de mon fils.

– Mais il a été tué et son assassin court toujours, alors je ne saurai même jamais ce qui lui est arrivé.

Alice me transperça du regard.

– Seulement, vous le vivez, n'est-ce pas ? Ce qui est arrivé à Teddy.

Elle disait vrai. Bien des fois, j'avais imaginé son meurtre. La bouillie qu'il était devenu au moment où on l'avait retrouvé n'avait rien révélé sur les conditions réelles de sa mort, raison pour laquelle des centaines de meurtres différents avaient défilé dans mon esprit : un petit garçon poignardé, étranglé, tué par balle, mais avant cela, terrorisé, voire torturé. En imagination, je l'avais vu enfermé dans un placard, attaché à une planche, ligoté à un poteau, pendu à un crochet. Il n'y a rien qui ne me soit pas venu à l'idée, aucun cachot dûment aménagé n'était trop noir pour être inaccessible à mes divagations, et à leur lumière qui montait lentement, je voyais mon fils, ses cheveux blonds auréolés d'un rougeoiement sinistre, aussi fragile que la flamme vacillante d'une chandelle. Dans l'ultime vision que j'avais de lui, il était à chaque fois dans un sous-sol aux petites fenêtres carrées obstruées par du plastique noir, chaque fois nu, d'une pâleur inhumaine, déjà presque un fantôme, tremblant dans le froid, les bras ligotés derrière le dossier d'une chaise au bois fendu. Toujours il se tournait vers moi dans cette lumière de plus en plus vive, toujours il me regardait, toujours il me demandait : « *Pourquoi n'es-tu pas venu me chercher ?* »

– Oui, c'est vrai, répondis-je avec un haussement d'épaules. Bref, je voulais lui raconter des histoires.

Je regagnai ma chaise, et repris le manuscrit pour lire le passage suivant.

– Non, pas maintenant, dit Alice.

Sa voix était assez faible, et sa peau donnait l'impression de s'être un peu affaissée, comme si Alice vieillissait d'heure en heure.

– On reprendra la lecture demain. Quand je serai à l'hospice.

Elle inspira longuement, péniblement.

– C'est dans Gladwell Street, ajouta-t-elle.

– J'y passerai demain soir.

Elle sourit, mais le sourire lui-même paraissait trop lourd pour elle, un fardeau qu'elle avait du mal à soulever.

– Je crois qu'il vaut mieux que je me repose maintenant, reconnut-elle.

Son énergie avait nettement baissé ces dernières minutes, mais j'avais l'impression que ce n'était pas uniquement ses forces amoindries qui l'avaient incitée à me demander de remettre la lecture de l'histoire au lendemain. Elle avait envie de faire durer ce récit, de ralentir notre progression jusqu'à son dénouement, et de cette façon, s'accrocher au dernier élément de suspense que la vie lui offrait.

– D'accord, répondis-je. Mais demain, nous irons lire à la petite grotte au bord de la rivière. Là où Katherine a disparu.

– Ce serait sympa, George, murmura Alice. Ce serait parfait, comme endroit.

Elle n'ajouta rien de plus, se laissa doucement retomber contre l'oreiller et ferma les yeux, son corps chétif tellement inerte, enfoui si profondément sous les plis et les replis des draps que, lorsque j'atteignis la porte et me retournai vers le lit, elle donnait presque l'impression de ne plus être là.

15

En rentrant chez moi ce soir-là, je repensai au souvenir que je venais de raconter à Alice, aux tristes circonstances dans lesquelles je l'avais fait, et, ressassant tout cela, j'eus soudain l'étrange impression d'être moi-même englué dans ma propre histoire, tel un plongeur descendu à une grande profondeur sous la surface, explorant les cavernes et les épaves de vieux galions, nullement inquiet à l'idée d'avoir pu, précédemment, passer à côté d'un trésor.

Je me rappelais avoir eu peur des gitans au Portugal, des hordes de marchands à Tanger, avoir aussi été secouru par un homme qui était soudain apparu devant moi dans une gare frontalière de Tchécoslovaquie et, par son intercession quasi miraculeuse, avoir réussi à gagner la Pologne par une nuit terrifiante à d'autres points de vue. Je me souvenais d'un orage dans les Carpates et d'une randonnée dans les fjords nordiques, de la Terrasse de l'Infini, de Vienne gagnée par la nuit, de Max.

Puis de but en blanc, je revis Guadalajara par une journée d'été torride, la placette déserte à l'exception d'un pigeon aux plumes malades ébouriffées et négligées, comme les cheveux d'un homme hirsute, qui remuait dans tous les sens, si éperdument que j'en étais venu à penser que son minuscule cerveau d'oiseau était comme le mien : désorienté par une chaleur si intense qu'elle me laisserait l'impression d'avoir été visible en vagues infernales.

Le pigeon s'envola juste au moment où l'homme surgit, si bien que, sur l'instant, ils donnèrent l'illusion d'avoir seulement échangé leur apparence. Ce devait être l'idiot du village, penserais-je plus tard, l'homme qui, dans la chaleur torride de cet après-midi-là, s'était avancé sur la petite place d'une démarche un peu dansante ; mais je n'étais à Guadalajara que depuis un jour ou deux, aussi ne m'étais-je jamais retrouvé nez à nez avec lui. Il était vêtu en habit d'Arlequin, collants aux couleurs vives et chapeau de bouffon à clochettes. Ce furent elles qui attirèrent d'abord mon attention, encore que leurs petits tintements n'auraient peut-être même pas été audibles s'il n'avait régné, par ailleurs, un silence de mort. Il avait apporté un socle en bois très coloré et, après avoir lancé des regards autour de lui, il sauta dessus d'un bond aérien, puis, en équilibre sur un pied, commença à tourner sur lui-même, exécutant des tours complets, se figeant entre chacun d'eux en répétant ces deux phrases : *Soy alegría. Soy tristeza.* Je suis joie. Je suis tristesse.

Les malheurs des autres se manifestent à nous sous de multiples formes, et je ne sais pourquoi, tandis que je roulais en direction de Winthrop ce soir-là, revoyant cette silhouette tournoyer follement sur elle-même au milieu de cette place infernale, je ressentis soudain tout le drame de Katherine Carr comme je pensais qu'Alice considérait le sien : non pas le résultat d'un atroce concours de circonstances, mais un état de fait cruellement ancré dans l'ordre des choses.

Cette pensée n'avait rien de réjouissant, et je me doutais que comme toutes celles de la même nature qu'il m'arrivait d'avoir depuis sept ans, celle-ci finirait par me ramener à Teddy, à la promesse non tenue que je lui avais faite, me ferait revivre une fois encore le moment où je l'avais brisée, alors que je me tenais à la fenêtre, regardant tomber la pluie, voyant passer un homme en ciré jaune, avant de me détourner pour reprendre la rédaction de mon petit article sur l'Estrémadure, cherchant la formulation de cette phrase que je n'arrivais pas à trouver et ne trouverais jamais.

Lugubre et perpétuel voyage que de ressusciter ce moment, et je n'avais nullement l'intention de l'entreprendre une fois de plus ce soir-là. Tout me paraissait préférable à cette perspective, même un ouvrage érudit sur une tribu primitive. J'allai le chercher sur ma table de chevet, m'installai à mon bureau et me replongeai dans la lecture des conflits inhérents à la vie spirituelle des Burannis, tantôt désespérés par leur impuissance face au « maléfique » Nemji Gai, tantôt portés par l'espérance d'un secours miraculeux, le réalisme d'un côté, la superstition de l'autre, continuel déséquilibre qui me parut, comme toujours, vaguement inquiétant, en homme ayant lâché prise, cherchant à se rétablir, mais ne trouvant aucun point d'appui.

Pour cette raison, plus que pour toute autre, je fus heureux d'entendre sonner l'interphone, d'aller regarder par la fenêtre et de voir, dans l'ombre, quelqu'un à la porte, les cheveux mi-longs d'un noir si éclatant, ce fameux rideau chatoyant auquel on comparait ceux de Katherine Carr, que, l'espace d'un instant miraculeux, je songeai : *Elle est revenue.*

– Monsieur Gates, prononça la voix dans l'interphone. Je suis Cody. Le fils d'Audrey. J'étais avec Katherine Carr quand elle s'est fait agresser.

– Cody, oui. Je suis au courant.

– J'aimerais vous voir, c'est possible ?

– D'accord, dis-je, appuyant sur le bouton.

Un pas lourd résonna dans l'escalier, puis sur mon palier.

– Désolé de vous déranger, s'excusa Cody quand je lui ouvris.

– Vous ne me dérangez pas, lui assurai-je. Je lisais.

– J'ai appris que vous aviez discuté avec ma mère au sujet de Katherine, alors je me suis dit que je devais moi aussi vous parler d'elle.

Je voyais qu'une part indéfinissable de son énergie vitale lui avait été volée. Il ne semblait pas avoir été frappé par la sorte de mal dont Katherine Carr avait fait l'expérience, mais quelque chose de tout aussi fort avait laissé son empreinte, une chose que j'avais déjà observée chez les gens qui avaient dû regarder en face une vérité insupportable les concernant. Mais j'avais déjà reconnu ce même air chez ceux qui, du jour au lendemain, doivent admettre la faute d'un être aimé – le fils qui a violé l'enfant d'un voisin, ou la fille qui a rejoint une secte destructrice de la personnalité –, accepter l'existence d'une invisible malveillance lovée au cœur de tout ce qui, jusque-là, leur paraissait parfaitement inoffensif.

– Ce n'est pas évident pour moi de revenir là-dessus, ajouta Cody. Ça n'a jamais été facile.

Je le conduisis dans le petit salon qui donnait sur la rue, meublé d'un canapé, de deux fauteuils, d'une table basse, d'une lampe, tous achetés d'occasion dans des boutiques de charité, un dépouillement que je devais donner l'impression de m'être volontairement imposé, comme une punition.

– Asseyez-vous, je vous en prie, indiquai-je.

Cody se laissa doucement tomber dans l'un des fauteuils.

– Ma mère m'a dit que vous vous penchiez sur le cas de Katherine. Je suis sûr que vous serez le dernier à le faire, alors je tenais à ce que vous sachiez ce que j'en pense.

J'attendis la suite, comprenant qu'il allait commencer son histoire. Je m'enfonçai dans mon fauteuil, comme si je tenais en main un livre dont je n'avais pas encore tourné la première page.

La phrase d'ouverture de Cody fut meilleure que je ne m'y attendais.

– Vous savez, monsieur, il suffit de donner un petit tour d'écrou, et n'importe qui peut faire n'importe quoi.

Sur ces mots, il me fit remonter dans le temps.

C'était une fin de journée d'été vingt ans plus tôt. Il passait le week-end chez Katherine Carr, ce qui lui arrivait souvent quand il était gamin.

– Mes parents ont divorcé, j'avais trois ans, raconta-t-il. Ensuite, mon père a plus ou moins disparu.

Il abaissa le regard sur une des photographies posées sur la table basse : Teddy et moi faisant un bonhomme de neige sur la pelouse devant notre maison de Jefferson Street.

– Donc, Katherine pratiquait souvent des activités père-fils avec moi. Elle m'emmenait au cinéma ou voir un match, ce genre de choses.

Le jour de l'agression, elle était venue le chercher en voiture à Kingston, puis ils étaient retournés à Winthrop.

– Une fête foraine était de passage en ville, expliqua Cody, avec toutes sortes de manèges et d'attractions. Nous y sommes arrivés en fin d'après-midi.

Il ressuscitait ce moment vécu vingt ans plus tôt, triste retour aux sources, je le voyais, mais auquel, néanmoins, il semblait s'être accoutumé, en homme qui s'est habitué à une caverne dans laquelle il était d'abord entré avec crainte, mais où il peut à présent s'aventurer hardiment.

– Je me rappelle avoir eu un peu peur de tout ça, poursuivit Cody. Les gens, le bruit. Alors, j'ai donné la main à Katherine.

– Exactement comme elle l'a écrit.

– Oui. Il y a beaucoup de vrai dans ce qu'elle a écrit.

– Mais tout ne l'est pas ?

Ma question parut l'étonner.

– Bah, la fin, par exemple, dit-il.

Je lui précisai que je ne la connaissais pas encore, parce qu'une petite fille et moi lisions l'histoire ensemble et que je préférais ne pas la devancer.

– Pour entretenir le mystère, je suppose, lança Cody, avec le sourire. Qui ne le souhaiterait pas ?

Je haussai les épaules.

– En tout cas, je me suis promis de ne pas regarder la suite, déclarai-je.

– Tant mieux, rétorqua Cody. J'en suis heureux : ça ne rendra ce que j'ai à vous dire que plus… crédible.

Une profonde gravité se diffusa sur ses traits.

– Parce qu'il y a des choses que Katherine a passées sous silence, monsieur. Des choses qui ne figurent pas dans l'histoire qu'elle nous a laissée.

Au lieu de développer ce que Katherine Carr avait «passé sous silence», Cody en revint à la journée en question, celle de l'agression, rapportant en détail leurs déplacements, à Katherine et lui, dans la fête foraine, puis leur retour à la voiture pour rentrer à la ferme, trajet pendant lequel il s'était allongé sur la banquette arrière et endormi.

– Je me rappelle qu'elle a fermé sa portière très doucement, me raconta Cody, mais j'ai toujours eu le sommeil léger, et ça m'a réveillé en sursaut. Pourtant, ce n'était rien que le petit clic d'une portière de voiture. Mais ça a suffi. Je ne sais plus si j'ai ouvert les yeux, mais je suis sûr que j'étais réveillé.

Suffisamment réveillé pour entendre Katherine marcher vers la porte de la maison, puis entendre arriver quelqu'un d'autre – des pas plus rapides, plus précipités, plus bruyants –, alors il avait ouvert les yeux.

– J'ai vu du flou, poursuivit Cody. Quelque chose est passé devant la vitre de la voiture. Très vite. Comme je vous dis : c'était flou. Je n'aurais pu identifier personne. Je l'ai toujours su.

Sa voix s'était teintée d'une sorte de désespoir.

– Je n'étais qu'un gosse. J'avais peur.

Alors, il était resté à l'arrière de la voiture et avait écouté, terrifié, petit garçon tremblant de la tête aux pieds.

– J'étais incapable de faire le moindre geste, dit-il. Si je l'avais pu, j'aurais regardé et peut-être vu son visage.

Je me sentis soudain happé par le moment que je m'étais efforcé d'éviter un peu plus tôt : j'entendis une fois encore le coup de tonnerre éclater au-dessus de la petite maison victorienne rose de Jefferson Street, suivi par la pluie, je me revis me lever à contrecœur de mon bureau, aller à la fenêtre, regarder dehors et apercevoir une silhouette en ciré jaune, de plus en plus proche à mesure qu'elle avançait dans la rue, le visage encore trop loin, encore trop flou, mais qui aurait pu devenir tout à fait net si j'étais resté à la fenêtre au lieu de reprendre mon travail, ma phrase inachevée que je tenais tant à compléter : *Les vents de l'Estrémadure vous secouent...*

– Elle, je l'ai entendue gémir, poursuivait Cody. Lui, je l'ai entendu crier : « Espèce de salope ! »

Puis, prisonnier impuissant de sa terreur d'enfant, Cody avait écouté à plein volume s'aggraver les violences.

– Tout s'est passé très vite, j'imagine, reprit-il. Mais ça m'a paru durer très longtemps, et sans doute une éternité pour elle.

Quand ce fut fini, et qu'il comprit que l'inconnu était parti, Cody était descendu de voiture, s'attendant à voir Katherine près de la porte, au lieu de quoi il la trouva à l'entrée du garage.

– Elle tendait la main comme pour attraper quelque chose, décrivit Cody.

– L'homme qui venait de l'agresser, soufflai-je. Selon Arlo McBride.

Je notai que Cody ne m'avait fourni aucun élément nouveau, rien qui vienne modifier ce que j'avais lu jusqu'alors de l'histoire de Katherine Carr ou entendu de la bouche d'Arlo. Il parut soudain s'en rendre compte et s'empressa de faire un bond en avant dans le temps.

– Vous savez comment elle s'est comportée par la suite, dit-il. Recluse. Isolée.

Je le lui confirmai d'un signe de tête.

– Son caractère avait changé – c'est ce que je veux vous faire comprendre, ajouta-t-il. Elle avait des idées noires.

Il s'évertuait à mettre l'accent sur un point, mais hésitait encore, en homme effrayé par la seule vérité qu'il connaisse.

– C'est quelque chose que ma mère se refuse à admettre au sujet de Katherine, reprit-il. La rage qui l'animait.

Il s'arrêta, comme s'il venait d'arriver à la lisière d'une forêt menaçante, puis reprit la parole.

– Ma mère a dû vous expliquer qu'elle croit que Maldrow a assassiné Katherine. Elle m'a répété la même chose. Elle s'est persuadée que, d'une manière ou d'une autre, Katherine avait découvert que Maldrow était un escroc, qu'il se servait d'elle. Il aurait eu peur qu'elle le confonde. Donc, il l'aurait tuée.

Il secoua la tête devant ce qu'il tenait, visiblement, pour une théorie ridicule.

– Je n'y crois pas du tout, asséna-t-il. En fait, je crois que Maldrow n'a jamais existé.

Il ménagea un silence appuyé, manière de me signifier qu'il en était arrivé au moment de son récit où allait être donné le petit tour d'écrou.

– J'avais treize ans quand j'ai vu Katherine pour la dernière fois, déclara Cody. J'avais pris le car à Kingston. Normalement, j'aurais dû marcher de l'arrêt du car jusqu'à sa maison de Gilmore Street. Mais elle m'avait appelé pour me dire qu'elle viendrait m'attendre.

Il n'y avait là rien d'inhabituel, songeai-je. Katherine Carr avait maintes fois parcouru les rues de Winthrop, n'était pas restée constamment confinée chez elle.

– Elle était bel et bien là pour m'accueillir, ajouta Cody. À la lisière du parc.

Ils s'étaient éloignés à pas lents, puis avaient remonté Main Street du côté où se dressait le Winthrop

Hotel dans sa splendeur fanée, à l'angle de Cantibell Street.

– Nous sommes entrés dans l'hôtel et Katherine a demandé au réceptionniste s'il avait à disposition le dépliant des horaires du bus de la Route 34, poursuivit Cody. Celui qui passe devant les anciens abattoirs.

Il me scruta intensément.

– Vous avez lu le passage où elle parle des abattoirs ? s'enquit-il.

– Pas encore.

Son expression se durcit.

– Vous verrez, m'avertit-il.

Puis il reprit sa propre narration.

– Bref, le réceptionniste avait les dépliants des horaires de tous les bus locaux, il a trouvé celui que Katherine lui demandait et il le lui a donné.

Il semblait toujours sous le coup de ce qui se passa ensuite.

– Elle l'a parcouru attentivement, puis elle m'a dit : «Allons nous promener, Cody.»

Il me considéra d'un air incrédule.

– Le soir tombait, reprit-il, et Katherine n'avait jamais aimé être dehors la nuit. Plus depuis son agression. Pourtant nous sommes partis faire cette promenade.

Ils avaient descendu Main Street, au rythme de la démarche, très indolente, de Katherine.

– Il y avait quelque chose de triste dans tout ça, ajouta-t-il. Elle marchait très lentement, et au passage, elle lançait des coups d'œil aux vitrines. Ces boutiques, elle s'y rendait depuis toujours. Bien avant l'agression. C'était sa ville, et j'ai eu le sentiment qu'elle lui faisait ses adieux.

Parfois, du bout des doigts, elle effleurait la main de Cody, contact éthéré, empreint de tristesse et de mélancolie.

– Comme si, à moi aussi, elle me faisait ses adieux.

Mais Katherine n'était pas seulement mélancolique. On percevait chez elle une curieuse détermination, comme si elle avait une liste d'actions à accomplir : une personne dont la mission a un but précis.

– De temps en temps, elle vérifiait l'heure à sa montre, poursuivit-il. Parfois, elle me donnait l'impression de faire semblant de s'intéresser à un article en particulier dans une vitrine. Une paire de boucles d'oreilles, par exemple. Mais je crois que c'était de la comédie, que tout ce qu'elle voulait, c'était d'arriver exactement au bon moment à l'endroit où elle se rendait. À savoir le parc. La petite grotte en rocaille.

Là – à l'endroit précis où Katherine Carr serait vue vivante pour la dernière fois – ils s'étaient assis.

– On a discuté un moment, puis elle s'est renfermée en elle-même, comme ça lui arrivait parfois, continua Cody. Je me suis souvent rappelé que cette grotte était l'endroit où on l'avait aperçue vivante pour la dernière fois, et que c'est aussi là où elle se rend à la fin de son histoire, là où elle nous a quittés.

Nous a quittés. L'expression me parut curieuse, mais comme je n'avais pas le contexte, je ne la relevai pas.

– Bref, reprit Cody, nous étions assis sur le banc depuis cinq bonnes minutes, et j'avais l'impression que Katherine attendait quelque chose.

Quoi, il n'en avait pas la moindre idée, jusqu'au moment où le bus 34 s'arrêta au bord du parc.

– Je n'y avais pas prêté attention jusqu'à ce que je remarque que Katherine le regardait, indiqua Cody. Alors, j'ai fait pareil, et j'ai vu un homme en descendre et pénétrer dans le parc.

Un homme grand et maigre, tendu comme un fil de fer, décrivit Cody, qui s'avachit contre un arbre, face à la rivière, fumant une cigarette.

– Il était âgé d'une quarantaine d'années, indiqua Cody, changeant légèrement de position, comme un homme sur des charbons ardents, obligé de se soumettre à un horaire. Il ne donnait pas l'impression d'être venu juste pour prendre l'air, cet homme. On aurait dit qu'il allait quelque part, mais que le bus l'avait déposé trop tôt. Qu'il avait du temps devant lui, alors il fumait une clope. Il ne semblait pas être venu retrouver quelqu'un, et je pense qu'il n'aurait pas remarqué Katherine si elle ne s'était levée, comme dans un état second, et avancée de quelques pas vers lui.

Elle s'était levée en un mouvement lent et fluide, comme tirée par une main invisible, et là, devant la grotte, redressant le dos et levant le visage, elle avait observé cet homme.

– Il était à cinq ou six mètres de distance, il regardait vaguement autour de lui. Mais à un certain moment, il a tourné les yeux dans notre direction.

Ce fut alors, raconta Cody, que Katherine avait fait la chose la plus étrange qui soit.

– Elle l'a regardé fixement, vraiment fixement.

L'air parut s'assombrir brusquement autour de nous, ce qui était faux, je le savais, conscient que ce que je percevais comme une variation de luminosité résultait du changement de ton qui avait accompagné ses paroles.

– C'était comme si elle avait compris que c'était lui, murmura Cody. Que c'était cet homme qu'elle était venue voir.

– Mais qui était-ce ? demandai-je.

– Je crois que c'était l'inconnu dont elle parle dans son histoire. L'homme qui, selon elle, était son agresseur. À mon avis, elle l'épiait depuis un moment, surveillait ses allées et venues, le pistait, donc savait qu'il prenait ce bus et où il descendait.

– Comment aurait-elle pu savoir que c'était cet homme qui l'avait agressée ?

– Elle n'était pas forcée de le savoir. Il lui suffisait de croire que c'était lui.

– Comment l'homme a-t-il réagi ?

– Il s'est écarté tout doucement de l'arbre, est reparti vers la route puis s'est éloigné en direction de la ville. Katherine l'a suivi des yeux jusqu'à ce qu'il disparaisse à l'angle de la rue au bout de Main Street, répondit Cody, haussant les épaules. Elle ne m'a jamais parlé de lui, n'a jamais fait allusion à qui ce pouvait être. Il a tourné au coin de la rue et s'est évanoui dans la nature.

– En aviez-vous parlé à la police ?

– Je n'y avais pas accordé d'importance à l'époque, se justifia Cody. Ce n'est que plus tard, quand ma mère a pondu sa théorie bizarre selon laquelle Maldrow aurait tué Katherine, que je me suis souvenu de cet homme dans le parc, et que j'ai été frappé par le fait qu'il ressemblait beaucoup au type que Katherine décrit dans son histoire sous les traits de l'inconnu. Qu'il était maigre, un fumeur.

Il ménagea un bref silence, avant d'ajouter :

– Alors, je me suis dit : elle l'a vu, elle l'a reconnu.

Là, je pensai que Cody avait atteint la fin de son histoire, et éprouvai une vague déception qu'elle se borne à cela, comme si seul un phénomène miraculeux pouvait jeter un éclairage sur ce qui, en fin de compte, était arrivé à Katherine Carr.

Mais ce n'était pas tout : il restait un petit retournement de situation qui le ramena à la première chose qu'il m'avait dite, qu'avec un petit tour d'écrou, n'importe qui pouvait faire n'importe quoi.

– Oui, monsieur, je suis certain qu'elle l'a reconnu, affirma Cody d'un ton inquiétant qui ne laissait présager rien de bon. C'est ce qui me fait dire que ma mère a tout compris à l'envers. Comme la police. Peut-être que tout le monde a eu tort au sujet de Katherine. Tort au sujet de son suicide et tort au sujet de son assassinat. Tort sur toute la ligne.

Il m'observa en silence un moment, puis reprit :

– Parce que j'ai vu son visage quand elle s'est retournée après avoir regardé cet homme. Ce n'était pas le visage d'une victime, mais celui d'une femme qui avait bien l'intention de rendre coup pour coup.

C'était une conclusion mélodramatique à souhait, mais qui faisait l'impasse sur une chose, et non des moindres.

– Dans ce cas, qu'est-il arrivé à Katherine Carr ? demandai-je sans détour. Si elle ne s'est pas suicidée et n'a pas été assassinée. Pour quelle raison aurait-elle disparu ?

Il parut la revoir se tourner vers lui ce jour-là, vision qui avait cristallisé ce qu'il en était venu à penser d'elle.

– En général, il y a deux personnes qui « disparaissent » après un meurtre, déclara-t-il. La première,

202

c'est celle qui a été assassinée, qui, elle, disparaît dans la tombe.

Son regard devint plus perçant.

– La seconde, c'est le meurtrier, poursuivit-il, qui, lui, disparaît… dans la nature, quand il court toujours.

16

Telle était donc la version de Cody : Katherine Carr avait retrouvé l'homme qui l'avait agressée cinq ans plus tôt – en tout cas, elle en était convaincue –, puis, telle la mystérieuse inconnue drapée dans une cape d'un mauvais roman noir, elle l'avait assassiné, et… était partie.

C'est ce qui s'appelait un retournement de situation vu par Cody, mais je n'en croyais pas un traître mot, raison pour laquelle j'aurais pu tout simplement le remercier d'être venu me raconter sa version des faits, et la reléguer dans un coin de ma tête pour mieux l'oublier. Depuis toujours, on connaît des histoires où le plus improbable nous est offert en guise de dénouement : la lettre reçue trop tard, le mot égaré, la rencontre inattendue. Mais à la différence de ces récits, la théorie de Cody sur la disparition de Katherine Carr avait le mérite de pouvoir, dans une certaine mesure, être confrontée avec la réalité, évaluée à l'aune des faits.

– Un homme d'âge moyen a-t-il été assassiné dans la région à ce moment-là ? demandai-je à Arlo qui se joignit à moi pour boire un café le lendemain matin.

Je venais de lui rapporter les propos que Cody m'avait tenus la veille au soir, insistant sur leur implication la plus étrange qui soit : que Katherine serait elle-même une criminelle restée impunie et non une femme ayant pu être victime d'un meurtre.

Arlo secoua la tête.

– Personne n'a été tué, dit-il.

– Donc, ce que pense Cody ne peut, en aucun cas, être vrai, affirmai-je.

– Que Katherine aurait tué l'homme qu'elle pensait être son agresseur et pris la fuite en disparaissant ?

Il haussa les épaules.

– Tout est toujours possible, fit-il remarquer, mais cette théorie me paraît un peu fantaisiste.

– Dommage, ç'aurait fait un sacré rebondissement.

Arlo me regarda, intrigué.

– Pourquoi recherchez-vous un « rebondissement » ?

– Pour Alice. Elle lit énormément de romans policiers, et je crois qu'elle est le plus souvent assez déçue par leur coup de théâtre final. Vous voyez le genre : l'assassin raconte son crime par le menu pendant qu'il braque son revolver sur le personnage principal. Puis, d'un coup de pied, le héros lui balance du sable à la figure – si la scène se passe sur une plage –, et lui arrache l'arme des mains. Fin.

Arlo but une gorgée de café.

– J'aimerais pouvoir vous offrir un meilleur dénouement, murmura-t-il. Mais les faits sont ce qu'ils sont, et il n'y a pas eu d'assassinat à l'époque de la disparition de Katherine Carr.

– Pourtant, il y a eu une agression, objectai-je. À peu près au même moment. Qui s'est produite à proximité de Gilmore Street. Celle d'un homme qui figure dans la fiction écrite par Katherine Carr.

– Ronald Duckworth, acquiesça Arlo. Comment le savez-vous ?

Je lui relatai ma rencontre avec la passante à la torche électrique, ma virée à Potter's Lake, le récit très bizarre que m'avait fait Duckworth.

– Il a raconté la même histoire à la police, dit Arlo.

– Était-il hospitalisé au moment de la disparition de Katherine Carr ?

– Oui, répondit Arlo. Donc, il ne peut, en aucune façon, y être mêlé.

– Une idée de l'identité de son agresseur ?

Arlo s'esclaffa.

– Personne ne lui a jamais fait de mal, assura-t-il.

– Personne ? Pourtant, il prétend avoir été réduit en purée.

Arlo agita la main en signe de dénégation.

– Personne n'a porté de coups sur Ronald Duckworth. Il était dans un sale état, ça, c'est sûr. Mais il ne présentait aucune blessure corporelle. Pas de plaies. Pas de bleus.

– Mais alors, d'où a-t-il sorti cette histoire ? Elle est très détaillée.

– Qui sait ? Sans doute des hallucinations de drogué.

– Pourtant il semble y croire dur comme fer, remarquai-je. Être persuadé que ça lui est réellement arrivé.

Arlo jeta un coup d'œil sur les rues tranquilles de la ville.

– En tout cas, une chose est sûre : il n'a plus jamais ennuyé personne par la suite, reprit-il en riant. C'était comme s'il avait imaginé lui-même son propre… châtiment.

– Son châtiment, pourquoi ?

– Pour je ne sais quoi qu'il comptait faire ce soir-là, répondit Arlo.

– C'est-à-dire ?

– Un mauvais coup, c'est certain. Quand on l'a ramassé le lendemain matin, il avait un couteau et du ruban adhésif dans ses poches. On ne trimballe pas ça sur soi après le travail à moins qu'on aille dans un mauvais endroit.

– Où l'avez-vous trouvé ? demandai-je.

– Dans une ruelle derrière O'Shea's, répondit Arlo avec un rire sardonique. En compagnie de tous les autres rats.

Le bleu du soir tombait quand j'allai me promener derrière O'Shea's, d'où partait la ruelle donnant dans Gilmore Street. Je ne savais pas où l'agression avait eu lieu, mais Duckworth prétendait avoir été jeté contre un mur en ciment, si bien que lorsque je vis ce mur, désormais presque totalement recouvert de plantes grimpantes, j'eus la certitude de me trouver à l'endroit exact où il affirmait s'être fait rouer de coups.

Duckworth avait quitté le O'Shea's à la fermeture, selon lui, donc il devait être environ deux heures du matin quand il s'était engagé dans cette ruelle. Il rentrait chez lui, m'avait-il raconté, mais le lieu de l'agression indiquait clairement que, en réalité, il se dirigeait vers le nord, à l'opposé de son domicile, vers l'autre extrémité de Gilmore Street.

Vers Katherine Carr, constatai-je sans pouvoir réprimer un léger frisson, vers la petite maison où elle vivait seule à moins de cent mètres de là. Si près, que, en reculant d'un pas et en regardant vers le nord, j'apercevais la demeure qu'elle occupait à l'époque.

Qu'en déduirait Alice ? songeai-je.

L'hospice Gladwell était une grande bâtisse victorienne à la façade vert foncé et aux volets blancs. Des plantes en pot bordaient l'allée qui menait de la rue à la porte d'entrée. À l'intérieur, il y avait d'autres plantes parmi lesquelles flânaient deux chats.

– Je viens voir Alice Barrows, indiquai-je à l'homme assis à l'accueil. Elle a été admise aujourd'hui.

– Alice, oui, murmura l'homme. Chambre 112.

– Elle m'a dit qu'elle aurait le droit de sortir, ajoutai-je. Je pensais l'emmener faire un tour dans le parc.

– Elle est libre de ses mouvements, déclara l'homme d'une voix tranquille. Elle aura besoin d'un fauteuil roulant. Vous en trouverez un dans sa chambre.

– Merci.

Il m'adressa un sourire.

– Profitez bien du parc, dit-il.

À mon arrivée, je la trouvai endormie devant son ordinateur portable, son crâne chauve luisait un peu sous l'éclairage bleuté de l'écran. Un cahier était ouvert à côté d'elle, sa main ridée tenait encore un feutre rouge.

– Alice, l'appelai-je tout bas.

Elle ne bougea pas.

– Alice.

Elle remua légèrement, et un petit gémissement lui échappa.

Je m'approchai d'elle et lui touchai l'épaule.

– C'est moi, George.

Elle redressa la tête, cligna des paupières. Puis une étincelle éclaira son regard, et elle parut prendre sur elle de revenir à la vie.

– On va à la rivière ? proposa-t-elle.

– Bien sûr. Mais d'abord, j'ai quelque chose à te raconter.

Je lui relatai alors mon exploration de l'allée qui menait du O'Shea's à Gilmore Street, qu'il était clairement impossible que Duckworth ait eu l'intention de rentrer chez lui le soir où il s'était fait agresser, qu'il me semblait que, au contraire, il se dirigeait vers chez Katherine Carr, sûrement avec de mauvaises intentions, étant donné que les policiers avaient trouvé sur lui un couteau et de l'adhésif quand ils l'avaient ramassé le lendemain matin.

C'était comme un scoop de dernière minute grâce auquel j'avais espéré relancer l'intérêt d'Alice, mais celle-ci le dédaigna.

– J'ai découvert que, parfois, ils travaillent en équipe, dit-elle.

Sur ces mots, elle tapa sur quelques touches de son clavier, puis tourna l'écran vers moi. Je lus l'intitulé de la page : « Duos diaboliques ».

Les photographies étaient présentées par couples pervers, un filet de sang virtuel d'un rouge criard les reliant les unes aux autres : Leopold et Loeb ; les Tueurs des Moors, Hindley et Brady ; les Étrangleurs des Collines, Bianchi et Buono ; les Tueurs au Bunker, Ng et Lake.

– Parfois, ils doivent être deux, expliqua Alice. Ils forment une seule personnalité. Isolés, ils ne feraient rien de mal. Mais ensemble, ils sont capables de tout.

Ce n'était pas nouveau, et n'avait aucun rapport avec l'histoire de Katherine Carr. Ce n'était pas non plus un sujet sur lequel j'avais envie de m'appesantir.

– Bon, allons à la rivière ! lançai-je.

Je sortis une torche électrique de la poche de ma veste.

– Je l'ai apportée pour que nous puissions lire, précisai-je.

Nous fûmes installés dans ma voiture quelques minutes plus tard, Alice, une forme minuscule sur le siège passager. La fraîcheur du soir enveloppait Winthrop, et comme Alice pouvait facilement prendre froid, elle s'était emmitouflée dans un gros pull à col montant et avait enfoncé sur ses oreilles un bonnet de laine violet.

Arrivés à la rivière, je sortis le fauteuil roulant calé sur la banquette arrière, et le plaçai à côté de la portière passager, puis je soulevai Alice et l'y installai doucement.

– Ça va ? demandai-je.

Elle changea un peu de position, puis, une fois correctement assise, elle porta le regard sur Main Street.

– Katherine devait arriver par là, indiquai-je, pointant le doigt vers Gilmore Street.

Alice regarda dans cette direction, mais ne dit rien.

– Voilà la grotte, ajoutai-je, montrant, à l'opposé, l'endroit où elle se trouvait, au bord de la rivière.

– Allons-y, dit Alice.

Je la fis rouler, poussant le fauteuil sur le trottoir sinueux qui menait à la grotte. En chemin, nous croisâmes une famille nombreuse dont tous les membres dévisagèrent Alice au passage, ce qu'elle fit semblant de ne pas remarquer.

– Il vaut mieux ne pas soutenir leur regard, me dit-elle comme nous atteignions la grotte. Ça les gêne.

Elle contempla la rivière, mais au lieu de dire quelque chose au sujet de l'histoire de Katherine Carr, comme je m'y attendais, elle demanda :

– À quoi ressemblait Teddy ? J'ai vu sa photo sur Internet, mais elle est en noir et blanc, alors je ne connais pas la couleur de ses cheveux ou…

– Il était blond, dis-je, espérant clore le sujet.

– Il mesurait combien ?

– Un peu plus d'un mètre vingt.

– Il pesait combien ?

– Trente-cinq kilos. Alice, ajoutai-je en secouant la tête, je ne tiens pas à…

– Il aimait lire ?

– Il était dyslexique, alors lire, c'était difficile pour lui. Mais il aimait qu'on lui fasse la lecture.

Je parcourus du regard la rivière dans laquelle un homme à jamais inconnu avait jeté le corps de mon petit garçon.

– Il aimait aussi le base-ball. Il jouait dans la Little League.

Alice soupira tout doucement, et parut penser qu'un but secret avait été atteint.

– Vous pouvez me faire la lecture, dit-elle.

MAINTENANT

– Continuons, dit le Chef, reprenant péniblement une inspiration.

Maldrow sourit, détendu. Bien des années ont passé depuis leur première rencontre, mais il revoit très nettement la ville lugubre où ils se sont trouvés, la rue boueuse où le Chef donnait l'impression d'être emporté comme une plume, ballotté par la pluie diluvienne jusqu'au poteau de bois contre lequel Maldrow était appuyé. Comme si c'était hier, il réentend les premières paroles que le Chef lui a adressées : « Je suis vraiment désolé de ce qui est arrivé à votre petite fille. »

Maldrow écoute crépiter la pluie dans les rues boueuses, sent la chaleur du feu dans le saloon où le vieil homme l'a entraîné ensuite, et lui demande d'une voix tranquille : *« Vous la reconnaissez ? »* Une petite croix en or scintille sur la peau blême de la paume du Chef. *« Il ne s'en est pas tiré. »* Les doigts pâles se referment autour de la croix. *« Il y en a tant comme elle. »*

À présent, Maldrow voit Sacha menée dans l'épais sous-bois, poussée sans ménagement de l'autre côté d'un petit pont et dans une cabane de fortune où elle s'assoit, terrifiée, sur une chaise de jardin rouillée. Puis, il se voit au côté de Yenna, après coup, Yenna, enveloppée dans son châle foncé, ses yeux d'un vert profond scrutant la forêt indifférente et, de l'autre coté du ruisseau gelé, la cabane au toit goudronné. Après Yenna, les autres viennent à lui en un déchaînement de visages ravagés par le chagrin : pères et mères, frères et sœurs, maris et femmes, leurs yeux rivés sur leur quête effrénée de l'inconnu qui n'a fait que passer, mais n'est jamais tout à fait parti.

Puis une foule d'êtres malfaisants se presse dans sa tête. Il y a la comtesse Báthory et ses exquises tortures, la Brinvilliers et ses poisons, Kürten flânant, élégamment vêtu, dans les rues de Düsseldorf, Vladimir Ionosyan sélectionnant le bon passe-lacet pour sa soirée en ville. Depuis combien de temps les avait-il pour seuls compagnons ? Gein, Haarmann et Haigh se dressent un bref instant devant lui, puis disparaissent, ne lui laissant que la vision froide de leurs actes sanguinaires, ces vies brisées qu'ils ont laissées dans leur sillage. Il avait partagé tous ses repas avec eux, tous ses moments de loisirs forcés. Ils ne le lâchaient pas d'une semelle, sournois défilé d'éventreurs et d'agresseurs noctambules. Leurs signes encombrent le ciel nocturne de tridents et de constellations du zodiaque. Leurs écrits sont sa seule littérature, des mots tracés avec du sang ou formés de lettres découpées dans des magazines. Pour lui, du Bach, c'est l'ultime gargouillement d'un enfant qu'on étrangle, un Renoir, les éclaboussures que les assassins projettent sur les miroirs, les murs et les portes.

Le Chef sait que, en imagination, Maldrow visite continuellement ce musée de l'horreur.

– Nous devons en finir avec Katherine, dit-il.

Maldrow revoit Yenna disparaître dans la ruelle obscure où Stanovich attend dans le coin le plus sombre, attend celle qui a été choisie et préparée pour affronter son sort. Puis il pense à Katherine : qu'elle est faite de la même inflexible étoffe. Il la voit s'approcher du tablier éclaboussé de sang, comprendre avec une terrible exactitude la nature de l'homme, se représenter toutes les femmes qui sanglotaient, étendues sur le dos, un homme aux bottes boueuses campé au-dessus d'elles. Rien, à part la mort, ne l'arrêterait.

– Veux-tu que Katherine vive à jamais ? demande le Chef d'un air entendu.

Maldrow baisse la tête devant ce qui, il le sait, sera inévitable.

– Alors, tu dois exécuter le plan.

Je levai les yeux et surpris l'expression d'Alice, comme si elle regardait un sombre scénario se dérouler dans sa tête.

– Tu veux en discuter ? demandai-je.

Elle secoua la tête.

– Non, continuez.

Maldrow descendit de voiture et regarda autour de lui d'un air triste et mélancolique, comme un soldat scrutant la plage qu'il s'apprête à prendre d'assaut, lançant un dernier regard aux palmiers qui frémissent sous le vent, aux vagues qui déferlent, aux oiseaux qui tournoient.

– Voilà ce que je voulais vous montrer, dit-il.

C'était une petite maison tout à fait quelconque au bord d'un chemin de terre qui partait de la Route 34, là où les anciens abattoirs se trouvaient autrefois et d'où il émanait encore des ondes de souffrance, celle d'animaux hébétés conduits vers leur triste sort, dont les cris aigus qui résonnaient alors à travers les champs environnants s'étaient tus.

– C'est ici qu'il vit, dit Maldrow.

Le revêtement de la façade était en aluminium, et la toiture avait besoin de réparations. Malgré l'éclatant soleil matinal, la maison paraissait lugubre. Une allée en ciment toute fissurée menait, à travers un jardin envahi par les herbes folles, à une étroite véranda sur laquelle une balancelle vide oscillait lentement, comme sous l'impulsion d'une présence fantomatique. Les fenêtres étaient sombres, non éclairées, et la place de stationnement en terre battue était inoccupée.

Maldrow se dirigea vers la maison, puis tourna la tête quand il s'avisa que je ne le suivais pas.

– On entre ? demandai-je.

– Oui, répondit Maldrow. Je veux que vous voyiez son lit et ses toilettes, le côté corporel.

Sur ce, il continua d'avancer vers la maison, sans chercher à passer inaperçu, marchant à pas lents, parfaitement indifférent au vieil homme qui se balançait dans son rocking-chair sous la véranda de la maison voisine, et à l'adolescent qui bricolait sa voiture dans l'allée d'à côté.

À aucun moment, ils ne jetèrent un regard dans notre direction.

Arrivée sur le seuil, je m'arrêtai brusquement.

– Je dois vraiment le faire ? demandai-je.

Je tremblais, ma peur à la fois glace et feu, en proie à une terreur plus indicible que la chose elle-même, la terreur d'une terreur à venir.

– C'est nécessaire, répondit Maldrow.

Sans un mot de plus, il ouvrit la porte et s'écarta pour que j'entre la première dans le salon exigu, que je ressente l'aura nauséabonde de l'endroit, son air vicié.

– Par ici, dit Maldrow.

Je le suivis dans un étroit couloir où nous nous arrêtâmes devant une porte close.

– Il dort dans cette pièce, dit Maldrow.

Il ouvrit la porte et recula, me laissant seule face aux sordides détails de la chambre : un matelas à même le sol, les draps et la couverture débordant par terre ; un seul oreiller, creusé en son milieu et aux côtés rapprochés l'un de l'autre, comme par d'invisibles cuisses. Des tas de photos étaient éparpillées sur le lit, arrachées à des magazines : des femmes ligotées à des montants de lit, pendues par des cordes, des femmes aux bras et aux jambes tailladés dont les blessures saignaient.

L'espace d'un instant, je m'efforçai d'imaginer cet homme étalé sur ce matelas en désordre, ses jambes poilues l'écrasant de tout leur poids, ses pieds sales dépassant des draps, mais j'avais beau tout faire pour essayer de le visualiser, je ne voyais que le lit vide, l'éclairage sinistre. Si bien que je finis par me détourner et regagner le salon où Maldrow m'attendait.

– Nous pouvons partir maintenant, dit-il.

Il m'entraîna jusqu'à la porte où je vis un long tablier blanc couvert de taches rosâtres, du sang délavé, suspendu à une patère en bois.

Je sentis mon courage m'abandonner, mes jambes se dérober sous moi, je crus défaillir, je chancelai au point que je me serais effondrée par terre si Maldrow ne m'avait soutenue et prise dans ses bras.

– Restons-en là, dit-il. Pour le moment.

Je me tus et levai les yeux du manuscrit.

La lueur qui brillait dans le regard d'Alice s'éteignit un bref instant, puis se raviva, comme une chandelle mouchée pour mieux la rallumer.

– Pourquoi Maldrow fait-il ça à Katherine ? demanda-t-elle.

– Quoi ça ?

– Lui imposer ces étapes. L'obliger à visiter ces lieux, à revivre ces choses.

– Je l'ignore, répondis-je.

Alice demeura un moment silencieuse, puis affirma :

– Katherine va bientôt mourir, et elle le sait.

– Mais elle n'aurait jamais pu le savoir, si ?

– Peut-être pas, répondit Alice. En tout cas, pas comme je le sais moi.

Elle avait dit cela de manière très détachée, et je me dérobai à cette dure réalité en détournant mon regard vers la rivière, réaction qui n'échappa pas à Alice, mais qu'elle feignit d'ignorer.

– On peut partir maintenant, murmura-t-elle. Il commence à faire nuit, et froid.

Une fois réinstallée dans son lit, Alice voulut reprendre son ordinateur portable, mais il était trop lourd. Je l'ôtai de ses mains tremblantes et le posai sur ses genoux.

– Merci, George. J'aimerais voir les pages, s'il vous plaît.

Je les lui donnai, puis la regardai taper au clavier.

– La comtesse Báthory était la nièce du roi de Pologne, raconta-t-elle au bout d'un moment, le regard rivé sur l'écran. Elle est née en 1560.

De là, elle continua à me lire les autres détails brillant sur son écran : la comtesse s'était mariée à quinze ans à un homme le plus souvent absent, périodes au cours desquelles son comportement était devenu de plus en plus excentrique. Elle avait fini par s'adonner à la pratique de la torture sur ses servantes, ce qui, inévitablement, avait conduit à des meurtres.

Alice tapa un autre nom, prenant toujours soin de ne pas me regarder.

– Marie de Brinvilliers était une empoisonneuse, déchiffra-t-elle après un court instant d'attente. Elle a assassiné des invalides, quelques-uns de ses parents et de ses amis.

Alice continua de la sorte en cherchant successivement tous les autres noms que nous venions de lire dans l'histoire de Katherine Carr : Vladimir Ionosyan, Carl Panzram et Peter Kürten, tous des tueurs en série, tout comme Fritz Haarmann, John Haigh et Ed Gein.

Quand elle en eut terminé avec le dernier d'entre eux, elle détacha les yeux de son écran, et je remarquai qu'elle avait les paupières lourdes, signe évident que son énergie la quittait.

– Nous reprendrons demain, dit-elle.

– D'accord, répondis-je, me levant. Je repasserai demain soir.

Elle sourit avec douceur.

– Il n'y a pas d'urgence, George, souffla-t-elle, comme pour me rassurer sur le fait qu'elle serait toujours là. J'ai tout mon temps.

Moi, je savais qu'Alice n'avait plus beaucoup de temps devant elle. Rien ne garantissait que nous pourrions finir de lire ensemble l'histoire de Katherine Carr, car je n'ignorais pas non plus que la fin survenait souvent brutalement chez ces enfants-là, que chaque respiration qu'ils prenaient était une victoire remportée contre les risques sans cesse plus grands.

Ce fut peut-être ma brutale prise de conscience que le temps qu'il restait à vivre à Alice était aussi court que les passages de l'histoire de Katherine que je lui avais lus ce soir-là qui me détermina à me remettre au travail plutôt que d'aller me coucher. Je ne sais pas ce que je cherchais au juste, ni même comment procéder, sinon que je me rappelais le seul nom, autre que celui de Yenna, qui revenait très souvent sous la plume de Katherine Carr : Stanovich.

J'ignorais si ce personnage serait important par la suite, et même s'il aurait la moindre incidence sur l'intrigue, mais d'une certaine façon – ça, j'en étais certain –, je me doutais que, en reprenant ces recherches, je continuais au moins de tenir la promesse que j'avais faite à Alice, funeste Archie Goodwin assistant son Nero Wolfe mourant, deux fins limiers amateurs sur les traces d'un mystère insaisissable.

Ainsi, pendant quelques minutes, bercé par le réconfort du travail, j'épluchai les faits que je pus dénicher sur Andrei Stanovich. Ces informations correspondaient exactement à celles qu'on s'attendrait à trouver dans tout parcours criminel. Stanovich venait d'avoir quarante ans quand, à l'automne 1956, il avait commencé à tuer. À cette époque, il avait obtenu un emploi d'inspecteur aux chemins de fer, et avait sûrement été vu des centaines de fois par des passagers à bord des trains ou dans les salles d'attente de toute l'Ukraine. D'année en année, il assassinait encore et toujours, mais son travail – qui justifiait qu'il voyage en train d'un village à l'autre – lui fournissait un alibi indiscutable. De plus, son physique était si ordinaire, si passe-partout, que l'homme donnerait l'impression de s'être dissimulé pendant tout ce temps derrière le masque de M. Tout-le-monde.

Quant à ses crimes, ils étaient hideux : ses victimes furent retrouvées énucléées, la langue coupée, éventrées, certaines d'entre elles, ainsi qu'il serait établi plus tard, ayant subi ces outrages alors qu'elles étaient encore en vie.

Le règne de la terreur de Stanovich avait certainement duré plus longtemps que celui de la plupart de ses homologues criminels : dix-huit années au total avant que ses meurtres ne cessent enfin avec, fut-il approximativement calculé, sa vingt-deuxième victime. À ce moment-là, près de vingt-cinq mille suspects avaient été interrogés, mais aucun d'eux, parmi cette interminable file d'hommes ayant été convoqués dans divers postes de police aux quatre coins de l'Ukraine – et torturés pour beaucoup d'entre eux –, n'était Andrei Stanovich.

En fin de compte, il se trahit lui-même, mais de bien curieuse façon, dans la mesure où il paraissait souffrir d'un « total effondrement physique et psychologique », selon un rapport, comme si son corps avait fini par céder sous le poids de la perversion de son esprit.

Un gardien d'école le trouva recroquevillé dans un coin de la clôture grillagée qui entourait l'établissement. Il était couché en position fœtale, sans blessure apparente, mais sanglotant, hoquetant, les yeux exorbités, l'écume blanchissant les coins de sa bouche toute tremblante. Stanovich ne portait aucun document d'identité sur lui, à l'exception d'un bout de papier épinglé sur le devant de sa veste. Il y était écrit un seul mot : « Moloch », un nom, les autorités ne tarderaient pas à le découvrir, dérivé de Melech, c'est-à-dire roi, et de Bosheth, honte. Moloch n'était autre qu'un dieu vénéré par les anciens Israélites, auquel les peuples cananéens offraient leurs propres enfants en sacrifice.

Comme si on m'avait forcé à me lever et propulsé à travers la pièce, je me retrouvai à la fenêtre de mon appartement, en train de regarder la rue en contrebas. Elle était déserte, mais j'entendis une voiture au loin. Tel un homme qui vient de surprendre un bruit dans une pièce plongée dans l'obscurité et se lève pour affronter ce que c'est, j'ouvris la fenêtre et me penchai au-dehors. La voiture approchait, ses phares devenant de plus en plus lumineux, puis soudain elle ralentit et donna l'impression de rouler sur une eau cristalline, si bien que lorsqu'elle passa sous ma fenêtre, je vis le conducteur, c'était Hollis Traylor.

Alors, sans le vouloir, je m'entendis répéter intérieurement l'avertissement lancé par Max : *N'oublie jamais, George, le Non-Visible,* et au même instant, j'entraperçus le profil d'une femme assise, immobile, sur la banquette arrière, le dos droit, la tête haute, les bras croisés sur la poitrine en une posture empreinte d'une patience surnaturelle, comme si elle avait été de tout temps la passagère de cette voiture.

Mais y avait-il réellement une femme, me demanderais-je plus tard, l'avais-je vue ou seulement cru la voir, était-ce une silhouette faite de chair et d'os ou un pur fantasme, était-elle aussi réelle qu'Alice Barrows l'était et que Katherine Carr le fut, ou aussi mythique que Kuri Lam ?

Je ne le saurai jamais, mais il était indiscutable que la mort rôdait ce soir-là dans Winthrop, portant, ni vu ni connu, son coup classique.

17

Elle avait frappé au petit matin, ce que j'ignorais encore à mon arrivée au *Winthrop Examiner* peu après neuf heures.

– J'imagine que tu es au courant pour Hugo Tanner, me dit Charlie.

– Non. Qu'est-ce qu'il a encore fait ?

– Il est mort cette nuit. Un voisin l'a trouvé, lové sur lui-même, dans sa baraque de givré.

Hugo Tanner était un des excentriques les plus connus de Winthrop, un homme qui versait dans les « arts noirs », ainsi que je l'avais pompeusement écrit dans l'article que je lui avais consacré. Il habitait une petite maison à la lisière de la ville, entouré de hautes piles d'ouvrages parapsychologiques. Il avait transformé sa cave en laboratoire d'alchimiste équipé de centaines de vases à bec et de fioles. Un mur entier était consacré à des produits chimiques, liquides ou poudres, dont beaucoup, cela ne m'avait pas échappé à l'époque, étaient tout bonnement des épices : cumin, curcuma, poivre de Cayenne et autres. Sur une table étaient éparpillés les becs Bunsen que Tanner avait achetés à l'ancien lycée de Winthrop, qui datait de l'époque de la Grande Dépression, avant qu'il ne soit démoli.

– Il a réussi à appeler le numéro d'urgence, ajouta Charlie. Mais quand les ambulanciers sont arrivés à son domicile, il était trop tard.

Charlie avait chopé l'info sur sa Cibie, reconnu l'adresse de Tanner et écouté les communications jusqu'à ce qu'il entende un urgentiste annoncer à l'hôpital de Winthrop un mort avant l'arrivée.

– Le pauvre bougre ! soupira Charlie. Il n'avait rien dans la vie.

– Que sa passion, murmurai-je, même si je n'avais que peu de sympathie pour la façon dont Hugo Tanner avait mené son existence, gâchant de belles prédispositions intellectuelles dans des études sur l'occultisme, quête illusoire qui ne lui avait rien apporté excepté une notoriété locale.

– Ouais, sa passion, fit Charlie, haussant les épaules. Mais qu'y a-t-il gagné, au bout du compte ?

Rien, me dis-je.

Rien du tout.

Je consacrai le restant de ma journée à mes occupations habituelles, lesquelles consistaient, cette fois-là, à interviewer une épouse de notable parmi les plus influentes de Winthrop au sujet du prochain Festival des fleurs, auquel elle espérait donner un nouveau souffle grâce à un défilé dont le coup d'envoi serait donné par une célébrité surprise.

– Je pensais à Kathie Lee Gifford[1] ou quelqu'un de ce genre…, évoqua Mme Lancaster. Auriez-vous cela dans vos tiroirs, monsieur Gates ?

Je fis non de la tête et enchaînai mécaniquement avec ma question suivante :

1. Célèbre présentatrice de télévision américaine.

– Ce défilé que vous projetez d'organiser : y aura-t-il des chars fleuris ?

L'interview prit fin peu avant midi. J'allai en voiture jusqu'à une sandwicherie de quartier, commandai mon habituel jambon/seigle, puis gagnai une table d'angle. Comme il faisait chaud à l'intérieur, j'ôtai ma veste et la pendis au dossier de ma chaise. Puis je m'assis, déballai mon sandwich en laissant errer mon regard sur la salle. Le lycée du coin se trouvait à seulement trois rues de là, du coup, quelques ados entrèrent et sortirent pendant que je mangeais. La plupart arrivaient en groupes, mais de temps en temps, un couple se détachait du lot, main dans la main ou se tenant indolemment par la taille.

– Si naïfs, me surpris-je à murmurer tout bas pour moi-même, si bien que je sursautai en entendant une voix juste derrière moi – à peine plus qu'un chuchotement – prononcer des paroles que je n'ai jamais oubliées.

– Il y a un moment dans la vie où nous commettons tous de lourdes erreurs.

Je me retournai et avisai la présence d'une femme à hauteur de ma table, qui patientait dans la file d'attente des plats à emporter. Elle était grande et ne passait pas inaperçue, avec ses longs cheveux bruns parsemés de mèches argentées.

Certain qu'elle s'était adressée à moi, je lui répondis :
– Je suppose, oui.

Elle s'apprêtait à ajouter quelque chose, mais au même moment, son livre lui échappa des mains. Elle le ramassa et le serra doucement contre elle, d'une telle façon que le titre fut clairement visible : *Le Tour d'écrou.*

– Vous aimez les histoires de revenants ? demanda-t-elle, ayant remarqué que son livre avait attiré mon attention.

– Je les aimerais sûrement si je croyais aux fantômes. Mais personne ne revient d'entre les morts.

Je pensais à Teddy, à Celeste, à cette longue file du Non-Retour dont Alice rejoindrait bientôt les rangs.

– Et les histoires de revenants ne parlent jamais de la vie réelle, achevai-je.

Le regard de cette femme était d'une étrange fixité.

– C'est vrai, dit-elle. Elles parlent d'espoir.

Elle sourit aimablement, un sourire « éthéré » comme disent les poètes, et je crus qu'elle allait dire autre chose, mais la file d'attente avança soudain, l'emportant dans son doux courant, si bien que, en l'espace de quelques secondes, du moins ce fut mon impression, elle avait disparu.

Je terminai mon déjeuner et ressortis de la sandwicherie, mais les premières paroles que m'avait adressées cette femme n'arrêtaient pas de tourner en boucle dans ma tête : *Il y a un moment dans la vie où nous commettons tous de lourdes erreurs.* Peut-être me taraudaient-elles parce que je repensai brusquement à Hugo Tanner, à sa vie qu'il avait gaspillée en ridicules recherches pseudo-scientifiques, un gâchis qui, par d'impénétrables associations d'idées, me ramena une fois encore à des vies brisées prématurément : Teddy, Celeste, et, enfin, Alice qui perdrait bientôt la sienne.

Mon humeur s'assombrit, idées noires qui me tourmentaient encore plus quand j'arrivai au journal.

Charlie, assis à son bureau, jonglait avec les téléphones.

– Ouais, compris ! lâcha-t-il, avant de raccrocher.

Ses yeux brillaient de joie, je l'avais rarement vu ainsi.

– Warren Maizey a été arrêté ! Tu y crois à ça ? Après tant d'années, il ne s'en sera pas tiré, s'écria-t-il, tapant dans ses mains. C'est un grand jour pour Eden Taub.

Eden Taub.

On l'avait retrouvée dans une cave, gisant sur un matelas taché de sang, Eden Taub, âgée de huit ans, confiée aux bons soins d'un voisin que ses parents avaient payé pour la garder pendant qu'ils étaient partis chercher du travail dans les vergers de la vallée de la Salinas. Ç'avait duré près de trois mois : des tortures systématiques qui consistaient, entre autres, à couvrir Eden de glace avant de la plonger dans de l'eau bouillante. Elle avait été fouettée avec une corde à sauter, entaillée avec des pinces, brûlée avec des cigarettes, une agonie infligée lors de ce qui apparaît avoir été des jeux de relais diaboliques entre Warren Maizey et ses deux imbéciles de filles, Gwen et Rhonda, respectivement âgées de quinze et dix-sept ans.

Maizey avait laissé ses filles se débrouiller toutes seules après le meurtre d'Eden, et, incapables de subvenir à leurs besoins ni même d'envisager les conséquences de leur crime, elles avaient téléphoné à une assistante sociale qui, au premier coup d'œil jeté sur l'intérieur de la maison, avait immédiatement appelé la police. Je me rappellerai toujours la réponse qu'elles firent plus tard aux journalistes qui les interrogeaient sur l'endroit où se trouvait leur père, toutes deux hilares face aux objectifs des appareils photo : *Papa ? Il s'est évanoui dans la nature.*

Ce qu'il avait bel et bien fait, jusqu'à maintenant.

– Quinze ans, mais ils ont quand même fini par le choper, s'écria gaiement Charlie.

Il m'adressa son petit clin d'œil habituel, celui qui semblait toujours signifier : *Je te l'avais dit.*

– Comme quoi les miracles, ça arrive, hein, George ?

Je fis non de la tête en songeant à tous ceux qu'on n'avait jamais arrêtés, et à cette pensée, je sentis la vieille rage me tenailler une fois encore, féroce, écrasante, dont rien, je le savais, ne me libérerait jamais, si bien que tout ce que je trouvai à répondre fut :

– Non, je ne crois pas, Charlie.

Ma colère grandissante continua à faire des remous toute la matinée, et m'agitait encore plus tard, cet après-midi-là, pendant que Wyatt lisait mon papier sur le Festival des fleurs. Assis, silencieux, devant son bureau, il me revint une question que mon père avait posée sur son lit de mort, l'expression de son visage quand il la formula, ainsi que certains détails de la chambre d'hôpital : l'odeur de l'air, et même le clignotement des petits témoins lumineux des appareils qui surveillaient le reflux régulier de sa vie.

– Pourquoi sommes-nous là, George ? avait-il demandé. Pour souffrir ? Porter témoignage ? C'est ce que dit Tchekhov.

Sur le moment, il n'ajouta rien de plus. Puis, très lentement, ses yeux s'ouvrirent, et j'eus l'impression qu'il me regardait de très loin, de derrière le rideau étoilé d'une lointaine galaxie.

– Personne à part moi ne connaît la réponse, murmura-t-il avec un sourire. J'ai la réponse, Georgie.

– Quelle est la réponse, p'pa ? me laissai-je aller à demander. Pourquoi sommes-nous là ?

Soudain, la sérénité qui l'avait gagné en cet instant le quitta, ne lui laissant que le feu de sa colère.

– Nous sommes là pour corriger les bêtises de Dieu ! s'écria-t-il. Pour défaire Ses bon Dieu de plantages !

Il me foudroyait du regard, animé d'une rage qui paraissait trop véhémente, trop impérissable pour un mourant.

– Il n'avait pas le droit, fulmina-t-il. Il n'avait pas le droit de prendre Teddy !

Sur ces mots, il tourna la tête vers le mur, en un geste si brusque et d'une violence si inouïe que je compris qu'elle signifiait son rejet complet, cette froide épaule qu'il présentait à l'ordonnancement des choses en guise de muettes dernières paroles.

– Pas mal, George.

Je levai les yeux vers Wyatt et mon article sur le Festival des fleurs posé devant lui sur le bureau.

– Mais quand même un peu trop grandiloquent sur la fin.

Il trouva les lignes dont il voulait parler, les souligna et me tendit la page :

Les chars du Festival ne seront décorés que de fleurs vivantes, assure Mme Lancaster, ni coupées ni séchées, et chacune représentera à elle seule une victoire d'une couleur éclatante sur la main noire de la mortalité.

– Beurk, si tu me passes l'expression, ironisa Wyatt.

– Tu as raison, fis-je, attrapant un stylo et barrant la phrase. Je ne sais pas ce qui m'a pris.

Je rendis la page à Wyatt qui me lança un regard appuyé.

– Qu'est-ce qui ne va pas, George ?

Soudain, je me surpris à imaginer Eden Taub regardant Warren Maizey s'approcher d'elle, écoutant les pas lourds des deux autres dans le couloir ou l'escalier, espérant une libération miraculeuse, et, dans le fracas de cet instant, je sus que Teddy avait dû espérer que la silhouette qui venait vers lui dans les roulements de tonnerre et les rideaux de pluie, celle qu'il avait dû voir, enveloppée d'un ciré jaune, s'approchant toujours plus, était celle de son père venu l'arracher à l'orage.

Tout, songeai-je.

– Rien, répondis-je.

Je suis sûr que la déchirante tristesse qui m'avait submergé pendant que je pensais à Teddy n'avait pas totalement quitté mes traits au moment où je tendis à Alice les photographies de Katherine Carr, ce soir-là.

– C'est elle, dis-je. J'ai pensé que tu aimerais voir à quoi elle ressemblait.

Alice me dévisagea un bref instant, puis me prit les photos des mains.

J'allai à côté de la fenêtre d'où je la regardai feuilleter ces images, ses paupières tombantes presque fermées sous son effort de concentration.

– Pourquoi n'y en a-t-il aucune d'elle prise après son agression ? s'étonna-t-elle après avoir examiné la dernière.

– Elle ne voulait plus être photographiée. Elle restait chez elle la plupart du temps, comme il est dit dans son histoire. Les voisins racontent qu'elle laissait les lumières toujours allumées.

Pendant que je parlais, je voyais qu'Alice imaginait très bien la terrible solitude de ces nuits interminables,

Katherine Carr penchée à un petit bureau, écrivant rageusement.

– Parfois, je me demande si son histoire est un appel, dis-je d'une voix posée. Pour qu'on vienne à son secours.

Une autre vague de colère déferla sur moi, et comme porté par ce flot brûlant, je me précipitai jusqu'à la chaise à côté du lit d'Alice et m'y laissai choir.

– Seulement, dans la vraie vie, lâchai-je sèchement, personne ne vient à votre secours.

Alice lança un regard vers les pages que je venais de sortir de ma serviette et, peut-être enhardie par le ton de ma voix ou l'expression de mon regard, me les arracha des mains.

– C'est moi qui lis !

MAINTENANT

– Il est certain, dit le Chef avec un petit sourire, que nous, nous ne laissons aucune preuve.

Il ouvre sa main droite.

– Pas l'ombre d'une preuve, insiste-t-il.

Le Chef n'a rien dans sa main, mais l'espace d'un instant, Maldrow est de nouveau ramené à une époque lointaine, alors que la pluie qui tombe à verse devant le saloon transforme les rues de la ville en boue. La complète solitude de toutes les années qui se sont écoulées lui tombe dessus. Il ne saurait dire à quand remonte la dernière fois qu'on l'a appelé « papa ». Il sait seulement ce qu'il a compris à l'instant de la destruction : que son sang bouillonnerait à jamais dans ses veines, et que ce feu intérieur fulgurant finirait par gagner le ciel, s'étendant de plus en plus jusqu'à ce que, quelque part, à une distance impossible, le Chef lui-même le voie.

– Maldrow?

Ramené à la réalité, Maldrow cligne des yeux.

– Il n'y aura pas de preuves, dit-il.

Maldrow voit défiler par flashes ses actions passées : corps de femmes flottant sur des étangs, jetés au fond de puits, enterrés dans des ravins, recouverts de pierres. Autant de manières de les faire disparaître.

– Il n'y aura pas de preuves, assure-t-il de nouveau au Chef, en insistant sur les mots.

Il revoit la lueur sombre qui a brillé dans le regard de Katherine à l'instant où l'horreur lui est apparue dans toute son évidence.

– À part une histoire, ajoute-t-il. Celle qu'elle écrit.

Le Chef balaie l'argument du revers de la main.

– Qu'elle l'écrive, dit-il. Personne n'y croira.

– Non, admet Maldrow. Personne.

Le Chef détecte une pointe de mélancolie dans la voix de Maldrow.

– Y a-t-il quelque chose, au sujet du travail, que je ne t'aie pas expliqué? demande-t-il.

Maldrow sent ses pensées emportées par le tourbillon du passé, parcourir en accéléré les vastes étendues du temps qui n'est plus, des années et des années d'errances nocturnes dans des rues, à travers champs, sur des chemins retirés, dans des ruelles étroites, destinées à rester secrètes.

– Non.

– As-tu choisi le lieu du sacrifice? insiste le Chef.

Maldrow sait que cela fait partie de la déclamation nécessaire, de l'incitation à l'action, de l'implacable énergie sans laquelle, ainsi qu'il l'a appris, il serait impossible de mener à bien cette sinistre tâche.

– Oui.

Le Chef paraît satisfait.

– Alors, son sort est scellé, dit-il.

Maldrow revoit le regard de Katherine quand elle l'avait fixé des yeux sans bouger au moment où il arrivait vers elle en voiture, sans bouger d'un pouce alors même qu'il lui fonçait dessus. Il la revoit aussi balayée du faisceau de sa torche électrique, écœurante vague jaune qui éclaire encore plus pleinement l'état dans lequel elle est.

– Scellé, dit-il. À jamais.

Le Chef hoche lentement la tête, puis tend la main et la pose sur celle de Maldrow, la matérialité éthérée de l'un s'enfonçant dans la fausse matérialité de l'autre jusqu'à ce qu'ils se confondent parfaitement et ne fassent plus qu'un.

Alice glissa la dernière page de ce passage sous la pile de celles que je tenais dans la main, et sans transition, poursuivit la lecture :

AUPARAVANT

Je partis le long de la rivière, en direction du terrain de camping où Maldrow m'avait demandé de le retrouver. Sur ma droite, je voyais le champ de foire désert. Par-delà, sur la rivière, quelques bateaux allaient vers la marina, leurs feux de navigation luisant doucement dans l'obscurité du crépuscule.

J'arrivai à destination quelques minutes plus tard, franchis la voûte en pierre de l'entrée, puis m'engageai, à droite, sur la route qui s'enfonçait à travers bois.

Lawson Road se trouvait de l'autre côté du terrain de camping, exactement comme Maldrow me l'avait indiqué, bien après la piste cyclable et le dernier sentier pédestre. C'était un chemin de terre qui partait en biais dans l'épaisseur des bois, la vieille forêt, supposais-je, retournée à l'état sauvage faute d'entretien au fil des années, au sol couvert de broussailles.

Je suivis les indications de Maldrow, poursuivant mon chemin, cherchant des yeux le mobile home qu'il m'avait décrit, mais ne le voyant pas jusqu'au moment où le chemin devint brusquement plus étroit, semblant se tortiller comme s'il était vivant.

Enfin, je pénétrai sous les pins entre lesquels il se matérialisa soudain devant moi, comme une apparition, petit mobile home aux lignes carrées qui prenait un air mystérieux sous l'éclairage fractal des derniers rayons de lune. Il était encore plus modeste que Maldrow ne me l'avait dit, et à mesure que j'approchais, je remarquai combien il était moche et mal entretenu. Ses flancs en aluminium étaient mouchetés de boue, et ses moustiquaires déchirées laissaient pendre des mailles comme des morceaux de chair métallique.

De près, il était encore moins hospitalier. Il présentait çà et là des taches jaunâtres, et sa porte en aluminium s'était voilée du côté gauche, arrondie comme une épaule voûtée. Le châssis était salement rouillé, et le toit tapissé d'aiguilles de pins, au point qu'on avait l'impression qu'il était là depuis toujours, élément du paysage forestier qui empiétait continuellement sur lui.

Je me garai dans l'allée et attendis. Le mobile home était faiblement éclairé, sa porte légèrement entrebâillée, si bien que j'apercevais le bord d'un canapé, une table basse, une lanterne vénitienne pendue à une cordelette d'un blanc passé.

Je restai assise dans ma voiture, laissant s'écouler les minutes, me répétant que j'aurais mieux fait de ne pas venir, de ne pas obéir à mon impulsion, craignant que Maldrow ne soit un homme sur qui j'aie projeté des fantasmes, et donc, d'une certaine façon, imaginaire, crainte que ce doute redoublait et qui résonnait en moi d'autant plus violemment, comme une secousse s'amplifiant jusqu'au séisme.

Dans cet état, secouée par ces peurs, je pris conscience qu'il existe une terrifiante incertitude dans chaque porte entrouverte, dans chaque objet posé ailleurs qu'à sa place, dans chaque clé ou boucle d'oreille égarée. Mais plus étrange encore est le jeu intellectuel qui questionne chaque objet ordinaire, chaque fourchette et pince à épiler : *À quelles sombres fins peuvent-ils être utilisés ?*, et qui, du coup, fait concevoir que chaque goutte d'eau peut devenir une mare où l'on se noie, chaque feuille morte dissimuler une tombe peu profonde.

Malgré tout, étant allée si loin, ayant réussi à braver ces peurs, je me sentais tenue de continuer.

Je descendis de voiture et me dirigeai vers le mobile home de Maldrow. Le vent se leva autour de moi alors que j'atteignais la porte, soudaine bourrasque, et, curieusement, je sursautai, comme un animal qu'un bruit réveille. Il entraîna un mur de feuilles et de débris forestiers qui tomba sur mes pieds, puis s'enroula et souffla vers le ciel avec une telle force que je pensai aux tourbillons de poussière qui s'élevaient dans les régions désertiques et tournoyaient furieusement avant d'être pulvérisés par la violence de leurs rafales.

Je m'arrêtai à quelques pas de la porte, me faisant véritablement l'effet d'être une intruse. Mais Maldrow m'avait convoquée, et je ne pouvais plus faire demi-tour et repartir. Tout à coup, je sentis une énergie, comme une main plaquée contre mon dos. Elle m'encourageait à avancer, si bien qu'à pas hésitants je finis par atteindre le seuil du mobile home dont l'intérieur m'était à présent visible, révélant sa spectaculaire particularité : des murs qui frémissaient comme les ailes de milliers de papillons jaune pâle. Je me dis que ce que je voyais n'était pas la réalité, mais une vue de l'esprit. Pourtant, je m'approchai encore un peu, tendant le cou pour mieux voir, l'ouverture de la porte me révélant de plus en plus l'intérieur bizarre du mobile home, mon corps contracté à l'extrême, ma peur à son paroxysme, si bien que lorsque, soudain, la voix m'arrêta, je me sentis traversée par une vague de terreur.

– Katherine.

Je fis volte-face et trouvai Maldrow derrière moi, une torche électrique à la main dont le faisceau me baignait dans une vague jaunâtre.

– Vous m'avez trouvé, souffla-t-il.

Sa veste, drapée autour de ses épaules comme une cape, lui donnait une allure qui enflamma mon imagination, Maldrow devenant une créature de la nuit, le vampire des mythes populaires, au teint livide, aux canines aiguisées.

Bien, dit-il tout bas.

Je sentis ma bouche s'entrouvrir, mais aucun son ne franchit mes lèvres.

– Vous devez avoir froid, reprit-il.

Puis il passa à côté de moi, se hissa sur la marche en ciment du mobile home et ouvrit la porte.

– Entrez, dit-il.

Entrez.

Une si simple invite, pourtant j'eus soudain la vision d'une multitude de femmes disparues, interminable massacre au féminin, de leurs corps jetés dans des fossés, du haut de ponts, par-dessus bord de bateaux qui tanguaient doucement. Je les vis poussés dans des torrents furieux, du haut de falaises de granit, d'escaliers poussiéreux ou roulés dans des tapis, des dessus-de-lit ensanglantés, des sacs-poubelles d'un noir luisant, ou bien encore grossièrement recouverts de gravats, enfermés dans des coffres de voitures, enterrés sous des dalles de ciment durcissant. Comme s'ils provenaient du bout d'un tunnel d'une longueur inimaginable, j'entendais retentir leurs cris d'appels à l'aide.

– Je ne peux pas, ai-je crié à Maldrow. Je ne peux pas.

Il poussa complètement le battant de la porte et recula pour m'offrir une pleine visibilité sur l'intérieur du mobile home.

– Tu dois les voir toutes.

Au début, ce me fut révélé par de minuscules taches de couleurs, comme le tableau d'un pointilliste. Puis tous ces points s'unirent, et il m'apparut alors une étrange mosaïque de visages de femmes qui, tous, portaient le masque de leur martyre, la profondeur de leurs plaies, l'empreinte de l'éventreur encore dans leur regard, la zébrure d'une cicatrice laissée sur leur âme.

– Viens, murmura tranquillement Maldrow, s'effaçant pour me laisser entrer. Viens voir ce que je fais.

Alice leva les yeux de la feuille et, d'une petite voix pleine de certitude, affirma :

– Ça y est, j'ai compris.

– Quoi ?

– Le retournement de situation dans l'histoire de Katherine Carr.

Je la regardai sans rien dire.

– Il y avait des photos dans la chambre de l'homme, vous vous rappelez ? expliqua-t-elle. Celle où Maldrow l'a emmenée.

– Oui, effectivement.

– Des photos par terre, continua Alice. Autour de son lit. Des photos de femmes qui…

Elle s'interrompit, et je vis une terrible prise de conscience poindre dans son regard.

– Je sais qui est Maldrow, murmura-t-elle.

Je me penchai vers elle.

– Qui est-ce ?

Alice parut surprise de constater que je n'avais pas encore compris le tragique rebondissement qu'elle avait deviné.

– Maldrow, énonça-t-elle, les yeux pétillant du plaisir de la découverte qui succède à l'instant où l'on croit avoir élucidé un mystère, n'est autre que l'inconnu.

TROISIÈME PARTIE

– Ah, j'avais donc raison, en réalité, votre histoire, c'est celle d'Alice ! s'exclame M. Mayawati avec un large sourire. D'Alice qui résout l'affaire Katherine Carr, poursuit-il en riant. Excellent ! Alice devait être contente d'elle.

Des perroquets s'envolent des arbres et survolent la rivière, effrayés par quelque chose qu'ils pressentent ou qu'ils voient, mais qui reste invisible pour moi.

M. Mayawati suit leur vol des yeux, en murmurant :

– C'est tout de même triste, non, que Katherine ait été la victime de ce Maldrow ?

Il tire de sa poche un mouchoir blanc immaculé et s'éponge le cou, le visage.

– Il n'empêche, Alice devait être contente d'elle quand elle a compris que Maldrow et l'inconnu ne faisaient qu'un.

Il rit à gorge déployée, très fort, on croirait entendre une grosse caisse.

– Très maligne, Alice. Et très malin dénouement, non ?

– Classique.

Son expression change. Maintenant, il a l'air de quelqu'un qui se croyait très intelligent, mais qui n'en est plus si sûr.

– Classique ? s'étonne-t-il. En quel sens ?

– Au sens où le héros présumé se révèle être le méchant depuis le début.

– Comme Maldrow trahissant Katherine, avance M. Mayawati d'un air songeur. Ah, oui. Classique.

Il remet son mouchoir dans sa poche, mais tout aussitôt son visage se couvre de nouveau de minuscules perles de sueur.

– Cela étant, il faut bien trouver une fin, n'est-ce pas ? questionne-t-il, emporté par un élan de profonde tristesse. Comment faire quand on arrive au bout d'une histoire ?

– Sauf que nous n'y sommes pas encore, lui dis-je.

M. Mayawati est franchement surpris.

– Ah bon ? Alice n'a pas trouvé la…

– Non.

Je regarde devant moi, au-delà de la proue du bateau qui s'élève doucement, l'endroit où le poteau rouge indique le terme de ce voyage dans les régions de l'intérieur.

– Le mystère ne s'arrête pas là.

– Le mystère ne s'arrête pas là ? répète M. Mayawati, ôtant son chapeau pour s'éventer avec. Donc, le dénouement de l'histoire de Katherine est mieux que celui que la petite Alice pensait avoir découvert ? Il est mieux ?

– Tout dépend pour qui, lui dis-je.

M. Mayawati jette lui aussi un coup d'œil vers la proue et le cours de plus en plus étroit de la rivière.

– Mais c'est que nous allons bientôt arriver à la station centrale, objecte-t-il avec un brin d'impatience. Il faut que je me prépare.

– Faites.

Il semble croire que, sans le vouloir, il m'a vexé.

– N'allez pas penser que je ne veuille pas entendre la suite de l'histoire, m'assure-t-il. C'est seulement qu'il ne me reste pas que du temps à tuer.

– Pas que du temps à tuer. Non.

– J'ai très envie de connaître la fin, s'empresse d'ajouter M. Mayawati.

Alors, en un large mouvement empreint d'aimable complaisance, il se laisse doucement retomber dans son transat, lève les jambes et cale ses pieds sur le bastingage rouillé du bateau.

– Allez-y, racontez-moi la suite de l'histoire de Katherine. Ou plutôt celle d'Alice, comme je le soupçonne.

– C'est la leur à toutes les deux, lui dis-je.

M. Mayawati croise ses grosses mains derrière sa tête qu'il incline sous leur suante coupe.

– Continuez, soupire-t-il, je vous en prie.

18

– Vous vous intéressez beaucoup aux murailles, me fit observer Arlo alors que nous marchions dans Main Street, le lendemain matin. Ça m'a frappé dans votre livre.

Il avait raison. Les murailles m'intriguaient depuis toujours. Certains auteurs de récits de voyages se passionnaient pour les donjons, les châteaux, les cimetières, les trouvant plus inspirants que d'autres constructions. Pour moi, ainsi que l'avait fort judicieusement relevé Arlo, c'étaient les murailles. Je me souvenais encore de celles d'Avila, épaisses et défensives, gigantesque bouclier qui se dressait dans une plaine désertique, de celles de Londonderry, grises et impénétrables, comme les haines religieuses qu'elles canalisaient à la fois à l'extérieur et à l'intérieur. Les murets déchiquetés d'Inishmore reflétaient la pauvreté de l'île, travail colossal exécuté par un froid qui transperçait jusqu'aux os, sans autre but que la simple survie. J'avais même aimé des murailles tombées, celles de Loudun, par exemple, cette ville où, autrefois, un sceptique et un prêtre inquisiteur s'étaient retrouvés assis dans la même salle, comme l'écrit Huxley, mais pas dans le même univers.

– Pourquoi cela, George ?

– Je suppose que c'est parce que je les trouve très réelles.

– Il va de soi que certaines sont invisibles. Les murailles mentales.

Comme nous atteignions le kiosque à musique et prenions place sur un des bancs juste en face, je repensai à ma soirée de la veille, à la triste révélation qu'avait eue Alice de la turpitude de Maldrow, de la lente torture à laquelle il aurait soumis Katherine.

– J'avais fait un blocage au sujet de Maldrow, dis-je. Il ne m'était jamais venu à l'idée qu'il pouvait être l'inconnu.

– Qui pense cela ? demanda Arlo.

– Alice.

Je me rendais compte que ce rebondissement mélo-dramatique pouvait laisser sceptique, ce que j'expliquais à Arlo, mais je craignais qu'il n'ait profondément ému Alice en exacerbant le jeu du chat et de la souris que nous inflige la cruauté de la vie.

– Mais la vie est cruelle par définition, fit observer Arlo.

– Certes, approuvai-je, mais je ne pense pas qu'une enfant sur le point de mourir ait besoin qu'on le lui rappelle.

– Alors comment avez-vous réagi ?

– Je lui ai rappelé que l'histoire de Katherine Carr n'était qu'une fiction. Que rien ne prouvait qu'il y ait quoi que ce soit de vrai.

Arlo me décocha un regard noir.

– En ce cas, où est Katherine ? me demanda-t-il.

– Je n'en sais rien. Nul ne le sait, et nul ne le saura jamais.

Arlo ne disconvint pas du bien-fondé de cette tragique conclusion, et nous changeâmes de conversation, évoquant alors l'arrestation de Maizey, affaire qu'il ne se serait jamais attendu à voir élucidée. Puis, de but en blanc, il me dit :

– Nous en reparlerons demain.

Il ne m'avait encore jamais proposé de rendez-vous, et je me demandais pourquoi il décidait de le faire.

– Au restaurant, vers midi ? ajouta-t-il.

– D'accord.

Sur ce, il se leva et s'éloigna dans le parc où, remarquai-je, il s'attarda devant la petite grotte de rocaille.

Comme je détournais le regard vers la rivière, mon portable sonna.

– George ? Wyatt. J'ai un sujet pour toi.

Je supposai que ledit sujet concernerait l'ouverture d'un nouveau commerce, un chien perdu, ou peut-être le retour inattendu d'un chat qui avait disparu depuis des jours, des mois, des années.

– Hugo Tanner a souhaité être incinéré, poursuivit Wyatt.

Je ne voyais pas l'intérêt médiatique de la chose.

– Il a demandé que ses cendres soient dispersées, expliqua-t-il, et j'ai pensé que tu étais tout indiqué pour le faire.

– Moi ? Pourquoi ? Je le connaissais à peine.

– Bah, il n'a désigné personne, et comme c'est toi qui as rédigé son portrait, j'ai pensé que si tu acceptais de t'occuper de sa nécro, ça ferait une bonne fin, avec toi portant ses cendres et les jetant aux quatre vents.

Il avait raison. Une sombre scène de dispersion de cendres était une conclusion tombée du ciel pour une nécrologie. Le problème pour moi, c'était que j'avais toujours considéré que ce genre de rituel était la parfaite illustration de la vaine tentative de créatures de passage pour combler leur fringale d'immortalité : mêler leurs restes réduits en poussière à l'immuabilité d'une planète qui, en vérité, ne l'était pas, elle non plus, tant que ça, immuable. Que Hugo, étant donné la folle quête de son âme, ait eu envie de recourir à ce subterfuge mystique ne me surprenait pas. Il ne devait pas y avoir une voie tortueuse, aussi catastrophique soit-elle, que cet illuminé n'ait suivie jusqu'au bout, la moindre ânerie paranormale devenant, sous l'éclairage de sa logique tordue, digne d'être étudiée à fond. Pourtant, ç'avait été un homme plutôt sympathique, étonnamment dépourvu de la moindre parcelle de fourberie, et qui avait eu la générosité de m'autoriser à écrire mon article sur lui en dépit du froid scepticisme qu'il avait dû percevoir dans mon regard.

– D'accord, dis-je à Wyatt. Je le ferai.

– Tu pourras récupérer ses cendres demain matin. Elles seront chez Robinson's.

– Où veut-il qu'elles soient éparpillées ?

– Dans la rivière. À la petite chapelle creusée dans la roche.

Je jetai un coup d'œil vers cet endroit, m'attendant à y voir encore Arlo, mais il avait disparu.

– La grotte ? m'étonnai-je. Pourquoi là-bas ?

– Va savoir ! rétorqua Wyatt. L'air. L'eau. Les éléments. La logique n'était pas le fort de Tanner.

Hugo Tanner se considérait lui-même comme un esprit curieux, et le lendemain matin, en allant chercher ses cendres, je repensai à la manière dont il m'avait accueilli à sa porte et prié d'entrer dans son Sanctuaire.

Ça n'était ni plus ni moins qu'un ancien corps de ferme, composé de son traditionnel dédale de minuscules pièces. Il était doté d'une grande véranda fermée où, autrefois, des vagabonds trouvaient refuge pour la nuit. Hugo affirmait que des voyageurs, parfois, s'y arrêtaient encore, raison pour laquelle il y laissait en permanence une cuvette en porcelaine, des serviettes propres, ainsi que des sachets de Beef Jerky[1] et une boîte de crackers Ritz.

Infatigable fouineur de la décharge publique, il y allait presque chaque jour glaner vêtements, meubles, bouteilles et ustensiles de cuisine. De ces monticules puants, il récupérait, disait-on, tout ce dont il avait besoin, hormis sa nourriture qu'il achetait en quantités industrielles : énormes boîtes de ketchup, par exemple, packs de gros bocaux de haricots verts et de maïs, grands sacs de viande hachée surgelée pour familles nombreuses. Il avait flirté avec le végétarisme, m'avait-il raconté, et, brièvement, le végétalisme, expérience qui lui avait simplement appris qu'il était un incorrigible omnivore. Hugo n'avait pas non plus fait preuve de bienveillance particulière envers les animaux qu'il ne mangeait pas. Il écrasait les mouches avec un délicieux abandon, et à un moment, pendant l'interview, il abattit un livre sur un cafard qui décampait.

– Je ne suis pas un foutu hippie, bougonna-t-il dès que j'eus sorti mon carnet. Surtout soyez très clair là-dessus. Je ne suis pas un hippie, je suis un scientifique !

Mais ce n'était qu'à de pseudo-sciences que Hugo Tanner s'était intéressé, aberrante fascination pour

1. Lamelles de bœuf séché épicées servies à l'apéritif.

d'improbables formes d'énergie cosmique ou le pouvoir de guérison de divers rayons de lumière. Il m'avait expliqué avoir étudié l'hypnose et les communications paranormales.

– Je vais là où d'autres n'osent s'aventurer, avait-il énoncé, non sans emphase. Dans le Non-Visible.

Sans oublier les fantômes, évidemment, qui tous, à en croire Hugo Tanner, erraient sans repos. Il les appelait les Résiduels, lesquels, selon lui, étaient créés par une force qu'il nommait l'Indéterminé, une énergie produite par le chagrin laissé par leurs meurtres s'ils n'étaient pas élucidés.

– Il n'y a pas de Résiduel heureux, m'avait-il assuré. Leur substance s'est formée à partir de la violence de leur mort, et leur but est d'obtenir réparation, de redresser les torts. Je ne suis pas New Age, George, avait-il ajouté avec un sourire. Je suis Dark Age.

Malgré tout, je savais que j'avais oublié beaucoup de choses au sujet de Hugo Tanner, aussi décidai-je de retourner visiter sa maison pour me refaire une idée des lieux et, par là même, de lui, avant d'écrire la nécrologie dont Wyatt m'avait chargé.

Tanner se targuait de ne jamais fermer sa porte à clé parce que, chez lui, disait-il, il n'y avait rien à voler, aussi ne fus-je nullement surpris de pénétrer cette fois encore sans encombre dans son Sanctuaire.

Rien n'avait changé depuis trois ans que j'avais rédigé son portrait. Je vis toujours le même désordre, les mêmes piles de livres et de revues, le même matériel à la Dr Frankenstein, le tout éparpillé un peu partout sans que rien ne laisse penser que Hugo Tanner ait jamais fait la différence entre une cuisine, un salon, une chambre et un laboratoire de recherche.

J'errai parmi les pièces en imaginant les longues heures qu'il avait dû y passer en poursuites chimériques. Les voisins avaient remarqué depuis longtemps que les lumières de chez lui restaient souvent allumées toute la nuit, aussi ne doutait-on pas qu'il consacrait ses insomnies à ses recherches pseudo-scientifiques avec le zèle d'un savant fou. Dans une salle, je tombai sur des bocaux contenant des parties d'animaux flottant dans du formol, ainsi qu'une vaste collection d'os minuscules – d'oiseaux pour la plupart – au côté de nombreux spécimens d'écureuils et de souris. Il s'était fâcheusement essayé à la taxidermie et à la reconstruction de squelettes, espérant peut-être découvrir la petite place où était enfermée cette étincelle de vie dont il m'avait parlé au cours de l'interview, qui, chez les êtres humains, devenait l'âme. Une autre pièce abritait toute sa collection de plantes et de graines, superposition de plateaux débordant de végétation flétrie, amalgame généralisé allant de l'orchidée à la laitue, mais ne portant que peu d'étiquettes qui permettaient d'identifier la nature originelle de ces organismes morts.

Je trouvai des vestiges d'autres expériences : des peaux d'animaux desséchées pendues à des réseaux de cordes grises, une innombrable collection de ce qui paraissait être des échantillons de sols. Tout au fond de la maison, j'ouvris une porte et tombai sur une multitude de modèles d'étude en plastique de diverses parties du corps humain, de ceux qu'on voit dans les cabinets des médecins ou dans des fabriques de mannequins. La Femme Visible et l'Homme Visible[1] semblaient se

---

1. Dans les années 90, un condamné à mort fait don de son corps à la médecine. On congèle le corps et on le tranche en fines lamelles d'un millimètre d'épaisseur. Entre chaque lamelle, on photographie le corps.

donner la main, le modèle réduit d'un fœtus humain posé à leurs pieds.

Cette visite ne m'apprit rien de plus, mais elle me permit au moins de me refaire une idée du contexte dans lequel Hugo Tanner avait vécu, et ne serait-ce que pour cette raison, elle n'avait pas été inutile. Je repartis vers le vestibule, jetant machinalement au passage un coup d'œil dans l'une de ses nombreuses penderies débordant de vêtements, et ce fut alors que je le vis, dans la pénombre de ce fatras indescriptible.

Un ciré jaune.

La paralysie momentanée, ça existe : non seulement on ressent la froide stupeur d'un choc brutal, mais aussi que, du même coup, sa vie vole en éclats face à une coïncidence si peu probable qu'elle semble à la fois impossible et tramée depuis la nuit des temps.

J'ai pensé : *C'était lui !*

Mes doigts se mirent à trembler, mes genoux, puis tous mes membres, jusqu'à chaque parcelle de mon corps. La perspective qui s'offrait à moi était à la fois trop horrible et trop pleine d'étranges espérances pour un seul homme.

Je ne saurais dire exactement à quel moment, mais je me revois m'avancer vers la porte ouverte de la penderie pleine à craquer et la fine tranche jaune vif qui scintillait parmi de ternes lainages qui la recouvraient presque.

Là, j'écartai les autres manteaux et vestes qu'il avait récupérés à la décharge publique depuis des années,

---

Résultat : un homme virtuel en 3-D qui permet de voir l'anatomie humaine. Une habitante du Maryland qui, elle aussi, avait fait don de son corps à la médecine, a subi le même traitement. La «Femme visible» et l'«Homme visible» sont des créations de la Bibliothèque nationale de médecine des États-Unis. Elles sont plus particulièrement destinées aux chercheurs et aux étudiants en médecine.

tendis la main vers le ciré et, avec une curieuse et troublante tendresse, le sortis et le serrai, un peu comme un enfant mort, entre mes bras.

Enfin, je le brandis bien haut et le fis tournoyer lentement à la lumière, d'abord en l'ayant ouvert, ensuite retourné à l'envers. Que cherchais-je ? Le nom du propriétaire cousu sur la doublure, ou écrit au stylo à bille à l'intérieur du col. Ou une minuscule trace de sang ? Un ultime contact avec Teddy.

Je ne trouvai rien de tout cela. L'étiquette était décousue. Aucun nom n'était écrit dessus. Je ne vis aucune trace de sang. Je finis par fouiller les poches, à présent à la recherche d'un bout de papier, d'une carte, d'une clé, peut-être même du petit sifflet rossignol rouge que Teddy avait emporté ce matin-là, babiole que je lui avais rapportée de Cracovie.

Mais il n'y avait rien, et dans le sillage de ce vide, j'acceptai pleinement et pour la première fois que je ne saurais jamais ce qu'on avait fait à mon petit garçon, ni qui le lui avait fait.

Sur cette résignation, je remis le ciré jaune à sa place parmi les autres vêtements récupérés par Hugo Tanner, et regagnai ma voiture. Là, je pris le temps de me retourner une dernière fois vers la maison, et ce fut encore pour mieux ressentir ce qui m'avait si ému quelques instants plus tôt.

La cendre à la cendre, songeai-je, puis je mis le contact et repartis pour Winthrop, pour le Salon funéraire Robinson's, où celles de Hugo Tanner m'attendaient déjà.

19

Charlie Wilkins attendait lui aussi, mais pas mon arrivée. Je le trouvai affalé sur le pare-chocs arrière de sa voiture comme je sortais du Salon funéraire quelques minutes plus tard.

– Qu'est-ce que tu viens faire ici ? demandai-je.

– Me rancarder sur les dispositions prises pour les obsèques de Warren Maizey.

– Il est mort ?

– Non, mais ça ne saurait tarder.

– Pourquoi ?

– Le foie. Rongé par un cancer, répondit Charlie avec un haussement d'épaules. Du coup, j'ai pensé faire un papier sur un type comme lui une fois qu'il a cassé sa pipe. Un mec haï de tous. Tu vois le topo : y aura-t-il des fleurs, qui viendra voir ce salaud, un entrefilet tranche de vie, quoi.

« Entrefilet tranche de vie » était une expression inventée par Charlie pour décrire exactement le genre d'article qu'il aimait le plus : courts, nécessitant peu de travail de recherche, mais avec un angle d'attaque un peu décalé.

Il regarda la simple boîte en carton noire qui contenait les cendres de Hugo Tanner.

– J'ai appris que c'était toi qui allais les répandre, lança-t-il en souriant jusqu'aux oreilles. Je dois reconnaître que ça fera une superbe scène de fin de nécro. Toi au bord de la rivière, jetant les cendres de Hugo. C'est du lourd, George.

Il vérifia l'heure à sa montre.

– Bon, faut que j'y aille, dit-il. Je veux être dans les starting-blocks quand Maizey passera l'arme à gauche.

Sur ce, Charlie bondit sur ses pieds, et je m'éloignai jusqu'à ma voiture, les cendres de Hugo Tanner considérablement plus lourdes que je ne m'y étais attendu, comme si on y avait ajouté je ne sais quoi, tout le poids, imaginais-je, de son espoir fou que quelque chose, quelque part, qu'un triste Résiduel sûrement, puisse un jour s'employer à redresser les torts.

Je croisai plusieurs badauds sur la petite aire de pique-nique ce matin-là. Certains faisaient leur jogging au bord de l'eau, d'autres se prélassaient çà et là, lisant le journal. Personne ne me remarqua tandis que je m'écartais vers la grotte, puis tournais à gauche vers un endroit plus isolé. Je trouvai un coin de la berge caché à la vue de tous par une haute haie, et ce fut là que, sans cérémonie, sinon un adieu murmuré du bout des lèvres, je versai les cendres de Hugo Tanner dans la rivière.

Il était à peine plus de dix heures, et j'avais un petit creux. Je retournai à ma voiture, posai la boîte en carton vide sur le siège arrière, et pris la direction de Main Street.

Le gros de la clientèle du matin avait déserté le coffee shop, aussi n'eus-je aucune difficulté à trouver une table. De rares consommateurs s'attardaient encore à différentes tables, mais le temps que je termine mon petit déjeuner, même eux étaient partis, si bien que je restai un moment assis, seul et en paix, finissant tranquillement mon deuxième café.

En de pareils moments, l'esprit peut superbement larguer les amarres, pensées et souvenirs s'enroulant les uns autour des autres comme des entrelacs de peinture sur une toile. Ce matin-là, je me laissai gagner par cette rêverie familière, Celeste et Teddy y côtoyant volontiers mon père, ma mère, les lieux que j'avais visités, mes vieilles escapades. Des voix s'élevèrent de leurs puits sans fond. J'entendis Max : *N'oublie jamais le Non-Visible,* puis mon père : *Pourquoi sommes-nous là, Georgie ?* J'entendis ma mère réciter son rosaire entre ses dents, puis l'inexplicable «*À tout à l'heure, Marco Polo*» de Celeste quand on la poussa sur son chariot dans la salle d'accouchement. J'entendis Teddy me demander si j'irais le chercher à l'arrêt du car si jamais il pleuvait, et, avec ma vieille douleur toujours aussi vive, ma promesse de le faire : *Ne t'inquiète pas, je serai là.* J'entendis même la curieuse réflexion de Cody : *Il suffit de donner un petit tour d'écrou, et n'importe qui peut faire n'importe quoi.* Puis, comme sous la forme d'un sévère rappel, j'entendis la femme qui se trouvait dans ce même coffee shop quelques jours plus tôt, un livre à la main : *Il y a un moment dans la vie où nous commettons tous de lourdes erreurs.*

Ce ne fut sur aucune de ces remarques que je m'arrêtai à cet instant-là, mais sur une photographie. Je l'avais sans doute regardée des centaines de fois mais, ce jour-là, je remarquai la date qui figurait sur la petite plaque en laiton fixée dessous : *1988.* Cette photo ressemblait aux quelques autres qui étaient accrochées au mur du coffee shop, toutes prises depuis le même endroit : un refuge sur la chaussée à l'est de Main Street là où la rue se terminait devant le parc. Certaines étaient anciennes et montraient Winthrop en couleurs sépia, aux rues non pavées encombrées de chevaux, de bogheis et de passants vêtus à la mode de l'époque. La photographie qui avait été prise en 1988 montrait l'animation de la rue, ses petites boutiques, le parc rénové depuis peu. La petite grotte de rocaille, au bord de la rivière, était semblable à ce qu'elle était aujourd'hui, mais une vingtaine d'années en arrière, la haie derrière laquelle je m'étais dissimulé un peu plus tôt pour répandre dans l'eau les cendres de Hugo Tanner n'existait pas encore.

Dans ce décor familier, un détail attira mon attention. Deux décennies auparavant, Main Street s'étendait un peu plus vers l'est. Un magasin de vêtements se trouvait à l'endroit de l'actuelle entrée du parc, et à côté, une petite épicerie, puis un bâtiment délabré aux fenêtres duquel je distinguai vaguement les formes sanguinolentes et peu ragoûtantes de deux quartiers de bœuf.

Un abattoir.

Mon regard se riva sur ce local, se focalisa dessus, comme si une voix résonnait dans ma tête, aussi réelle qu'un doigt tendu – *Regarde par là !* –, et à ces mots, je repensai au tablier blanc pendu dans l'entrée de la maison où Maldrow avait entraîné la Katherine de l'histoire, peut-être sa maison à lui, soit dans la réalité, soit dans la fiction imaginée par Katherine Carr, un tablier blanc taché de sang. Puis je réentendis Cody me dire avoir attendu le bus 34, celui qui passait devant l'ancien abattoir, et que l'homme que Katherine Carr avait aperçu dans le parc donnait l'impression de « tuer le temps », avant de se rendre à son travail.

Je repensai alors au moment où, la veille au soir, Alice avait laissé tomber d'un air cafardeux : « Maldrow n'est autre que l'inconnu », déduction qui n'avait fait que porter un coup à son moral déjà défaillant.

Mais à présent, je me demandais si l'histoire de Katherine Carr ne nous lançait pas tout bonnement sur une fausse piste pour mieux nous détourner du véritable inconnu en lui substituant cette doublure qu'elle avait aperçue un jour dans un parc public, et dont l'allure générale avait enflammé son imagination, l'avait incitée à s'emparer de lui pour en faire un personnage qu'elle pourrait cerner et approfondir. Si cela était le cas, songeais-je, qu'aurait-elle fait ensuite ? Je n'avais aucun moyen de le savoir, mais en tant qu'écrivain, je savais ce que, moi, j'aurais fait. J'aurais suivi cet homme, essayé d'entendre sa voix, de découvrir où il habitait et je m'y serais rendu. Il semblait au moins possible que Katherine Carr l'ait fait, elle aussi. Mais le plus troublant de tout était qu'Alice avait naturellement assimilé la Katherine de l'histoire à la vraie Katherine Carr, aussi fallait-il tracer une ligne de partage entre ce que celle-ci avait réellement vécu et ce qui était le fruit de son imagination. Il me semblait donc que si je parvenais à démontrer que l'histoire qu'elle avait écrite était une fiction pure, que sa disparition dans la réalité n'avait aucun lien avec celle-ci, je pourrais lire la suite sans craindre que les tristes ténèbres qu'elle avait imaginées pour ses derniers jours n'assombrissent aussi ceux d'Alice.

– Le père Fuller était propriétaire de cet abattoir, m'apprit Wyatt quelques minutes plus tard. Il était furax quand la ville l'en a exproprié.

– Où puis-je le trouver ? J'aimerais lui parler.

– Il est mort depuis dix ans.

Wyatt me considérait d'un air dubitatif, voire inquiet, comme s'il se demandait si je ne commençais pas à dérailler.

– De quoi s'agit-il, George ?

– Juste un point que je voudrais approfondir. Il avait des employés ?

Wyatt s'enfonça dans son siège et croisa les bras. Sa méfiance s'accentua.

– Il prenait toujours un apprenti, répondit-il du bout des lèvres, comme quelqu'un qui donnerait un renseignement à une source qu'il jugerait soudain peu fiable. Fuller ne pouvait pas tenir cet établissement seul, et il n'avait pas d'enfant qui aurait pu le seconder.

– Tu saurais, par hasard, qui cela pouvait être en 1988 ?

Wyatt secoua la tête, me regardant à présent d'un air imperturbable.

– Je t'accorde que je suis un passionné de l'histoire de la ville, George, mais tout de même pas l'encyclopédie vivante de Winthrop.

– Oui, bien sûr.

Je m'apprêtai à me lever, mais Wyatt m'arrêta par une question.

– Pourquoi t'intéresses-tu à quelqu'un qui aurait travaillé pour le père Fuller il y a vingt ans ?

– Oh, à cause d'un texte que je lis en ce moment. L'histoire écrite par Katherine Carr. Le fils de son amie – celui qui dormait dans la voiture quand elle s'est fait agresser – m'a raconté qu'un jour, elle avait remarqué un type dans le parc, qu'il avait l'air de tuer le temps avant d'aller au travail. Dans le récit, le personnage de Katherine se rend dans une maison où elle voit un tablier maculé de sang.

– Donc, tu penses que ça pourrait être celui d'un gars qui travaillait à l'ancien abattoir près du parc ?

Je haussai les épaules.

– C'est sûrement une fausse piste.

Tout de même, Wyatt était intrigué.

– Ce que je sais, dit-il, c'est que le père Fuller possédait une vieille maison au nord de la ville. Il lui arrivait de la louer à celui qu'il embauchait comme apprenti à l'abattoir. Une façon pour ce vieil homme de récupérer une partie du salaire qu'il lui versait. Si le type dont tu parles n'avait ni famille ni domicile, il est possible qu'il l'ait louée.

– Elle existe toujours, cette maison ?

– Ouais, elle est toujours là. J'y étais allé il y a quelques années, quand un groupe immobilier s'est intéressé à cette propriété, mais la municipalité a préempté.

– Tu y étais entré ?

– Non, j'avais trop peur que le toit me tombe dessus. C'est tout juste une bicoque aujourd'hui, il ne reste plus que les quatre murs, tout a été saccagé.

– Comment je fais pour m'y rendre ?

– Facile. Tu prends la Route 34, et tu tournes à l'ancien abattoir.

Vingt ans après, la maison que le père Fuller louait parfois à celui qui travaillait pour lui se trouvait dans une zone encore essentiellement rurale : une région de petites fermes parfois bordées par un vaste domaine, la résidence secondaire d'un riche New-Yorkais ou une demeure de nabab attestant de l'histoire d'une réussite locale. Les fermes étaient proprettes, les villas luxueuses, du moins d'après les critères de Winthrop, mais ce n'étaient ni les unes ni les autres qui retenaient mon attention. J'étais à la recherche des restes de l'ancien abattoir et, au-delà, selon les indications de Wyatt, d'une route non pavée qui s'enfonçait dans l'épaisseur de la forêt.

Je la trouvai rapidement et la suivis jusqu'à une trouée entre les arbres qui révéla une petite maison de bois presque totalement en ruine, à la peinture extérieure délavée, aux fenêtres arrachées, au toit dépouillé de certains bardeaux et à l'étroite véranda dépourvue de presque tous ses montants.

Je restai un moment dans ma voiture à regarder cette bicoque, me demandant si ce pouvait être réellement celle évoquée par Katherine Carr. La description qu'elle en avait faite était particulièrement sinistre – pour ne pas dire macabre –, et j'étais persuadé que c'était le fait de l'avoir lue qui me donnait à présent la sensation qu'il y avait à l'intérieur une présence vivante qui faisait froid dans le dos, ou, plus étrange encore, que la maison elle-même était toujours plongée dans la profonde malveillance dépeinte par Katherine Carr, au point que je me dis qu'elle avait forcément dû venir là, comme le ferait n'importe quel écrivain, et prendre des notes à partir desquelles elle avait ensuite écrit sa description des lieux.

Qu'elle y soit ou non vraiment venue, je ne serais jamais en mesure de le savoir, songeais-je, étant donné que cette maison avait dû avoir de nombreux occupants au cours des vingt dernières années, des gens qui avaient pu abattre des cloisons, ajouter des pièces, procéder à de multiples modifications de sorte que même si Katherine Carr y était entrée, l'image qu'elle en avait donnée avait toutes les chances de ne plus être d'actualité.

En tout état de cause, cette maison telle qu'elle était demeurait le seul élément concret à partir duquel je pouvais travailler, visiblement laissée à l'abandon, toute disposée à ce que je l'inspecte ; alors, au bout d'un moment, je descendis de voiture et parcourus l'allée en ciment parsemée d'herbes folles qui menait à l'entrée.

Maldrow avait trouvé la porte fermée, mais devant moi, elle était grande ouverte, si bien que je ne me fis pas du tout l'effet d'être un intrus quand j'en franchis le seuil, et, comme la Katherine de l'histoire, m'immobilisai un bref instant dans l'entrée, regardant autour de moi, ne cherchant rien de particulier, sauf à m'imprégner de l'atmosphère du lieu.

C'était là, dans cette entrée, qu'elle avait vu un tablier blanc taché de sang pendu à côté de la porte, mais à présent je ne voyais aucune patère à laquelle accrocher un quelconque vêtement. Je quittai donc ce petit vestibule et entrai dans ce qui, de toute évidence, avait servi de salon. Il était vide, hormis un vieux canapé depuis longtemps sans coussins, au rembourrage pourri, dont il ne restait plus grand-chose à part son armature métallique et quelques lambeaux de tissu moisi.

Je passai dans la cuisine. Les endroits où le linoléum était décoloré indiquaient les anciens emplacements d'une cuisinière et d'un réfrigérateur. L'évier était toujours là, mais presque entièrement rongé par la rouille, et à la place des robinets ne restaient plus que deux trous ronds au pied du bec.

C'était dans la chambre que Katherine avait affronté le mal absolu, non sous forme humaine mais celle de dissonantes énergies.

J'hésitai un court instant sur le seuil de cette pièce, puis je m'avançai jusqu'au centre et tournai moi aussi lentement sur moi-même, englobant du regard les murs, l'unique fenêtre et pour finir de nouveau la porte où, tout à coup, elle apparut, sa silhouette se découpant à contre-jour face à la fenêtre derrière elle, son visage dans l'ombre, ses yeux de personnage de film d'épouvante luisant dans la pénombre comme ceux d'un chat.

– Je ne voulais pas vous effrayer, dit-elle, ce qui me fit comprendre que mon sursaut ne lui avait pas échappé.

– C'est vrai que vous m'avez fait peur, admis-je.

La femme hocha la tête sans rien dire.

– Je suis juste venu voir cette maison, expliquai-je. Elle appartient à l'État aujourd'hui, je ne cherchais pas à m'introduire dans une propriété privée.

La femme continuait de me regarder sans rien dire, sans ciller, la lumière s'accrochant aux cheveux argentés qui zébraient les quelques mèches souples sur ses oreilles.

– Je suis là parce que quelqu'un parle de cette maison dans un récit de fiction, ajoutai-je. Le personnage féminin raconte y être venue. J'ai pensé que l'auteur l'avait peut-être réellement fait. C'est fréquent chez les écrivains.

– Que cherchait-elle ? interrogea la femme.

Je ne m'étais pas posé la question, mais la réponse s'imposa à moi de manière aussi miraculeuse que la soudaine trouvaille d'une image littéraire.

– Le mal, répondis-je. Sa perception.

– On le perçoit dans la maison de l'horreur, me dit la femme d'un ton détaché.

– La maison de l'horreur ?

– Celle où Eden Taub a été assassinée. C'est le nom qu'on lui a donné dans le journal : la « maison de l'horreur ».

Curieusement, son regard se fit plus perçant, comme si elle s'apprêtait à me révéler une information capitale :

– On vient de l'arrêter, vous savez, celui qui a fait ça.

– Oui, je suis au courant.

– Les gens pensaient qu'on ne l'attraperait jamais, ajouta la femme.

– Parfois, ils ne se font jamais prendre.

La femme approuva d'un signe de tête.

– Regrettable, souffla-t-elle.

Je lançai un autre coup d'œil autour de moi dans la pièce, au papier peint en lambeaux, aux sombres taches d'humidité qui auréolaient le plafond, au rebord de la fenêtre, dernière demeure de phalènes, de mouches et d'araignées, et un je-ne-sais-quoi dans son aspect et son atmosphère imposa à mon esprit d'y reconnaître le pire que la vie puisse offrir, dans toute sa cruauté et toute sa dévastation, le massacre quotidien que la Nature infligeait aux insectes, aux hommes, et celui, contre nature, subi par toutes les Eden Taub du monde, ces pauvres infortunées que le hasard, et le hasard seul, livrait à leur violent destin entre les mains du mal à l'état pur, et qui mouraient sans doute exactement comme Hugo Tanner l'imaginait, dans les affres de l'Indéterminé.

– Ça doit faire longtemps que plus personne n'habite ici, dis-je.

– Oui, ça fait un bail, murmura la femme.

Elle n'ajouta rien de plus pendant que nous repartions par le couloir et regagnions l'entrée d'où, par la porte ouverte, je me complus soudain à imaginer la voiture de Maldrow exactement comme Katherine Carr l'avait décrite dans son récit, garée au bord du chemin, vieille berline poussiéreuse, la Katherine de l'histoire assise sur le siège passager, Maldrow au volant, attendant tous deux quelques secondes, tendus, avant d'en descendre et de suivre la petite allée jusqu'à la porte, Katherine étant soit la dupe d'un homme qu'elle avait réellement rencontré, ce que croyait Audrey, soit un personnage que l'ardente imagination de Katherine Carr avait créé de toutes pièces.

Pour autant, je me demandais toujours si ma première idée ne méritait pas que je m'y attarde : la question du tablier ensanglanté, l'abattoir qui se trouvait autrefois au bout de Main Street.

Je tournai la tête vers l'intérieur de la maison en ruine.

– Je suppose que vous n'avez pas entendu parler d'un homme qui a vécu ici il y a vingt ans ? demandai-je. Il est possible qu'il ait travaillé à l'abattoir de Winthrop.

Si j'avais été Archie Goodwin, cette question aurait sûrement conduit à des révélations, la femme devant moi aurait à coup sûr été elle-même témoin des événements relatés par Katherine dans la description de sa visite de ce jour-là, aurait effectivement aperçu une femme étrange s'avancer dans l'allée en terre battue, puis déambuler dans la maison. Dans ce genre d'histoire, une remarque en amenant une autre, un détail capital aurait été révélé, une piste qu'Archie Goodwin pourrait rapporter à Nero Wolfe, un pas de plus vers l'élucidation du mystère.

Mais la vie offre rarement de si belles solutions, et la femme me dit seulement :

– Il fait chaud ici, vous ne trouvez pas ?

– Oui, très chaud.

Sur ce, nous ressortîmes dans la cour, puis marchâmes en silence jusqu'à ma voiture. La femme s'attarda à côté de la portière pendant que je m'asseyais au volant, et j'espérais encore au dernier moment obtenir quelque chose d'elle, une miette qui me guiderait un peu plus loin sur le chemin.

– Bon, eh bien, ravi de vous avoir rencontrée, dis-je.

Elle s'écarta, puis soudain leva les yeux et s'exclama :

– Regardez !

Je vis un grand oiseau qui tournoyait au-dessus de nous, les ailes si déployées qu'on eût dit qu'elles touchaient les confins du ciel.

– C'est avec la chaleur qu'ils attaquent, ajouta-t-elle. Alors, on n'en réchappe pas.

Je la regardai, perplexe.

– Des faucons, poursuivit la femme, pointant le doigt vers le ciel. Celui-là, c'est un faucon pèlerin.

Je gardai les yeux fixés sur cet oiseau sombre qui dessinait lentement de grands cercles au-dessus de nos têtes, le petit reflet roux de ses plumes ventrales luisant par moments dans la lumière.

– Très beau, murmurai-je.

La femme approuva d'un signe de tête et tourna les talons.

– Au revoir, me lança-t-elle.

En repartant, je jetai un coup d'œil dans le rétroviseur, m'attendant à la voir immobile dans le jardin ou marchant vers la maison, mais, comme le personnage du poème préféré de Katherine Carr quand elle était petite, elle avait disparu si rapidement que plus tard, lorsque je repenserais à elle, je me demanderais si, comme la silhouette dans l'escalier, elle avait jamais été là.

20

– Déjà ? s'étonna Alice.

Je la tirai du sommeil, ça se voyait, mais même éveillée, une grande lassitude s'accrochait à elle, signe que ses derniers jours approchaient, que son cœur devenait irrémédiablement plus faible, que ses forces la quittaient.

– Tu trouves que c'est trop tôt ? Je peux revenir quand tu…

Elle se redressa petit à petit, et, au prix d'un ultime effort, leva un peu la tête.

– Qu'est-ce que vous avez fait aujourd'hui ? demanda-t-elle d'une toute petite voix, tout son être devenu soudain d'une fragilité inouïe.

– Eh bien, pour commencer, je crois avoir trouvé la maison – celle où la Katherine de l'histoire se rend, celle où Maldrow l'emmène. Donc, j'y suis allé. Il n'en reste que peu de chose. Rien qui mène quelque part, en tout cas.

Par ces mots, j'essayais simplement de ramener Alice à notre petit jeu d'Archie Goodwin et Nero Wolfe. J'avais même prévu de lui faire un fidèle récit de ma visite.

Mais Alice me dit simplement :

– J'ai peur de ce qui va arriver, George.

Elle voulait dire à Katherine Carr, peur de découvrir sa terrible fin, car elle était convaincue qu'elle s'était laissé prendre au piège de la toile malfaisante de Maldrow, que l'histoire qu'elle avait écrite n'était plus un simple mystère inoffensif, mais l'effrayante narration d'un véritable crime.

– On peut arrêter cette lecture si tu préfères, lui dis-je. On peut ne pas aller jusqu'à la fin. Rien ne nous y oblige.

Alice baissa les yeux vers ma serviette, puis les leva vers moi.

– Si, dit-elle.

– Tu es sûre ?

Alice opina de la tête.

– Oui, murmura-t-elle.

Ainsi, tels deux voyageurs embarqués sur le même bateau, nous poursuivîmes notre voyage.

MAINTENANT

– Je trouve que tu as très bien su la guider jusqu'au tout dernier moment, dit le Chef.

Maldrow déguste sa boisson à petites gorgées, repensant aux questions que Katherine a posées et aux réponses qu'il a faites.

– Très intelligemment, qui plus est, renchérit le Chef. Sans jamais lui mentir.

– J'avais peur de lui mentir.

– Pourquoi ?

– Parce que le moment venu, elle aurait pu nier les évidences.

– Ah oui, soupire le Chef. Les évidences, les preuves…

Maldrow revoit une ribambelle d'objets, souvenirs de leurs crimes de sang, arrachés à des corsages, à des mains, à des murs, pris dans les tiroirs de petites commodes en bois, barrettes, mèches de cheveux, tous porteurs de l'éternelle et récurrente panique de leurs anciens propriétaires.

Le Chef s'apprête à reprendre la parole, mais se ravise en voyant le serveur approcher.

Maldrow lit la mise en garde dans le regard que lui lance le Chef.

– Vos désirez autre chose ? demande le serveur en arrivant à leur table.

Maldrow lève son verre encore à moitié plein.

– Pas maintenant.

Le garçon le jauge d'un coup d'œil, puis s'éloigne.

– C'est si peu, ce que nous pouvons changer, soupire le chef.

Maldrow repasse dans son esprit le massacre sans fin, les tombes sans repos. Il voit Bobby Franks monter dans la berline noire, Loeb au volant, Leopold sur la banquette arrière, qui tripote le burin. Il voit Fish prendre la petite main blanche de Grace Budd dans la sienne. Il voit le reflet de la jeune Klara Jessmer dans les énormes lunettes de Joachim Kroll, András Pándy remplissant son réfrigérateur avec les morceaux des corps de quatre enfants. Il voit le corps d'Amelia étalé par terre dans la grange, le tissu déchiré exposant sa poitrine. Et pour finir, il voit Yenna s'enfoncer dans la ruelle obscure où Stanovich est posté dans un coin encore plus sombre.

Le Chef semble voir les mêmes choses que lui. Il surveille Maldrow du coin de l'œil, puis lui dit :

– On y est presque. Bientôt, ce sera le moment. Alors, terminons cet état des lieux.

Maldrow sait que le Chef a raison, que ce qui est fait est fait. Il boit une gorgée, puis repose son verre sur la table.

– Les dernières étapes, dit le Chef.

Maldrow tourne la tête vers la vitre du bar où son reflet se superpose à celui du Chef, les traits de l'un se fondant en une étrange transparence dans ceux de l'autre. Comme si c'étaient les siennes, il voit les lèvres du Chef s'entrouvrir pour formuler l'énumération finale.

– Amelia.

Maldrow la revoit cheminer dans la neige, le pot à lait vide balançant au bout de sa main, le feu de bois crépitant déjà dans le petit chalet à quelques mètres devant elle, qui marche en fredonnant, la petite croix en or qu'elle aime tant glissée sous le tissu de sa robe.

– Si innocente.

Elle entre dans la grange, avançant dans la pénombre.

– Et si injustement frappée par le sort.

La silhouette saute des chevrons, les bras écartés comme les ailes d'un oiseau de proie. Maldrow entend le bruit de la chute, puis le tissu qu'on déchire, le murmure du couteau qui fend l'air, le claquement sec de la chaînette quand la croix en or est arrachée du cou. Puis, comme de très haut, il voit le corps désarticulé tiré dans la neige et jeté dans la rivière prise dans les glaces qui ne l'a jamais rendu, si bien qu'il ne reste rien du cadavre de sa fille, à part…

– Les évidences, murmure le Chef. Les preuves…

Maldrow revoit la croix scintiller doucement dans la paume du Chef.

– Et maintenant…

Le Chef s'interrompt et attend la réponse qui s'impose.

– Katherine Carr, chuchote Maldrow.

– Dis-moi ce qu'il y a de bien chez elle, dit le Chef. Ce que le monde regrettera.

– Sa bonté, répond Maldrow. L'expression de son regard pendant que je lui parlais d'Amelia.

– Quelle était-elle ?

– Celle de quelqu'un qui connaît la vérité, répond Maldrow. Qu'on ne se remet jamais du meurtre d'un enfant.

Je levai les yeux vers Alice qui m'observait en silence. Un trouble étrange s'était diffusé dans ses traits, l'étincelle de son enthousiasme initial pour l'histoire de Katherine Carr s'était éteinte, la laissant comme vidée, sans éclat.

– Donc, la fille de Maldrow a été assassinée, dis-je. Le Chef a retrouvé le coupable et en a apporté la preuve à Maldrow. Cette petite croix en or.

Le visage d'Alice était toujours crispé en masque d'effroi.

– Ce n'est qu'un tissu de mensonges ! s'écriat-elle. Cette histoire, c'est un mensonge, celle au sujet d'Amelia.

Je restai abasourdi par cette vision noire du passage que je venais de lire.

– En ce cas, pourquoi Maldrow et le Chef en parleraient-ils ? soulignai-je.

J'eus l'impression que les yeux d'Alice se repliaient dans son visage, comme de petits animaux dans leurs terriers, reculant de plus en plus à l'approche d'un prédateur.

Pourtant, elle dit :

– Continuez.

AUPARAVANT

Nous traversâmes la ville, puis roulâmes le long des allées ombragées de la banlieue. Les propriétés étaient grandes, les pelouses vastes, et Maldrow regardait les maisons au passage, y jetant des coups d'œil rapides d'un air très concentré, comme un homme capable de voir à travers les murs et qui ne trouverait pas particulièrement extravagant de posséder cette faculté.

Nous continuâmes notre route, Maldrow toujours silencieux, mais je sentais grandir son agitation intérieure. C'était comme le grondement d'un orage lointain, le déferlement des vents et des marées. Il regardait droit devant lui, ce qui me paraissait aussi très calculé et très contrôlé.

– C'est là, finit-il par dire.

Il me montra un arrêt d'autobus, puis se gara en face.

– Le 34 ne devrait pas tarder à arriver, me dit-il.

– Le 34 ? Mais il retourne en ville.

Maldrow détourna le regard, comme pour mieux dissimuler les aspects périlleux d'une terrible mission.

– Très bien, dis-je.

Je descendis de voiture.

Je marchai jusqu'à l'arrêt d'autobus sans me retourner. Quand je l'atteignis, Maldrow avait disparu. Je m'assis sur le petit banc, seule dans cet endroit qui me paraissait désert, et attendis. À quelques mètres de là, une benne à ordures en métal vert trônait sur un lopin de terre envahi par la mauvaise herbe. Quelques moineaux se disputaient les détritus éparpillés tout autour, et juste au-dessus d'eux, perché sur une grosse branche, un gros corbeau regardait dans l'espace, immobile et hautain, indifférent à leurs petites guerres.

Il y avait peu de circulation dans ce quartier excentré, rien qu'une voiture qui passait de temps en temps, transportant tantôt toute une famille, tantôt un conducteur solitaire. Juste une fois, un homme seul ralentit au passage, me regardant du coin de l'œil, avec un sourire et un signe de tête, auxquels je répondis par un regard glacial.

Je vérifiai l'heure à ma montre. Il était tout juste six heures passées, les ombres du soir descendaient autour de moi, assombrissant tout.

Une vague de terreur me submergea, et j'aurais pu m'enfuir à toutes jambes, regagner le pays des ombres de mon ancienne vie, si le bus n'était arrivé juste à ce moment-là. Je montai, marchant dans l'allée centrale d'une démarche énergique, passant devant une jeune femme avec son bébé, deux jeunes filles en corsage blanc et jupe écossaise, et finalement un vieil homme à la barbe blanche assis, serrant le pommeau de sa canne en bois dans sa main tremblante.

Le bus partit vers la ville, et je me rendis compte que c'était dans ce quartier que Maldrow m'avait emmenée la veille : la grange, les champs, le lit d'un cours d'eau entre les arbres que je suivis vaguement des yeux jusqu'au moment où l'ancien abattoir apparut, le bus ralentissant peu à peu à mesure que nous nous en approchions jusqu'à finir par stopper et charger un autre passager.

Il était grand et maigre, portait une casquette de baseball devant derrière, comme un jeune frimeur.

– Pas trop tôt ! lança-t-il au chauffeur.

Tout mon être se crispa, et je sentis dans mes poumons l'oxygène devenir chaud et sec, comme si j'avais respiré une bouffée d'air du monde des damnés.

L'homme tendit le cou en grimpant, chancelant, et je vis la boule ronde de sa pomme d'Adam monter et descendre entre les ligaments protubérants de son cou.

Il s'assit vers l'avant, sa nuque restant la seule chose que je voyais de lui tandis que le bus redémarrait.

La femme au bébé descendit à l'arrêt suivant, et à celui d'après, ce fut au tour du vieil homme. Environ un kilomètre plus loin, les deux jeunes filles sortirent en riant sous le couvert de la nuit.

Le bus reprit sa route, l'homme à la casquette regardant devant lui, parfaitement immobile au point qu'on aurait presque pu croire qu'il était sans vie. Soudain, comme s'il s'était senti visé, il se retourna vers moi. Ses yeux brillaient et un fin sourire reptilien rampait sur ses lèvres. Il ne dit rien, mais j'entendais le moteur de sa malveillance tourner à plein régime, et voyais les horribles actes qu'il avait commis, le long supplice de celle dont il avait ligoté les mains, bâillonné la bouche avec de l'adhésif, attaché les chevilles aux pieds d'une chaise de cuisine, je le voyais tourner lentement autour d'elle en se pavanant, jetant goutte à goutte de l'essence sur son corps dénudé et tremblant, je voyais avec quel plaisir démoniaque il avait craqué l'allumette.

Je sentis mes genoux trembler, ma peau se liquéfier. J'eus la terrible sensation de me diluer. L'espace d'un instant, je sentis le bus pencher vers la droite, et mon être fluidifié se déverser, couler par terre comme un œuf cassé en deux. Puis le bus se redressa, comme sous l'impulsion d'une main invisible, et je me rendis compte que j'avais brièvement échappé à l'emprise du temps et que, durant cet instant suspendu, l'homme s'était levé et avançait vers moi.

– Vous auriez la monnaie d'un dollar ? demanda-t-il.

– Non, répondis-je.

– Votre visage m'est familier, dit-il.

Ses lèvres entrouvertes laissaient apparaître des dents irrégulières et jaunies.

– Ouais, familier, répéta-t-il d'un air soudain méfiant, comme quelqu'un qui entend tout à coup quelque chose remuer sous les braises du feu.

Il hocha vivement la tête et regagna sa place à l'avant du bus du côté du chauffeur. Il ne bougea plus de là, ne se retourna plus vers moi, et quand nous nous arrêtâmes dans le centre-ville, il descendit du bus si précipitamment qu'il parut pour ainsi dire se confondre avec l'homme qui attendait devant la porte ouverte, un homme paraissant plus jeune que le nombre de ses années, en costume sombre et cravate rouge sang.

– Bonsoir Katherine, dit Maldrow. Je suis venu te chercher pour te ramener chez nous.

Je levai les yeux sur Alice, en ayant l'impression qu'un froid prodigieux imprégnait soudain l'air autour de nous.

– C'est la fin de ce passage, dis-je tout bas.

Alice ne répondit rien, mais tourna la tête pour regarder la nuit au-dehors.

– Tu veux en discuter ou je continue de lire ? demandai-je.

Son regard obliqua vers moi.

– Je suis fatiguée, George. Je crois que je préférerais me reposer, murmura-t-elle, l'ombre d'un faible sourire ne flottant qu'un bref instant sur ses lèvres. Je suis désolée.

– Je t'en prie, protestai-je. Repose-toi. Je repasserai demain.

Le temps que je rassemble les feuilles, me dirige vers la porte et me retourne vers le lit, Alice regardait de nouveau vers la fenêtre. Elle fixait toujours un mur de nuit qu'elle devait trouver atrocement anonyme et indifférent à son sort, ce qui me fit repenser aux forces destructrices de la nature, si semblables aux tueurs de la liste de Katherine, comme eux cruelles massacreuses d'innocents, Alice n'étant qu'une de leurs impuissantes victimes, choisie au hasard, torturée pendant des mois, des années, puis brusquement, avec un haussement d'épaules désinvolte, réduite en cendres pour l'éternité.

Je fermai doucement la porte et m'éloignai dans le couloir. La plupart des chambres étaient ouvertes et, y jetant un coup d'œil au passage, je vis des patients couchés dans leur lit, certains inconscients, d'autres fixant d'un air apathique la télévision boulonnée au mur.

C'étaient, comme toujours, de tristes aperçus de la destinée humaine, mais ils n'avaient rien d'inhabituel, et ce fut la soudaine vision d'un policier en uniforme qui retint mon attention.

Il était jeune, sans doute une nouvelle recrue, et sortait d'une chambre, porté par la vigueur de sa jeunesse.

À l'infirmière, jeune elle aussi et plutôt jolie, qui se tenait à quelques mètres de là, il lança :

– Ce salaud est toujours en vie.

Elle l'attendit et tous deux allèrent s'adosser à l'angle du couloir d'où ne dépassaient qu'un bout d'épaule de l'uniforme du policier et le bas de la jupe de l'infirmière.

Ce salaud est toujours en vie.

L'écho de ces paroles m'arrêta dans mon élan, et je lus le nom qui figurait sur la porte de la chambre d'où le jeune policier venait de sortir : *Warren Maizey.*

Elle était entrouverte, m'offrant une vue étroite de l'intérieur de la pièce. J'apercevais le bas du lit, la vague forme de pieds et de jambes sous un drap.

J'hésitai, mais ma brève conversation avec la femme qui m'avait surpris dans la maison me revint en mémoire, ainsi que son allusion à la « maison de l'horreur » qu'elle était allée voir. Celle-là aussi était un endroit maléfique, c'est sûr, Maizey pas très différent des affreux criminels cités dans l'histoire de Katherine Carr, lesquels semblaient habiter, sinistres locataires, dans la tête de Maldrow, figures du mal à l'état pur. Curieusement, la Katherine fictive prétendait pouvoir sentir cette malveillance « bourdonner dans l'air », et il me vint à l'esprit que Warren Maizey sur son lit de mort m'offrirait peut-être l'occasion de me confronter à la présence réelle de ce mal inaltéré… s'il existait vraiment.

C'était une idée un peu loufoque, je n'en disconviens pas, mais je me dis *Qu'est-ce que tu risques ?*, et entrai dans la pièce.

21

– Bon Dieu, tu es entré dans la chambre de Maizey ?
s'écria Charlie, que réjouissait ce concours de circonstances. Tu as pu l'interviewer sur son lit de mort ?

– Ce n'était pas le but.

– Qu'est-ce que tu cherchais alors ?

Je repensai au dernier passage que j'avais lu de
l'histoire de Katherine Carr, à la sinistre possibilité
du véritable mal, terrible, omniprésent, qu'on pouvait
rencontrer sous des milliers de formes et dont elle avait
senti la décharge sur ses nerfs, entendu le bourdonnement sinistre dans sa tête.

– Le mal, répondis-je. Sa présence concrète. Katherine Carr disait qu'elle la percevait.

Charlie éclata de rire.

– Elle la percevait ?

– Comme quelque chose de réel. De non visible,
mais de réel.

Charlie repartit à rire.

– Elle n'était pas un peu givrée ta Katherine ?

– Peut-être bien, répondis-je. Mais elle n'est pas la
seule à sentir la présence du mal de cette façon.

Je repensai au soir où j'avais prévu de dîner avec
Sarah Byrne, une vieille amie de passage en ville, une

compagne de route dont les voyages, comme les miens, la menaient du côté obscur, encore que dans son cas, elle se spécialisait dans les tombes, la beauté de l'art mortuaire. J'avais engagé un baby-sitter pour Teddy qui avait trois ans à l'époque. Il m'avait été recommandé par des voisins, et arriva à l'heure. Une des lentilles de contact de Sarah était tombée par terre. Elle la retrouva et s'éclipsa dans la salle de bains pour la remettre. Pendant ce temps-là, je montrai la chambre de Teddy au baby-sitter, lui communiquai tous les numéros d'urgence utiles, tout ce qu'un parent fait avant de confier son enfant à un tiers. Teddy dormait à ce moment-là, et donc une fois que je lui eus donné ces conseils préliminaires, le jeune garçon était retourné au salon et s'était assis sur le canapé.

Un peu plus tard, Sarah revenait dans la pièce. Elle se tamponnait un œil, mais elle arrêta instantanément son geste et je vis son regard se fixer sur ce garçon silencieux, son expression devenir attentive, méfiante, inquiète, sans doute à cause de la manière qu'il avait d'être recroquevillé sur lui-même, de regarder dans le vide ou encore d'être assis les pieds en dedans. Ou bien était-ce la courbure de sa nuque, la ligne de son nez, le fait qu'il avait boutonné le col de sa chcmise qui l'alerta ? Ses chaussettes étaient-elles mal assorties ? Était-il trop maigre ? Sa pomme d'Adam trop proéminente ?

Sarah ne le sut jamais, ne put l'expliquer, appelait cela « le côté étrange », puis faisait remarquer en riant que, chez Truman Capote, tous les méchants avaient du poil aux oreilles. Peut-être, supposait-elle, était-ce un détail aussi bête que cela, mais quoi qu'il en soit, ce soir-là, ses signaux d'alarme se déclenchèrent, elle m'entraîna dans une autre pièce et me dit : « On ne sort plus, George. »

Je l'ai écoutée.

Trois mois plus tard, la nouvelle se répandit dans le quartier que ce garçon s'était fait arrêter pour exhibitionnisme devant un enfant dans le parc municipal.

Je n'avais plus repensé à cet incident depuis des années, mais à présent, assis, silencieux, face à Charlie, j'étais certain d'avoir moi aussi éprouvé une part du mauvais pressentiment de Sarah, des sombres intuitions de Katherine, et la sensation palpable d'avoir devant soi un être humain incontestablement mauvais.

– C'était arrivé à une de mes amies, indiquai-je, avant d'ajouter, après une brève hésitation : À moi aussi.

– À toi ? s'étonna Charlie. Quand ?

– Le jour de la disparition de Teddy.

Au moment où j'étais à la fenêtre, regardant la première vague de pluie déferler sur Jefferson Street, racontai-je à Charlie.

– J'ai vu un homme en ciré jaune, lui dis-je. Et sans savoir pourquoi, j'ai ressenti… comme une angoisse.

Mais parce qu'il faisait jour, que c'était le plein après-midi et qu'il pleuvait, parce qu'il me manquait la fin de ma phrase sur l'Estrémadure, je n'avais pas réellement prêté attention à lui pendant qu'il passait tranquillement devant chez moi, j'avais refoulé le malaise confus qui m'avait submergé et étais retourné m'asseoir à mon bureau.

– Mais tu n'en sais rien, n'est-ce pas ? demanda Charlie quand j'eus terminé mon récit. Je veux dire, tu n'es pas sûr que ce soit lui.

– Non, je n'en sais rien. Et je ne le saurai jamais.

Charlie dut voir encore la même vacuité s'installer en moi car il s'empressa de changer de conversation.

– Donc, tu n'as pas eu ton interview de Warren Maizey ? relança-t-il. Mais tu l'as vu, hein ?

– Oui.

– Alors ? À quoi ressemble-t-il ?

Il était couché sur le dos, rapportai-je à Charlie, le corps recouvert d'un simple drap blanc remonté jusqu'au menton. Contrairement à l'homme que la Katherine fictive avait rencontré dans le bus, il n'avait pas l'air famélique. Il n'était pas grand, pas du tout impressionnant. Tout le contraire, en fait : un vieillard à la barbe blanche, au visage qui avait dû être beau. Ses yeux étaient clos, ainsi que ses lèvres, le rythme de sa respiration était lent et régulier, celui d'un enfant qui dort.

– Et alors, qu'est-ce que tu as fait ? voulut savoir Charlie.

Pendant un moment, j'avais seulement attendu en regardant ce bonhomme bien en chair qui dormait paisiblement dans un lit, attendu comme quelqu'un qui espère une sorte de révélation. Mais aucune ne vint, si bien que, finalement, j'étais reparti de la chambre et m'étais dirigé vers la sortie, passant devant le policier et l'infirmière toujours sous le charme de leur jeunesse respective.

– Tu n'as donc rien obtenu de lui ? s'enquit Charlie. Aucun commentaire ? Aucune anecdote ?

Je secouai la tête.

– Seulement l'impression d'avoir fait une chose absurde.

Et pour être absurde, il l'était, pensais-je à présent, mon petit détour par la chambre de Warren Maizey, raison pour laquelle, le lendemain, au réveil, j'avais la sensation de m'être fait rouler, comme un homme qui, au mépris de son bon sens, parie ses économies de toute une vie sur un billet de loterie et, bien entendu, perd.

Charlie ne revint pas sur ma visite à Warren Maizey dans sa chambre d'hôpital. Nous parlâmes d'autre chose, de l'article qu'il écrivait sur la prostitution à Kingston, mais qu'il avait dû mettre de côté à cause d'une étrange disparition de personne.

– Qui a disparu ? demandai-je.

– Hollis Traylor. Il n'a plus donné signe de vie depuis quelques jours.

– C'est curieux. Je crois l'avoir vu avant-hier soir.

– Où ?

– Il passait en voiture devant chez moi.

Charlie partit à rire.

– Eh bien, il roule toujours ! s'exclama-t-il, avant d'ajouter, avec un petit sourire : Les gens, ça va, ça vient. Qui sait où ils partent ? C'est ça, le côté étrange quand quelqu'un disparaît, tu ne crois pas ? S'il ne laisse pas d'indice, on ne saura jamais où il est.

Le côté étrange.

Sarah avait employé la même expression, ce qui expliquait sans doute pourquoi je la tournai et retournai dans ma tête après avoir quitté Charlie quelques minutes plus tard, ce qui finit par me ramener à mon premier voyage au Kilimandjaro, à la lente ascension de son versant en pente douce que j'avais entreprise comme tant de jeunes Américains avant moi, avec un exemplaire de la nouvelle de Hemingway dans mon sac à dos.

Dans *Les Neiges du Kilimandjaro*, il est question d'un léopard dont on trouve la carcasse près du sommet de la montagne, à un endroit que les Masaï appellent *Ngàje Ngài*, la « Maison de Dieu ». Harry, le héros agonisant de Hemingway, se demande ce que ce léopard est venu chercher à pareille altitude, et étant donné la manière dont la question s'intègre au récit, le ton méditatif, de fin de vie, sur lequel il se la pose, il semble étrange que cet animal s'aventure si haut sur les versants du Kilimandjaro où il ne trouvera rien à manger, rien à chasser. Harry pense que c'est inexplicable, que c'est un des mystères insondables de l'existence, le côté étrange qui reste à jamais hors de notre portée.

En réalité, ainsi que je le découvrirais plus tard lors de cette première expédition au sommet du Kilimandjaro, la présence du félin dans les hauteurs de ses versants n'avait rien de mystérieux. Ça l'était même si peu qu'il avait suffi d'une question pour résoudre l'affaire. *Pourquoi, à votre avis, un léopard monterait-il si haut ?* Je l'avais posée à un guide local qui, en l'entendant, avait ri d'une façon qui montrait clairement qu'il connaissait la nouvelle de Hemingway et que d'autres naïfs dans mon genre la lui avaient posée. Il expliqua alors que ce léopard n'était jamais monté vers le sommet. Qu'il ne cherchait rien car il était mort depuis longtemps quand il avait atteint les hauteurs du Kilimandjaro. Les Masaï l'y avaient porté et laissé en sacrifice aux dieux de la montagne. C'était chose courante. Tout juste un rituel de superstition religieuse. Hemingway aurait pu résoudre le mystère de la quête du léopard en posant la question, tout simplement, m'avait dit le guide. Ou peut-être, avait-il poursuivi en riant de plus belle, l'avait-il fait, mais la réponse ne lui avait pas convenu parce qu'elle ne cadrait pas avec son histoire.

Probablement les deux, ai-je songé face au guide, puis plus tard en relatant cette expérience dans un article pour un magazine de voyages. À présent, je me demandais si le fait que Hemingway en ait fait une question presque mystique était la preuve d'un échec plus grand que seulement celui d'un écrivain qui, pour les besoins d'une fiction, décidait de déformer les faits. Peut-être, en dépit de son réalisme à tous crins, Hemingway s'était-il laissé séduire par un « côté étrange », ou du moins par la possibilité d'éléments invisibles de l'existence qui nous demeureraient inaccessibles, mais que des animaux pourraient percevoir, voire « chercher », comme les Burannis, par leurs rituels et leurs fêtes, sollicitaient l'intervention bienveillante de leur cher Kuri Lam.

Le problème, c'était que moi aussi je l'avais cherché, ce contact avec le Non-Visible, une quête qui m'avait propulsé dans la chambre d'hôpital de Warren Maizey. Mais qu'avais-je donc cru si ardemment découvrir dans cette pièce au point de ressentir maintenant la frustration de ne pas l'avoir trouvé, et être même gêné d'avoir essayé, comme si j'étais la dupe d'un formidable tour de passe-passe ?

Pendant la majeure partie de la matinée, je soupesai cette question, mais ce ne fut que lorsque je retrouvai Arlo McBride pour déjeuner que je la remis sur le tapis.

– Mais qu'est-ce que j'espérais trouver en entrant dans la chambre de Maizey ? demandai-je en guise de conclusion au récit de ma visite.

– Vous cherchiez des preuves, répondit Arlo platement.

– Des preuves de quoi ?

– Qu'il y a du vrai dans cette histoire.

Je secouai la tête.

– Je ne gobe pas les histoires aussi facilement.

Arlo me regarda comme si j'étais un enfant qui s'en laisse conter.

– Celle-là, vous l'avez déjà gobée, dit-il. Moi aussi.

– Comment cela ?

Arlo changea de position.

– Nous pensions, vous et moi, que Maldrow avait promis à Katherine de retrouver l'homme qui l'avait agressée.

– C'est le cas.

Arlo fit énergiquement non de la tête.

– Non, George, pas du tout. Nous avons été amenés à le croire. Audrey aussi, je pense. Sauf que l'histoire ne le dit pas.

J'étais loin d'être convaincu.

– Mais dans l'histoire, Maldrow l'emmène sur le champ de foire ! objectai-je. Et dans la maison qui…

– À aucun moment, Maldrow ne dit à qui appartient cette maison, fit observer Arlo.

– Et le type dans le bus ? Il n'est pas censé être le véritable inconnu ?

– Son identité n'est jamais révélée. Par ailleurs, l'homme dont la Katherine fictive a la vision est un homme qui a brûlé vive une jeune fille. Ce n'est pas celui qui a agressé Katherine Carr.

– Alors, qui est-il ?

– Je n'en sais rien, répondit Arlo. Peut-être qu'elle s'est seulement imaginé que cet homme était resté impuni pour un acte tout aussi horrible.

22

Katherine avait joué un bon tour à ses quelques lecteurs, et je m'attendais à ce qu'Alice trouve les remarques d'Arlo plutôt intéressantes, mais à la fin de mon récit, elle se contenta d'exhaler un long soupir qui sonnait étrangement creux et me demanda :

– Quelle est la chose la plus bizarre qui vous soit jamais arrivée, George ?

Je le sus aussitôt. En fait, je venais de la raconter à Charlie à peine quelques heures plus tôt. Toutefois, je craignais que, dans les circonstances présentes, ce ne soit pas une histoire faite pour Alice, car elle était tout bonnement lugubre.

Mais elle me regardait avec tant d'insistance que je répondis à sa question.

– Je crois l'avoir vu, lui dis-je. L'homme qui a tué mon petit garçon.

Et il fut de nouveau présent dans mon esprit, enveloppé dans son ciré jaune luisant, avançant sans effort dans Jefferson Street vers Teddy qui m'attendait sous la pluie diluvienne.

Alice me fixait intensément à présent.

– Quand ? demanda-t-elle.

– Le jour de la disparition de Teddy. J'étais à la fenêtre, et j'ai aperçu cet homme en ciré jaune. Il marchait dans Jefferson Street, en direction de l'arrêt de car où Teddy a été vu pour la dernière fois.

– Vous n'avez pas distingué son visage ?

– Non. Je devais aller chercher Teddy à la descente du car. En partant de la maison ce matin-là, il m'avait dit qu'on avait annoncé de l'orage, et je lui avais promis que s'il se mettait à pleuvoir, j'irais le chercher. Mais il n'avait que quelques pâtés de maisons à parcourir, et je me disais qu'il y aurait bien une éclaircie. Alors, je me suis détourné de la fenêtre avant que ce type ne soit suffisamment près pour que je puisse voir son visage.

Détourné de la fenêtre pour regagner mon bureau.

– Je cherchais la bonne phrase d'accroche d'un article sur l'Estrémadure, expliquai-je à Alice, une région du sud de l'Espagne, très sèche, très pauvre, beaucoup de poussière et beaucoup de broussailles.

Des paysages si dénudés et si monochromes, continuai-je de raconter à Alice, que j'avais toujours trouvé éminemment ironique que ce soit dans ces étendues arides que Pizarre ait cru bon d'aller chercher les jeunes hommes qui, plus tard, se tailleraient un chemin à coups de machette dans la touffeur des jungles d'Amérique du Sud. Presque aucun d'eux n'était revenu dans leur désert natal, et c'était avec la bonne formulation pour exprimer cette ironie du sort que j'avais bataillé tout l'après-midi, la première partie d'une seule et unique phrase revenant en boucle dans ma tête. *Les vents de l'Estrémadure vous secouent, vous dessèchent et vous transpercent autant que...*

La fin de la phrase m'échappait toujours alors que j'étais allé à la fenêtre regarder l'orage, songeant que je devais partir chercher Teddy, suivant brièvement des yeux la tache floue et mouvante d'un ciré jaune.

— Pourquoi pensez-vous que c'est cet homme qui a tué Teddy ? voulut savoir Alice.

— Je n'ai pas la réponse à cette question, admis-je.

— En quoi est-ce bizarre, alors ?

— En ce que j'ai toujours été convaincu que c'était lui, répondis-je. Sans preuve réelle, je veux dire. Tout juste un sentiment.

Alice regarda les pages restantes du manuscrit de Katherine Carr.

— Ce dont on ne peut jamais être sûr, murmura-t-elle.

— C'est vrai.

— Donc, il court toujours, ajouta-t-elle avec, dans la voix, une triste irrévocabilité qui parut parfaitement préfigurer les mots que je lus alors.

MAINTENANT

— Dernier service ! annonce le serveur.

Le Chef regarde Maldrow d'un air grave.

— C'est l'heure, dit-il.

Maldrow repense à ceux et celles qui ont précédé Katherine, ceux et celles qui avaient presque atteint ce stade mais qui, en fin de compte, n'avaient pas fait le poids. Que leur manquait-il ? Certains n'aimaient pas assez la vie. D'autres l'aimaient trop. Mais l'échec final avait été celui de la foi. Combien s'étaient méfiés de lui ? Combien avaient tourné les talons à son approche ? Combien, incapables de supporter l'horreur annoncée, avaient, au moment où il leur tendait finalement le calice, refusé d'y boire une dernière fois ?

En fin de compte, se demanda-t-il, Katherine agirait-elle de la sorte, elle aussi ?

– L'heure est venue, dit le Chef.

Maldrow revoit la grande salle, les silhouettes revêtues de robes qu'il a imaginées si souvent, fait sien l'argument convaincant du Chef selon lequel seuls ceux qui ont connu la pleine mesure de la perte et du chagrin, la fureur sans limites provoquée par les blessures injustes, pouvaient être choisis.

– Le départ, dit le Chef.

Maldrow sent un terrible poids le plaquer au sol, presser son visage contre le trottoir. Des doigts se referment autour de son cou, acérés comme des griffes. Ses cris déchirent l'air, et dans ces hurlements il entend la terreur et la panique de tous ceux qui se sont fait massacrer, brûler, écorcher, taillader, frapper, des cris qui enflamment l'air, ensevelissant sa peau sous une coulée de lave sonore. La terre se transforme en sables mouvants qui l'aspirent toujours plus bas dans leurs profondeurs suffocantes au point qu'il prend la mesure du vide de l'oubli des millions de millions de tombes, du froid glacial de ces morts prématurées, des flammes infernales de leurs rages.

– Dernier service ! répète le serveur.

Maldrow jette un coup d'œil à l'horloge, réfléchit aux horaires, sait que Katherine doit être en train de quitter sa maison de Gilmore Street.

Il pose les yeux sur la chaise vide en face de lui, le Chef a déjà filé, dernier signe que l'heure est réellement venue.

Il se lève comme porté par une colonne d'air chaud. En sortant du bar, il regarde encore l'horloge pour s'assurer qu'il existe une telle chose que le temps. Une fois dans la rue, il tourne la tête vers la gauche où, au bout de Main Street, il aperçoit la petite grotte où Katherine Carr accomplira son destin. Il consulte sa montre. C'est drôle, ce nom qu'on lui donne, songe-t-il : l'heure fatale.

Arrivé à la fin de ce passage, je me tus et regardai Alice. Elle fixait les pages avec, dans le regard, une curieuse intensité, comme s'il lui était venu une idée inattendue, et dont elle ne pouvait être certaine.

– Continuez, me pressa-t-elle.

AUPARAVANT

Je sursautai légèrement quand le vent projeta une volée de gouttes de pluie contre la fenêtre, puis me ressaisis, marchai jusqu'à la petite table de ma cuisine, m'y assis et regardai la nuit au-dehors. Je repensai à Maldrow, à sa manière de parcourir le temps, aussi impalpable que le souvenir de ce qui n'a jamais existé. Peut-on vivre ainsi, me demandais-je, en renonçant à toutes les belles promesses de la vie, en n'étreignant que l'ombre, abandonnant tous ceux qu'on aimait et tous ceux par qui on avait été aimé ?

La nature de ce que Maldrow avait aimé ne m'avait été révélée que la veille au soir, durant cette longue nuit où nous avons discuté dans la pièce de devant plongée dans l'obscurité, comme toujours, caverne de murs, de tentures, les lattes des persiennes fermées.

Il m'a parlé de Yenna, de la tâche qu'il lui avait proposée, ténébreuse mission qu'elle avait acceptée sans hésiter et accomplie sans crainte. Stanovich avait tout contrecarré, attaquant avant le moment où Yenna devait être appelée.

– Stanovich s'en est tiré ?

Maldrow fit non de la tête.

– Pas plus que ton inconnu.

– Comment le sais-tu ?

– J'en ai la preuve, répondit Maldrow.

– Montre-la-moi.

– Je le ferai, le moment venu.

– Je veux savoir maintenant, exigeai-je. Tu ne sais pas ce que c'est que de savoir qu'il est là, quelque part, que cet homme qui a fait ça, qu'il…

– Si, je le sais, Katherine ! s'écria Maldrow.

Ce fut alors qu'il me parla d'Amelia, son enfant assassinée, de l'homme qui l'avait tuée si brutalement, un homme qui, en fin de compte, avait payé pour son crime.

– Comment le sais-tu ? demandai-je.

– Comme toi-même le sauras, répondit Maldrow.

Il faillit dire autre chose, mais se ravisa, et attendit un moment avant d'ajouter :

– Amelia. Innocente.

Une incommensurable tristesse s'abattit sur lui, tout le poids du monde, ce fut l'impression que j'en retirai, la pensée de la mort de sa fille, une potion amère qu'il buvait encore et toujours.

Captif de ce souvenir, il baissa la tête. Son corps parut flancher, ses forces le quitter, au point qu'il bascula vers la droite, comme vers un oreiller invisible, un geste d'homme brisé qui m'incita à le prendre dans mes bras.

Il resta là un moment, puis se redressa.

– Demain soir, dit-il. À la grotte.

– J'y serai, dis-je.

Oui, j'y serai, me répétai-je à présent.

Sur ces paroles muettes, je me levai, me rendis au salon et m'assis sur le canapé. La pluie tombait bruyamment de l'autre côté de la fenêtre, mais je n'y prêtais pas attention. Je ne pensais à rien d'autre qu'à la nuit éternelle qui engloutissait Maldrow, à son esprit, dédale de pièces imbibées de sang. Vivre comme lui me paraissait réellement être la plus cruelle des destinées : à jamais sans amis, à jamais sans enfants, à jamais sans amours, une ombre dans la nuit – pas seulement sombre, mais faite d'obscurité.

La pluie cessa d'un coup, et je sus que l'heure était venue. Je ne pris ni manteau ni parapluie. Je n'aurais besoin de rien à part le grand châle foncé qui me protége-rait momentanément du froid. À la porte, je jetai un dernier coup d'œil derrière moi dans la pièce, au bureau dans le coin, à la chemise dans laquelle j'avais glissé mon histoire ainsi qu'un dernier poème, le cœur de mon être.

Je sortis sous la véranda, resserrai le châle autour de mes épaules, puis descendis les marches. Dans Gilmore Street, je tournai à gauche dans Cantibell Street, puis marchai jusqu'en ville. L'enseigne blême du Winthrop Hotel appa-rut peu à peu, puis, quand je l'eus dépassée, juste avant l'angle le plus proche, le trèfle vert au-dessus de l'entrée du O'Shea's Bar. *L'heure est venue,* me dis-je. *L'heure, c'est maintenant.*

Portée par les sombres ailes de cette pensée, je redressai le menton et m'armai de courage. J'avais toujours la tête relevée comme j'atteignais la rivière et prenais résolument une inspiration avant de me diriger vers la grotte au-delà de laquelle je voyais la brume s'élever peu à peu.

Je levai les yeux vers Alice, tentant d'évaluer son humeur.

Elle ne dit rien, et, dans ce silence, parut s'absorber dans d'étranges réflexions.

Soudain, elle murmura :

– Il ne reste plus grand-chose.

– Tout juste quelques pages. Nous pouvons finir ce soir.

Ses yeux s'écarquillèrent, comme ceux d'une enfant envahie par un terrible pressentiment.

– Non, dit-elle. Je ne suis pas prête.

– Mais nous sommes presque à la fin, insistai-je.

Sa tête retomba mollement sur la gauche. La lumière semblait avoir faibli autour d'elle, ses yeux étaient dans l'ombre. Sous les draps, son corps paraissait atrocement décharné et, tandis que je le regardais, une foudroyante vague de colère me submergea : la certitude brûlante et amère qu'il vaudrait mieux ne pas vivre du tout plutôt que de vivre ainsi.

– Pas encore, dit Alice tout bas. S'il vous plaît, George, pas encore.

Je domptai ma violente fureur que je ravalai comme un tison ardent.

– D'accord, acquiesçai-je. Nous finirons demain soir.

Elle hocha lourdement la tête.

– Demain soir, oui, dit-elle d'une petite voix. Demain soir, vous pourrez lire la fin.

Alors, elle laissa retomber sa tête et parut s'endormir instantanément. Je m'approchai d'elle doucement et, sans raison, rajustai ses draps. Elle ne donna pas l'impression de sentir le contact de mes mains.

Je la laissai ainsi et repartis par le couloir. Le jeune policier était toujours à son poste, mais en passant, je remarquai que je la porte qu'il gardait était grande ouverte et que la chambre était vide.

– Ce salaud a quand même fini par mourir ? lâchai-je.

Le policier me le confirma d'un signe de tête.

– De causes naturelles, précisa-t-il, haussant les épaules d'un air résigné, alors je suppose qu'on peut dire qu'il s'en est tiré à bon compte.

Je jetai un coup d'œil à l'intérieur de la pièce, aux murs et au sol nus, et ce vide me parut mien.

23

Je passai une nuit agitée, et au matin, tout en me pliant, les yeux remplis de sommeil, à mon rituel quotidien, j'éprouvai à peu près la même chose que la Katherine fictive dans la première scène du récit, quand elle est cernée par les visions inquiétantes d'un inconnu, sauf que dans mon cas, ce n'était pas l'homme en ciré jaune, mais Alice que je voyais partout : à mon bureau quand j'allai chercher quelque chose dans un tiroir, assise en face de moi pendant que je prenais mon petit déjeuner, attendant à la porte lorsque j'attrapai ma veste avant de sortir, son image fantomatique si vivace dans mon esprit que celui-ci me fit l'effet d'être une maison hantée dans laquelle elle errait sans jamais trouver le repos.

Charlie était déjà assis à son bureau quand je débarquai au journal quelques minutes plus tard.

– Salut, George.

Il prit une feuille de papier, la froissa dans sa paume et la jeta en un parfait arc de cercle vers la corbeille à papier.

– Avant, j'étais bon au basket, dit-il, néanmoins surpris d'avoir réussi ce panier. Mais pas au point de passer pro.

Il fixait la corbeille d'un œil presque mélancolique, le papier qu'il y avait jeté nettement visible à travers le maillage.

– Quand même pas au point de passer pro…, soupira-t-il.

Il parut s'extirper d'un vieux rêve mort, agrippa doucement ses genoux et se leva.

– À part ça, sur quoi planches-tu en ce moment, George ?

– Seulement sur la nécro de Hugo Tanner, répondis-je avec un haussement d'épaules.

Quelque chose dans ma voix retint son attention.

– Qu'en est-il du portrait d'Arlo McBride ?

Je secouai la tête.

– Ça n'a rien donné.

– Et la gamine atteinte de…

Je revis la tête d'Alice basculer vers l'arrière la veille au soir, comme si elle pesait trop lourd pour qu'elle puisse la maintenir droite.

– Elle n'en a plus pour longtemps, dis-je.

Charlie fit la moue.

– George, reprit-il, si tu n'as rien sur le feu, que dirais-tu de couvrir l'enterrement de Warren Maizey ? Wyatt m'a donné cet os à ronger, mais on vient de me filer un super contact dans le réseau de prostitution de Kingston, et j'ai déjà organisé un rendez-vous.

– Où sera-t-il inhumé ?

– Au cimetière municipal, répondit Charlie, jetant un coup d'œil à sa montre. Tu vas devoir y être dans dix minutes.

Ce serait un dérivatif, songeais-je, une façon de ne plus penser à Alice, fût-ce momentanément.

– D'accord, dis-je.

Une foule assez dense s'était massée au cimetière quand j'y arrivai, principalement des journalistes et des fonctionnaires locaux, mais aussi un très vieux couple serré l'un contre l'autre sous un grand orme, en qui j'identifiai les parents d'Eden Taub. J'avais vu une photo d'eux dans le *Winthrop Examiner*, mais je crois que, de toute façon, je les aurais reconnus car ils arboraient l'expression que j'avais si souvent vu reflétée dans le miroir de ma salle de bains : un chagrin accusateur, la mort d'un enfant dont, qu'elle soit accidentelle ou non, il fallait tenir quelqu'un pour responsable. Je ne doutais pas que certains matins, quand ils sortaient de leur lit, ils se représentaient en pensée leur fille comme moi-même imaginais si souvent Teddy : dans le couloir ou à une fenêtre, pâle, silencieux comme il l'était toujours, mais avec une terrible question dans le regard : *Pourquoi n'es-tu pas venu me chercher ?*

Je fus secoué par un profond tressaillement que je réprimai à ma manière habituelle : en me concentrant sur mon travail en cours, moyen grâce auquel je tenais bon chaque matin, en bon petit soldat engagé dans une bataille sans fin.

La foule était disparate, les journalistes poireautant dans un coin, les fonctionnaires regroupés entre eux. La traditionnelle poignée de curieux était également présente, des habitants de Winthrop qui s'étaient sans doute intéressés à l'affaire Eden Taub au fil des années, et venaient maintenant assister à sa morne et définitive conclusion.

Je sortis mon calepin et, pendant que j'y notais diverses observations, le fourgon transportant la dépouille mortelle de Maizey apparut au loin. Il franchit lentement le portail en fer du cimetière, noire antiquité appartenant aux pompes funèbres Robinson sans doute choisie pour sa totale absence d'élégance. Qui, après tout, pouvait bien se soucier de la façon dont Warren Maizey serait glissé dans la petite fente de terre qui le contiendrait pour l'éternité ?

La foule regarda le corbillard négocier un large virage, puis une marche arrière vers l'endroit où un groupe de fossoyeurs l'attendait, tous en tenue de travail ordinaire – chemises col ouvert aux manches retroussées jusqu'aux coudes –, des ouvriers qui, encore tout à l'heure, devaient être en train de décharger des briques ou du bois de construction, l'enterrement de Maizey n'étant pour eux qu'un boulot comme un autre.

Quand le fourgon s'arrêta, les fossoyeurs s'approchèrent du hayon et attendirent que le chauffeur fasse le tour du véhicule pour l'ouvrir. Ensuite, ils tirèrent sans cérémonie le cercueil en bois brut, le hissèrent sur leurs épaules mises en commun, puis le portèrent jusqu'à la tombe avec une raideur toute militaire.

À ce moment-là, la foule se regroupa autour de la fosse. Je la rejoignis, et ce fut alors que je vis Arlo McBride à la tête de ce qui me parut être un petit contingent d'enquêteurs à la retraite.

Il ne s'avisa pas de ma présence, ou du moins n'en donna pas l'impression. Il inclinait la tête, mais je voyais bien que ce n'était pas parce qu'il priait. Il semblait plutôt suivre des yeux la descente en terre de Warren Maizey, car ce ne fut qu'une fois le cercueil au fond et les cordes dégagées puis remontées qu'il redressa le front.

Je m'attendais à ce qu'un prêtre ou tout autre homme d'Église s'avance, offre une prière, supplie Dieu de pardonner Warren Maizey en dépit de la noirceur de son âme. Mais à mon grand étonnement, c'est Arlo qui avait été désigné pour prendre la parole, sans doute par les parents d'Eden Taub puisque, je m'en souvenais à présent, c'était lui qui avait dirigé l'enquête sur le meurtre de leur fille, et au moment où il s'avança d'un pas, son visage fut soudain capturé par un rayon de soleil.

– Comment se fait-il qu'un homme tel que Warren Maizey ait pu exister, déclara-t-il.

Il lança des coups d'œil vers la foule, arrêtant de temps à autre son regard sur, supposais-je, tel ou tel visage familier, un vétéran de la police ou quelqu'un, comme moi, dont il avait croisé le chemin.

– Et surtout, comment se fait-il, étant donné ce qu'il avait fait à Eden Taub, qu'il soit resté libre pendant toutes ces années, devenu vieux, pour être finalement rattrapé par la maladie et mourir ni plus ni moins comme tout le monde, poursuivit-il en hochant la tête. Quand je pense que Maizey n'a jamais été arrêté, il me revient à l'esprit une chose que j'ai lue. C'était au sujet de deux jeunes hommes. Ils avaient pour noms Nathan Leopold et Richard Loeb. Ils formaient un tandem diabolique, ces deux-là, ils ont tué un petit garçon, ont transporté son corps dans les bois, l'ont déshabillé et jeté dans une conduite d'eau. Par mégarde, Leopold a fait tomber ses lunettes près du corps du petit garçon, et grâce à cela, il a pu être arrêté.

Son attention se porta soudain sur moi.

– Serait-il possible que la main du destin se soit glissée dans la veste de ce jeune homme pour attraper ces lunettes ?

Il me fixa des yeux encore un moment, une lueur étrange s'allumant dans son œil.

– En tout cas, c'est ce que je souhaite, reprit-il, et l'espoir – du moins, l'espoir de ne pas perdre espoir – est le seul sentiment qui doit tous nous animer jusqu'à la fin.

– Je l'ai empruntée à l'histoire de Katherine, observa Arlo. Cette référence à Leopold et Loeb.

– Elle doit apparaître vers la fin, alors, dis-je.

– Oui, en effet, confirma-t-il.

Nous étions repartis du cimetière à picd, nous étions attablés dans le petit coffee shop et, après avoir passé commande, avions brièvement évoqué Warren Maizey, ce qui m'avait conduit à mentionner le discours prononcé par Arlo devant la tombe.

– Nous en sommes presque à la fin, dis-je. Alice et moi. Plus qu'un passage à lire.

Je haussai les épaules.

– J'espère qu'elle tient la route, Arlo. Alice serait déçue s'il y avait un retournement de situation bidon.

– Un retournement de situation bidon ? Comme quoi ?

– Comme Maldrow essayant de tuer Katherine, mais qu'elle lui arrache lc pistolet des mains et que ce soit elle qui l'abatte. Ce genre de chute-cliché d'un roman policier. Ou alors qu'un autre personnage surgisse juste à temps pour la sauver. Celui auquel le lecteur s'attend le moins. Le passager du bus, par exemple, qui, du coup, devient le héros. Ou alors l'autre taré, Ronald Duckworth.

Je réfléchis encore un moment, avant d'ajouter :

– Ou Cody. Ou Audrey. Peut-être va-t-on découvrir qu'ils veillaient sur Katherine à tour de rôle et qu'ainsi ils étaient là pour la sauver *in extremis*. Une telle fin décevrait beaucoup Alice.

Arlo m'observait du coin de l'œil.

– C'est pire ? insistai-je. La fin écrite par Katherine Carr est encore plus mauvaise que celles que je viens de mentionner ?

Soudain, Arlo parut accablé de lassitude, comme un homme qui aurait raté une mission primordiale.

– Finalement, vous n'êtes peut-être pas la personne à qui j'aurais dû faire lire l'histoire de Katherine Carr, George, soupira-t-il. Vous ne l'avez peut-être jamais été.

Je passai le reste de la journée à travailler sur la nécrologie de Hugo Tanner. Pour commencer, je relus le premier portrait que j'avais fait de lui ; puis je regardai les photographies que j'avais prises le jour où il m'avait fait visiter sa maison. Elle était différente à l'époque, n'avait rien d'un capharnaüm même si les premiers signes incontestables des TOC d'Hugo étaient déjà perceptibles quand on voyait les vieux magazines empilés sur plus d'un mètre cinquante et les caisses de lait déborder de mille sortes de petites bouteilles.

Je songeai à toutes les formules bizarroïdes qu'il avait dû essayer d'expérimenter, aux potions qu'il avait concoctées, s'obstinant à tenter de prouver l'existence de communications paranormales, de remèdes miracles, de mondes non visibles. Au bout du compte, cette obsession l'avait mis au ban de la société, avait fait de lui une bête curieuse. Pourtant, c'était mon impression, cet ostracisme, il en avait porté le manteau de pourpre la tête haute jusqu'au bout.

Ce ne fut qu'en toute fin d'après-midi que je terminai mon article et le portai à Wyatt.

– « Les tentures pailletées de la maison de Hugo Tanner, lut-il, chatoyaient sous la clarté des étoiles… »

Il se tut, déchiffra la fin de la première phrase pour lui-même, puis la prononça à voix haute.

– « … autant que la robe de Merlin. »

Il sourit.

– Tu as toujours été doué pour les phrases d'accroche, George.

– Parfois, ça me vient tout de suite, dis-je, réentendant aussitôt les coups de tonnerre et le martèlement de la pluie d'alors, en même temps que les vents secs de l'Estrémadure. Parfois non.

Wyatt reporta son attention sur l'article qu'il lut jusqu'à la dernière ligne en silence, avant de le poser dans ce qu'il appelait sa Bannette Bon pour Accord, ce qui signifiait qu'il l'avait validé à l'intention du secrétaire de rédaction.

– Que pouvait bien chercher Hugo en se livrant à toutes ces expériences à la noix ? questionna-t-il d'un ton léger, pour la forme, comme quelqu'un qui demanderait pourquoi tel ou tel fou se prenait pour Dieu et non pour Napoléon.

Mais comme je pensais connaître la réponse à sa question, je la lui donnai.

– Il cherchait des preuves.

– Des preuves de quoi ?

– Des bêtises habituelles, répondis-je. Les anges, les lutins, le petit peuple.

Je repensai au discours prononcé par Arlo McBride sur la tombe de Warren Maizey.

– De la main du destin, murmurai-je.

Wyatt secoua la tête.

— Sauf qu'il n'en a jamais trouvé la moindre preuve, dit-il. Alors, malgré tous ses efforts, que laisse-t-il derrière lui ?

J'abaissai le regard sur l'unique feuillet que j'avais rédigé : le destin de Hugo Tanner consigné en quelques courts paragraphes.

— Seulement l'histoire de cette quête, répondis-je d'une voix posée, pensant à présent à celle écrite par Katherine Carr et redoutant curieusement d'en lire la fin. Rien de plus.

24

Alice dormait quand je pénétrai dans sa chambre peu après huit heures ce soir-là, et je pris le parti de ne pas la réveiller. Je m'avachis sur la chaise à son chevet et attendis. Elle semblait plus menue que jamais, son visage ridé à peine visible dans le creux de l'oreiller. Sa respiration, extrêmement faible et un peu irrégulière, n'était pas sans me rappeler celle de mon père qui, à près de quatre-vingts ans, était mort de la même terrible conjugaison de maladies qui emportait Alice à douze ans.

Lors de mes visites précédentes, je l'avais trouvée plutôt calme, le corps au repos ; mais ce soir-là, tandis que je la regardais, assis dans la pénombre de sa chambre, elle était visiblement très agitée, ne cessant de remuer les jambes ou de serrer les poings, comme si elle était tourmentée par de mauvais rêves ou par le désir inconscient mais perpétuel que son corps avait de vivre.

Il s'écoula près d'une heure avant qu'elle ouvre les yeux, mollement d'abord, puis, me sembla-t-il, en un acte de pure volonté.

– Salut, George, murmura-t-elle.

Je lui répondis par un signe de tête.

– Je ne voulais pas te réveiller.

Elle batailla pour se redresser. Je me levai, m'approchai du lit, pris l'un des oreillers et le calai dans son dos.

– Ce n'est pas mieux comme ça ? demandai-je.

Elle s'y appuya, son corps tellement léger qu'il imprima à peine sa forme sur la taie. Sa respiration était imperceptible, sa voix porta tout juste les paroles qu'elle prononça :

– Vous avez apporté la fin de l'histoire ?

– Oui.

Je tirai la chaise près du lit, pris dans ma serviette les toutes dernières pages rédigées de la main de Katherine Carr.

– Tu veux que je la lise maintenant ?

Elle acquiesça sans un mot, et j'en commençai la lecture :

AUPARAVANT

Enfin, j'atteignis la petite grotte en bordure de la rivière où Maldrow m'avait demandé de le retrouver. J'avais espéré à tort qu'il serait là, mais l'endroit était désert. J'étais seule dans la brume de la rivière.

Je ne sais plus combien de temps j'attendis, sans doute pas très longtemps, en tout cas pas assez pour me faire douter que Maldrow viendrait.

Mais quand je le vis arriver, je lui trouvai un air vieilli, les épaules légèrement voûtées, les yeux creux, le visage strié d'un réseau de rides.

– Quel âge as-tu, en réalité ? demandai-je.

Des couches de secret parurent se détacher de lui comme de la peau morte, mais au lieu de faire l'effort de répondre à ma question, il me prit par les épaules et m'amena doucement à me tourner vers la rivière.

– Par là, dit-il.

Nous fîmes quelques pas, puis nous arrêtâmes. Au loin, à travers la brume lugubre, j'entendais le clapotis de l'eau, très doux et très régulier, comme un cœur qui bat.

Nous demeurâmes ainsi un moment, immobiles et silencieux, face à l'écran blafard de la rivière invisible. Puis Maldrow tendit le bras vers l'épais brouillard qui roulait vers nous.

– Regarde par là, montra-t-il.

À peine eut-il prononcé ces mots que le brouillard tout comme la rivière disparurent : nous nous trouvions dans les profondeurs d'une forêt.

– Regarde par là, répéta Maldrow.

Je regardai dans la direction qu'il m'indiquait, et par là, au loin, je vis s'avancer deux jeunes hommes portant, au prix de grandes difficultés, un fardeau indocile qui n'arrêtait pas de bouger au mauvais moment et finit par en faire trébucher un.

– Voyons, Nat, dit l'autre. Tiens-le bien.

Le dénommé Nat obtempéra, glissant fermement le bras sous leur fardeau et le redressant, presque à hauteur de ses épaules cette fois, si bien que la forme à l'intérieur remua de nouveau, et qu'il dépassa soudain de l'enveloppe du sac une petite main blanche aux doigts inertes, repliés vers la paume.

– Ça va ?

– Oui.

– Allez, on continue.

Ils reprirent leur progression, marchant malaisément à travers les broussailles enchevêtrées, n'étant pas coutumiers de ces durs labeurs et le supportant mal, mais s'approchant tant bien que mal du canal d'écoulement des eaux d'où Maldrow et moi les observions.

– Tu sais qui ils sont, dit Maldrow.

Bien sûr que je le savais, car il m'avait souvent parlé de ce moment : l'expression de ces jeunes hommes pendant qu'ils exécutaient leur tâche, dévêtant le petit garçon, dévissant le couvercle de la bouteille d'acide chlorhydrique qu'ils avaient apportée, en versant sur le visage et les organes génitaux de l'enfant, le plus grand des deux riant aux éclats, l'autre s'écartant en sautillant et en secouant son pantalon.

– N'en mets pas sur moi !

Le plus petit des deux fit une moue un peu hargneuse.

– J'ai chaud, pesta-t-il.

Il ôta sa veste et la posa en travers d'une branche tombée sur le sol.

– Allez, finissons-en.

Ensemble ils terminèrent ce qu'ils avaient commencé, puis reculèrent pour admirer le travail.

– Parfait, dit le plus grand. Le crime parfait.

Maldrow tendit la main au moment où le plus petit allait reprendre sa veste et, du bout de son invisible doigt, donna une pichenette sur les lunettes qui dépassaient de la poche. Elles glissèrent petit à petit quand le jeune homme souleva la veste, encore et encore pour finir par tomber et aller se nicher au creux d'un lit d'herbes, les verres scintillant sous le soleil de l'après-midi tandis que les jeunes hommes s'éloignaient sans se presser.

J'interrompis ma lecture, plaçai cette dernière page sous celles qu'il me restait à lire.

– Tu as compris ce qu'il se passe ? demandai-je à Alice. Ce que cherche à faire Maldrow ?

Alice acquiesça en silence, l'air grave, son regard, que j'avais connu si éveillé, à peine capable de se concentrer.

– Il fait en sorte que des gens se fassent arrêter, répondit-elle d'une voix fatiguée.

Elle parut hésiter à dire autre chose, mais ne put s'empêcher d'exprimer la pensée qui s'était imposée à elle en cet instant :

– Les mauvaises personnes, comme l'homme qui a enlevé Teddy.

– Sauf que lui, il court toujours, lâchai-je d'un ton beaucoup plus amer que je ne m'y étais attendu, et que je m'employai à maîtriser.

Je feuilletai les quelques pages restantes de l'histoire de Katherine Carr qui bruissèrent sous mes doigts.

– Il en reste un peu à lire, ajoutai-je, si déçu à présent par la tournure que le récit prenait que j'avais tout simplement envie d'en terminer au plus vite. Je continue ?

– S'il vous plaît.

Ce sur quoi je repris la lecture :

Les deux jeunes hommes continuèrent de s'éloigner, l'un d'eux riant avec arrogance tandis que le brouillard qui montait de la rivière se refermait sur eux et finissait par les dissimuler, sa muraille blafarde se recomposant peu à peu devant mes yeux.

– Mais telle n'est pas notre mission, Katherine.

– Quelle est-elle ? demandai-je.

– Ressentir le meurtre.

Une vague polaire s'abattit sur moi et me submergea d'un froid qui s'intensifiait à chaque instant, encore plus mordant que l'air arctique, un froid qui semblait jaillir du cœur insensible de la cruauté même.

– Ressentir le meurtre des millions de millions de fois.

Le mur de glace explosa, emplissant l'air autour de moi de minuscules éclats de verre fins comme du rasoir, tourbillon de fibres étincelantes, chaque point lumineux formant une image différente et terrifiante : des chaussettes enfoncées dans une canalisation ; un congélateur perdant de l'eau ; du sang qui s'évacue en tournoyant dans une cuvette de toilettes ; un étang vaseux ; un puits noir ; de l'eau de Javel sur un sol carrelé ; une mèche de cheveux blonds accrochée à de la bruyère ; un sac de chaux à moitié plein.

D'autres images défilèrent en continu : le rebord déchiqueté d'une bouteille brisée ; l'aiguille suintante d'une seringue ; les crochets d'un tapis roulant ; des feuilles mortes humides éparpillées sur du contreplaqué ; une pile de vêtements dans la chaudière d'une cave ; une corde pendant d'une poutre de bois ; les fils d'une batterie arrachés.

Le miroir changea d'orientation : une fine cheville blanche ligotée au pied d'une chaise ; une bouche bâillonnée par un mouchoir rouge ; des mains tremblantes attachées par de l'adhésif noir. Par millions, je vis des victimes de meurtres étendues dans des caves, des granges, des greniers, des sous-sols, leurs corps jetés dans des puits de mines et du haut de falaises, poussés dans des fossés et des ravins, enfoncés dans des rivières, des ruisseaux et des étangs.

Le miroir reflétait à présent des messages désespérés griffonnés sur des miroirs, des murs, des portes ; des mots écrits au crayon ou tracés sur des vitres couvertes de buée, suppliques interrompues : *Aidez-m...*

– Aidez-moi.

Le brouillard se dissipa et devint Maldrow.

– Je compte sur toi, dit-il.

Je sentis de profonds liens intérieurs se dénouer et eus, au même moment, la sensation d'être tirée hors de moi-même, comme un enfant qui, entrant dans un livre, se retrouve projeté dans son univers. À cet instant, tous les poisons de l'existence se diffusèrent hors de moi, tous ses regrets, toutes ses fureurs. Mes attaches terrestres se défirent et, tandis que leur poids me quittait, je me vis glisser par-delà la pesanteur de la vie mortelle, sentis en moi un nouveau gyroscope tourner autour de son axe, mouvements qui donnèrent l'impression de jeter dans toutes les directions une myriade de gouttelettes argentées qui se répandirent dans tout l'espace, à la fois en moi et hors de moi, sur un rayon magistral.

Je ne disais rien, mais Maldrow avait compris que j'avais accepté la mission, que je l'accomplirais sans relâche, me soustrairais à ma vie actuelle pour entrer dans une autre.

Longtemps, nous nous regardâmes en silence et sans bouger jusqu'à ce qu'il finisse par glisser la main dans la poche de sa veste.

– Ce n'est qu'une question de résolution, dit-il, et sur ces mots, il sortit sa main fermée de sa poche et l'ouvrit.

– Il n'est pas passé à travers les mailles du filet, Katherine, dit Maldrow.

Je contemplai la bague en or dans le creux de sa paume, et reconnus avec une certitude absolue celle qui m'avait été volée.

– Prends-la, dit Maldrow.

J'obtempérai sans éprouver le besoin de regarder l'intérieur de l'anneau, car elles s'y trouvaient forcément, mes initiales, gravées grossièrement comme j'avais vu mon grand-père le faire. Je regardai la bague un moment encore, sachant que mon ultime bien terrestre, mon ultime lien avec l'humanité, mon ultime contact concret serait ce bijou, seul objet que je pouvais emporter pour ma disparition.

– Il n'est pas passé à travers les mailles du filet, répéta Maldrow. Pas plus que Stanovich, ou l'homme qui a tué ma fille. Pas plus que l'homme du bus 34 qui a brûlé vive la jeune femme. Il ne passera pas à travers les mailles du filet parce que tu seras à ses trousses.

J'eus la sensation que deux sombres ailes me poussaient dans le dos, que mon œil devenait plus acéré afin qu'il n'ait besoin ni de bruit, ni de mouvement, ni de couleur pour repérer sa proie, mais seulement de la chaleur de celui qui devait être puni.

– Je suis prête, dis-je à Maldrow.

Il posa la main sur mon épaule.

– Maintenant pars, dit-il, et rétablis l'équilibre.

Alors, comme emportés par des flots aériens, nous avançâmes vers la rivière d'eau vive jusqu'à sa rive. J'étais nu-pieds, et je ne savais pas du tout où étaient passées mes chaussures. Je sentis l'eau fraîche lécher mes orteils, et l'appel d'une incommensurable force, celle de la fin de mon histoire terrestre, et les étoiles se rassemblaient autour de moi à mesure que je m'élevais vers elles, la Terre bien loin au-dessous de moi à présent, petite, bleue et zébrée de nuages, jusqu'à ce que j'atteigne le miraculeux apogée de cette envolée, et, de ce zénith, entame mon retour sur Terre en sachant, tandis que j'accomplissais ma sombre descente, que quelque part, sous une forme toujours changeante, invisible aux foules humaines, j'attaquerais dès le soir même.

– Fin, dis-je, puis je regardai Alice un petit moment avant d'ajouter : Moi aussi, j'espérais une autre fin.

À vrai dire, je trouvai que le dénouement que Katherine Carr avait concocté pour son récit aurait difficilement pu être plus mauvais : une lévitation magique hautement ridicule de prime abord, le genre de coup de théâtre que je me serais attendu à trouver chez un mauvais auteur de littérature fantastique, si bien que tout à coup, je fus extrêmement déçu par Katherine Carr : pas seulement l'écrivain, mais aussi la femme. Jusqu'alors, j'admirais cette façon qu'elle avait d'affronter la vie avec la fermeté de quelqu'un qui, la regardant en face, était tout à fait capable d'entrer dans la rivière, et je ne doutais pas un seul instant qu'elle l'ait fait. Puis en un ridicule retournement de situation d'inspiration surnaturelle, elle s'était recouverte du manteau d'éternité, transformée en une femme baignant plus dans le ravissement que dans la réalité.

Ces pensées, je ne les aurais pas gardées pour moi, mais avant que j'aie le temps de m'exprimer, Alice exhala un long et faible soupir, et murmura :

— J'aimerais faire comme Katherine.

— Comme Katherine ? C'est-à-dire ?

— Lâcher prise, comme elle.

— Lâcher prise sur quoi ?

— Sur la vie, répondit Alice d'une voix à peine audible. Tout laisser derrière soi.

À cet instant, je pris conscience qu'Alice et moi avions perçu de manière très différente la fin de l'histoire. Pour moi, elle renvoyait à une transcendance surnaturelle, un thème facile à dédaigner, voire à railler. Mais pour Alice, ce dénouement parlait d'acceptation et de renonciation, ce qui me fit penser aux derniers jours de mon père, à la lutte qu'il avait menée pour, chaque fois, respirer une fois de plus. Il avait entamé ce combat en ne comptant que sur sa volonté, ou peut-être sur la résistance animale de tel ou tel organe, un cœur qui, contre toute attente, continuait de battre, des poumons bien décidés à inspirer encore une bouffée d'oxygène.

C'était, je le savais, le genre de mort dont Alice ne voulait pas, mais je ne trouvai rien à lui dire qui aurait pu l'aider à toucher du doigt ce lâcher prise qu'elle espérait, et que je me surpris à idéaliser comme étant pour elle un instant de totale sérénité où ses yeux et ses lèvres se fermeraient sur un ultime et légitime apaisement.

Elle changea doucement de position, et, dans le mouvement, grimaça.

– Tu auras besoin de quelque chose ? demandai-je.

Elle me regarda longuement, l'air pensif, le regard intense et étrangement scrutateur, tout en paraissant hésiter à révéler ce qu'elle avait sur le cœur.

– Je ne veux pas en finir tout de suite, finit-elle par dire. Avec Katherine Carr.

– Mais nous avons lu toute son histoire, rétorquai-je. Il n'y a rien d'autre.

– Vous parliez d'un poème. Un poème qu'elle a laissé.

– Oui, c'est vrai. Mais je ne l'ai pas.

– Je veux le lire, exigea Alice. Je veux savoir… Je veux savoir ce qui lui est arrivé.

Vaine ambition, j'en avais conscience, que l'espoir d'Alice de passer du stade de deviner la fin d'une petite histoire mystérieuse à celui d'élucider la véritable affaire de la disparition de son auteur. Mais elle était mourante, et je me demandais si dans le désespoir de ces dernières heures, elle ne perdait pas un peu la raison, aussi lui répondis-je :

– D'accord, je vais voir ce que je peux faire.

Ma promesse parut l'apaiser. Elle prit une profonde et fragile inspiration, et sur ce souffle, ferma les yeux.

– Merci, George.

Ce fut tout ce qu'elle dit.

Elle était épuisée, cela sautait aux yeux, raison pour laquelle je la quittai quelques minutes plus tard, regagnai ma voiture et pris la direction de chez moi.

Pendant le trajet, je réfléchis au besoin impérieux d'Alice de résoudre l'affaire Katherine Carr. Il était strictement impossible qu'elle y parvienne, je n'en doutais pas, aussi l'espace d'un instant envisageai-je sérieusement de la mystifier en allant jusqu'à lui fournir une solution de mon cru. Plusieurs pistes me vinrent à l'esprit. Je pourrais toujours lui raconter qu'une chose qu'elle m'avait dite m'avait conduit à approfondir mes investigations, et que j'avais par le plus grand des hasards découvert de nouvelles preuves, preuves que je fabriquerais moi-même : des chapitres jusqu'alors inconnus de l'histoire que je rédigerais rapidement, qui révéleraient et élucideraient toute l'histoire. Ou bien je pourrais prétendre que la bague volée à Katherine Carr avait été retrouvée dans les affaires d'un criminel mort subitement dans une ville voisine, preuve qu'elle avait été assassinée. Au cas où Alice aurait des doutes, je pourrais aussi lui montrer la bague de Celeste en guise de preuve en racontant qu'Arlo avait réussi à la récupérer pour nous.

Mais tous les scénarios que j'inventais me paraissaient plus ridicules les uns que les autres, si bien que je finis par y renoncer et appeler Arlo.

– Nous avons fini de lire l'histoire de Katherine Carr, annonçai-je. Alice n'aime pas la fin.

– Je vois.

– Elle veut savoir ce qui lui est réellement arrivé, ajoutai-je. Elle veut voir le poème. Vous me disiez qu'elle en avait écrit un dernier.

– Oui, c'est vrai.

– Alice voudrait le lire.

– Je vais devoir en parler avec Audrey avant de vous le confier, George.

– Pouvez-vous le faire dès maintenant ?

Il perçut l'urgence dans ma voix.

– C'est si proche pour Alice ?

– Oui.

– D'accord, dit Arlo. Si Audrey le veut bien, je le déposerai chez vous.

– Super. Merci.

– N'en attendez pas trop, George, car ce poème n'a aucun rapport avec ce qui est arrivé à Katherine Carr, précisa Arlo d'une voix curieusement tendue. Ça ne parle absolument pas d'elle.

25

Maintenant, il m'arrive de lâcher les rênes de ce que je connais du réel et de libérer mon plus grand espoir comme un cheval blanc dans de vastes étendues sans limites. Dans ces moments-là, j'imagine Katherine Carr observant de très haut, tel l'oiseau de son récit, regardant en bas, voyant au-delà des apparences, patiente spectatrice de l'accomplissement de ses desseins, de sa plus tendre entreprise.

Mais ce soir-là, tandis que je guettais l'arrivée d'Arlo qui devait m'apporter le poème, je ne désirais qu'une chose : qu'Alice trouve à l'histoire de Katherine Carr une fin à sa convenance, une explication à laquelle je n'avais pas pensé, pas plus que la police, ni Audrey, ni Cody, ni personne de tous ceux qui s'y étaient essayés.

J'avais espéré que ce ne serait l'affaire que de quelques minutes avant qu'Arlo glisse le poème par la fente courrier de ma porte, mais il s'écoula une heure, puis une autre. N'y tenant plus, j'allai chez O'Shea's.

Étrangement, c'était là que tout avait commencé, avais-je songé en m'installant à ma place habituelle, là qu'Arlo m'avait abordé, là que nous avions tranquillement lié connaissance, là qu'il m'avait parlé pour la première fois d'une jeune femme disparue vingt ans plus tôt. C'était aussi là où débutait l'histoire de Katherine, avec Maldrow et le Chef assis à une table du fond, peut-être celle, qui sait, où je me trouvais en ce moment même.

Je bus une gorgée de ma boisson, laissant vagabonder mon regard autour de moi à la manière de Maldrow sous la plume de Katherine Carr : de la vitre aux clients et au bar avant de l'arrêter sur la banquette en face de lui où le Chef s'était soudain assis, prononçant la première réplique de ce ton mélancolique qui lui collait à la peau : *Tu as l'air fatigué, Maldrow.*

Il aurait sûrement pu en dire autant de moi, encore que c'était l'affaiblissement d'Alice qui, pour l'heure, m'inquiétait le plus : sa respiration laborieuse, son désir de lâcher prise avec la vie, de reculer dans la brume comme Katherine l'avait fait.

— Bonsoir, George.

Je levai les yeux et vis Stanley Grierson arrêté à ma hauteur.

— Salut, Stanley.

C'était mon voisin à l'époque où j'habitais Jefferson Street, un veuf qui paraissait figé dans un chagrin perpétuel. Sa femme, Molly, avait succombé de mort lente sept ans plus tôt, et depuis, Stanley restait livré à lui-même.

— J'aime beaucoup vos articles, dit Stanley. C'est un beau métier, journaliste.

Je repensai à la mort de Bill Daugherty. C'était le meilleur ami de mon père, passé maître dans l'art de couvrir les guerres – ouvertes ou froides. Lors de sa veillée funèbre à New York, une bande de vieux journalistes flageolants était venue lui rendre un dernier hommage, des correspondants étrangers pour la plupart d'entre eux, vêtus de trench-coats et fumant des Gauloises ou d'autres cigarettes étrangères qui sentaient tout aussi mauvais. L'un d'eux m'avait abordé et demandé ce que je faisais dans la vie. Je lui avais dit que j'étais journaliste free-lance, mais il parut entendre quelque chose de plus noble. «Reporter, avait-il dit, est dérivé du latin. *Reportare*, porter ailleurs.» Il avait continué de pérorer sur ci et ça, mais j'avais regardé par-dessus son épaule Celeste, à l'autre bout de la pièce, enceinte de Teddy, faisant attention à ce qu'elle mangeait, ne buvant pas une goutte d'alcool à cause de l'enfant qu'elle portait. Et je m'étais dit : *Elle, elle sait. Elle, elle sait ce qui vaut la peine d'être porté ailleurs.*

– Je n'irais pas jusque-là, répondis-je. Mais ça nourrit son homme.

Stanley haussa les épaules et but une gorgée de bière.

En temps normal, je n'aurais rien ajouté de plus, mais la perspective de la perte d'Alice, du retour à la solitude qui s'ensuivrait inévitablement, m'incita à demander :

– Et vous, Stanley, comment ça va ?

Stanley parut réellement surpris que je désire poursuivre la conversation.

– Ça va, répondit-il. À part que Molly me manque.

Il n'y avait pas grand-chose à ajouter face à cela, et je laissai mon regard se détacher de lui, s'abaisser vers le plateau de la table, vieux et éraflé, remarquai-je alors, crevassé et creusé, tantôt de mots, tantôt de chiffres, et là, plus frappant que les autres, en quelque sorte, plus profondément et plus farouchement tracé, comme sculpté dans les organes vitaux du bois, un nom qui pouvait bien être celui que Katherine avait écrit dans son histoire, celui que «Maldrow» avait vu, gravé avec rage, pour reprendre l'expression qu'elle avait employée, la bouche du graffiteur se crispant à chaque pression qu'il exerçait sur le couteau.

– Sur quoi êtes-vous en ce moment ? voulut savoir Stanley.

– Festival des fleurs, Chambre de commerce, énumérai-je d'un ton léger, comme si je disais cela juste histoire de parler. Je lis une histoire laissée par une femme qui a disparu.

– Laissée ? s'étonna Stanley. Comme un indice, vous voulez dire ?

Je pris conscience que je n'avais encore jamais envisagé l'histoire de Katherine Carr sous cet angle, et tout me parut soudain être un « classique du genre » : un journaliste au passé tragique lisant l'histoire écrite par une femme s'étant volatilisée dans des circonstances mystérieuses que lui avait confiée un enquêteur à la retraite. J'en vins à me demander si, d'ici peu, je n'allais pas moi-même me retrouver comme personnage d'un roman à l'eau de rose, ou pire, d'aventures fantastiques, sur le dos d'un cheval blanc ailé, parcourant des mondes étoilés.

Je bus une gorgée de scotch.

– Je bosse aussi sur le portrait d'une fillette qui est mourante, ajoutai-je. Que voulez-vous, son sort m'a ému.

Stanley hocha lourdement la tête.

– On ne le comble jamais, n'est-ce pas ? demanda-t-il.

– Quoi ?

– Le vide qu'ils laissent. Ceux qui nous sont retirés.

Je réentendis la voix de Teddy : *Tu viendras me chercher s'il pleut ?*

– Non, répondis-je. On ne le comble jamais.

Nous bavardâmes encore un moment de tout et de rien, puis Stanley prit congé et repartit pour sa maison vide de Jefferson Street.

Comme il s'éloignait, je ne pus m'empêcher de penser que si la vie réelle fonctionnait comme une fiction inspirante, il n'aurait pas manqué, avant de me quitter, de me laisser un grain de la sagesse que ses épreuves lui auraient octroyée, une petite leçon d'optimisme qu'il aurait tirée de la mort de Molly, une remarque que j'aurais pu méditer, approfondir, voire transformer en un plan d'action concernant Alice. Mais Stanley n'avait rien de tout cela pour moi, ou alors il le garda pour lui.

Je le regardai partir, commandai un autre verre, puis encore un autre, si bien que je ne serai jamais en mesure de dire exactement quand je partis de chez O'Shea's ce soir-là, et ne serai jamais certain – absolument certain – de ce qui se passa ensuite, sauf que je rentrai chez moi à pied, comme toujours, et que, à un moment, mon attention fut attirée par l'éclairage du coffee shop du bout de la rue, par la femme assise contre la vitre, qui lisait, ses longs cheveux argentés retombant, épais rideau, sur ses épaules et dans son dos et qui, lorsqu'elle me vit, immobile, groggy, sous la pluie, ferma son livre et joignit les mains sur les genoux, me donnant l'impression qu'elle attendait que je la rejoigne à l'intérieur.

Je m'arrêtai à côté de la chaise inoccupée en face d'elle.

– Vous permettez ? m'enquis-je.

– Bien sûr.

Je m'assis et désignai son livre qu'elle avait posé devant elle.

– C'est une bonne histoire ? demandai-je.

Elle baissa le regard dessus et une de ses mains pâles quitta son genou et tapota sur le livre.

– Les livres sont comme des fantômes, vous ne trouvez pas ? demanda-t-elle.

– Comment cela ?

– Ils sont les voix des morts, répondit-elle.

– On peut voir la chose ainsi.

Un sourire fit délicatement frémir ses lèvres.

– Oui, murmura-t-elle.

Elle tourna le livre vers moi, l'ouvrit à la page où elle avait placé le signet rouge sombre et le poussa sous mes yeux.

– Je lis cette nouvelle en ce moment.

Je jetai un coup d'œil au titre.

– *La Dernière Feuille*, déchiffrai-je.

– O. Henry. Vous l'avez lue ?

– Oui, ça parle d'une…

Je me tus, car quelque chose dans son regard me retint.

– Oui ? m'encouragea-t-elle.

– … d'une enfant qui est en train de mourir.

– Comme tant d'autres, observa-t-elle d'une voix posée.

– Regrettable, rétorquai-je malgré moi, si bien que j'eus tout à coup le sentiment que nous nous parlions elle et moi dans le langage codé de copains de longue date dont les mystérieux arcanes nous permettaient de nous comprendre mutuellement.

Je lui rendis le livre.

– C'est une histoire sentimentale, déclarai-je. Autrement dit, un mensonge.

– Je préfère y voir une supercherie gorgée d'espérance, m'opposa la femme, coinçant le livre sous son bras. Excusez-moi, mais mon bus arrive.

Je regardai par la vitre et vis le 34 se garer doucement au bord du trottoir.

– Ce doit être le dernier de la soirée, indiquai-je.

– Oui, je sais, répondit la femme avec un sourire. Bon, eh bien, au revoir.

Je me levai.

– Au revoir, dis-je.

Elle me tendit la main, d'une blancheur et d'une douceur d'ivoire dont la pâleur spectrale n'était rompue, remarquai-je, que par le mince éclat d'un anneau d'or.

À mon arrivée chez moi, comme Arlo n'était toujours pas passé déposer le poème de Katherine Carr, je m'emparai de mon livre sur les Burannis et repris ma lecture de leur croyance selon laquelle les choses non visibles de la vie étaient les plus puissantes de toutes. Pour eux, la Vie était invisible, comme la Mort, et on ne voyait pas davantage la force qui permettait à la douleur d'irradier d'une personne à une autre, et qui faisait qu'on ressentait la souffrance et le chagrin d'autrui.

Je ne lisais que depuis peu de temps quand j'entendis une voiture se garer dans la rue. J'allai regarder par la fenêtre et vis Arlo descendre d'une vieille berline couverte de poussière. Il tenait une enveloppe à la main, de toute évidence le poème que Katherine Carr avait laissé avec son histoire.

Quelques instants plus tard, j'allais récupérer l'enveloppe, remontais avec, l'ouvrais et lisais le poème, espérant qu'Alice avait vu juste, que le contenu de ces quelques lignes révélerait pour de bon quel avait été le sort de Katherine Carr.

Mais Arlo avait dit vrai : le poème n'avait strictement rien à voir avec tout cela. Pas un mot sur Maldrow, ni sur Katherine elle-même, rien qui aurait pu donner la moindre piste sur les circonstances de sa disparition.

Je repliai la feuille et la remis dans l'enveloppe, désormais plus convaincu que jamais qu'il était impossible de résoudre cette affaire.

26

Le lendemain matin, je me rendis à l'hôpital en emportant le poème de Katherine Carr. Alice dormait encore, alors je le posai sur sa table de chevet, puis partis vaquer à mes occupations de la journée.

Comme d'habitude, je travaillai d'arrache-pied, commençant par écrire mon papier sur l'enterrement de Warren Maizey, en faisant l'impasse sur la bizarre petite visite que je lui avais faite dans sa chambre des soins palliatifs, et la part belle à ses crimes, au fait qu'il avait enfin été arrêté, mais alors qu'il était déjà mourant, de sorte qu'il avait de toute manière échappé à la justice et que la mort atroce d'Eden Taub resterait à jamais impunie.

À midi, je l'avais rendu, et attendais comme toujours la réaction de Wyatt.

– Parfait, dit-il, après avoir fini de le lire. J'aime beaucoup la phrase d'ouverture. « *Le cercueil de Warren Maizey fut mis en terre avec froideur et indifférence, sans aucune pitié, à l'image de ce qu'il fut dans la vie* », lut-il avec un petit sourire. Ça fait mal.

– Il ne méritait pas mieux, répliquai-je sèchement.

Wyatt glissa les feuillets dans sa Bannette Bon pour Accord.

– Bon, et maintenant, à qui le tour ? voulut-il savoir.

– Alice Barrows, répondis-je. Quand elle mourra.

– Et après ? insista Wyatt avec indifférence.

Je sentis une très petite chose se casser en moi, un petit mur s'effondrer.

– Après Alice ? murmurai-je. Je ne sais pas.

Dans l'après-midi, tout en travaillant à mon autre article consacré à l'exposition municipale de peintres locaux, je fus assailli de pensées étranges. Elles se présentaient à moi dès que je relâchais ma concentration, voletant obstinément, comme des chauves-souris. Je pensai au Troisième Homme, à sa fable de diamants cachés dans de minuscules tombes, au nom improbable qu'il s'était inventé pour servir ses buts, à son comportement inquiétant. Puis à Max, à ma soirée en sa compagnie dans le monde de la débauche viennoise, l'écho de son injonction de ne jamais oublier le Non-Visible résonnant continuellement en moi. Je repensai à la rencontre de Celeste avec un inconnu qui se trouverait partager avec elle le même nom de famille. Je revécus en souvenir mon long parcours en voiture sur la route sinueuse de la côte amalfitaine, l'incroyable panorama qui s'offrait à la vue depuis la Terrasse de l'Infini. Toutes ces pensées, toutes ces réminiscences me ramenaient inexplicablement à Alice, si bien qu'à la tombée du soir, quand je repris le chemin de l'hospice Gladwell, j'avais l'impression que, d'une certaine façon, je ne l'avais pas quittée de la journée.

Elle tenta de se redresser quand elle me vit entrer dans la chambre, mais échoua, et sa tête retomba mollement sur l'oreiller.

– Vous pourriez… ?

– Bien sûr, répondis-je, me précipitant vers elle pour l'aider à s'asseoir. C'est mieux ?

– C'est bien, dit Alice.

Elle exhala un long soupir – le bruit d'un ballon qui se dégonfle.

– J'ai mal dormi, murmura-t-elle.

Le simple fait de parler semblait lui peser. C'était comme si les mots étaient devenus des fardeaux trop lourds pour elle. Elle donnait l'impression d'être dans un état d'épuisement total, profond et insurmontable : fatiguée d'être fatiguée.

– Je peux revenir plus tard, suggérai-je.

Elle fit non de la tête.

– Vous l'avez lu ? demanda-t-elle.

– Le poème de Katherine Carr, oui, je l'ai lu, répondis-je, le lui tendant. Il n'a rien à voir avec l'histoire qu'elle a écrite ni avec ce qui a pu lui arriver.

Alice me rendit le poème.

– Relisez-le, George.

Ce que je fis :

Pourquoi n'ajouter foi qu'à ce qu'on voit,
Ne croire qu'à ce qui se dresse devant soi,
Choisir le sombre cloaque du Visible
Au détriment de ce que le cœur désire ?

Ne vaudrait-il pas mieux laisser nos rêves refaire
Un monde qui, du Mal, vise à se défaire,
Et s'ouvre à la tendre main,
Offre l'espoir à ceux qui n'en ont point ?

Quel est le mieux pour nous, le doute ou l'espoir
Sur notre chemin crépusculaire,

Pour donner à la vie une portée jamais vue,
Et mettre fin à nos colères ?

– Qu'en pensez-vous ? demanda Alice aussitôt que j'eus fini.

– Ça rime, répondis-je d'un ton sec. Mais le rythme n'est pas tenu.

– Je parlais du fond, précisa Alice.

– C'est absurde. Elle nous enjoint de croire à ce qu'on ne peut raisonnablement pas croire.

– Comme Maldrow. Qu'il existe des « entités » autour de nous qui traquent ceux qui font le mal et le leur font payer.

– Exactement.

Alice prit péniblement une longue inspiration sifflante et changea de nouveau de position.

– Au surnaturel, murmura-t-elle. Ce que devient Katherine, à la fin.

– C'est ça, dis-je. Les gens aiment bien croire à ce genre de bêtises.

Là-dessus, je lui décrivis les croyances bizarres des Burannis, comme l'intervention de Kuri Lam.

Alice m'écoutait attentivement, mais la douleur et la fatigue ne cessaient de détourner son attention, si bien que je ne fus pas surpris qu'elle me demande à plusieurs reprises de revenir sur mes explications.

Je lui redonnai le poème.

– Et toi ? Qu'en penses-tu ?

– Je n'aime pas trop, répondit-elle, sa tête, trop lourde pour elle, glissant peu à peu vers la gauche. C'est un peu absurde, comme vous dites.

– Donc, nous sommes d'accord ?

– Pas tout à fait.

Sur le moment, je redoutai qu'Alice ne réagisse comme quiconque serait susceptible de le faire dans son état : qu'elle ne s'accroche à la lueur d'espoir que Katherine Carr offrait à la fin de son histoire, cette vision d'immortalité ou d'un monde au-delà du nôtre, Katherine s'élevant parmi les étoiles.

Mais ce qu'elle dit ensuite apaisa mes craintes.

– Katherine Carr n'est pas une sorte d'immortelle, ajouta-t-elle. Elle n'est pas ce qu'elle devient dans son histoire. Elle veut sûrement que nous pensions qu'elle est réellement là-bas, dans les nues avec Maldrow.

J'étais soulagé de l'entendre parler de la sorte, mais comme je ne voyais pas où elle voulait en venir, je gardai le silence.

– Mais peut-être que le poème nous révèle ce qu'il lui est réellement arrivé, poursuivit-elle. Il finit bien. Elle n'a pas été assassinée et elle ne n'est pas suicidée.

– Dans ce cas, pourquoi aurait-elle disparu ?

– Parce que c'était sa seule chance.

Alice s'exprimait d'une voix ténue, mais elle était bien décidée à défendre son hypothèse.

– Ce n'était pas tant une chance, continua-t-elle, mais plutôt la seule possibilité qu'elle avait.

– Laquelle ?

– Celle de faire en sorte que nous entrions dans son histoire, répondit Alice. C'était la seule chose qui lui importait. Cette histoire, ça devait être comme son enfant, alors elle ne voulait pas qu'elle meure.

– Je ne comprends pas ce que tu veux dire.

– C'est le sens de son poème, insista Alice. Elle cherchait à donner l'espoir qu'il existe autour de nous des forces qui nous viennent en aide. Des immortels qui s'arrangent pour que des gens ne restent pas impunis pour leurs crimes.

– Comme Kuri Lam ? demandai-je.

– Comme Maldrow, me répondit-elle. Des immortels de ce genre. Ce que Katherine Carr devient, elle aussi, à la fin de son histoire.

Alice demeura silencieuse un moment, comme pour me laisser le temps de bien réfléchir à tout cela, puis elle ajouta :

– C'est sans doute pour cette raison-là qu'elle a disparu.

Je la regardai, perplexe.

– Pour qu'on croie que son histoire est vraie, expliqua Alice. Ce qui n'aurait pas été le cas si elle s'était tuée car on aurait sûrement retrouvé son corps. Donc, elle a choisi de disparaître. Elle devait disparaître dans la réalité comme à la fin de son histoire. Donc, pour que son histoire soit vraie, elle disparaît.

– Mais où est-elle allée ? demandai-je.

– Qu'est-ce que ça peut faire, où elle est allée, soupira Alice. La seule chose qui compte, c'est pourquoi elle a fait cela.

Elle s'appuya contre son oreiller, et prit une longue et pénible inspiration.

– C'est une chimère à laquelle elle veut que nous croyions, et pour nous donner une maigre preuve à laquelle nous accrocher, elle est partie.

Elle sourit pour la première fois – un sourire fugace, mais rayonnant de satisfaction.

– Mais vous, qu'en pensez-vous ?

Je savais que, dans une histoire policière classique, il aurait fallu un autre dénouement, plus dramatique ou plus révélateur, qui, en l'occurrence, aurait permis à

Alice de déduire ce qu'il était arrivé à Katherine Carr : si elle avait été assassinée ou s'était suicidée, quelle avait été sa vraie fin. Mais en la voyant si détendue, si heureuse, si satisfaite de la « solution » qu'elle avait trouvée, je pris conscience que, quoi qu'il se soit réellement passé toutes ces années plus tôt, le destin de Katherine Carr avait été, en fin de compte, de faire don de son mystère et de la vague possibilité de sa résolution à une enfant mourante.

Ça me fit sourire.

— Tu es une vraie détective, Alice, parvins-je à dire sans tremblements dans la voix.

Je m'attendais à ce qu'elle le prenne comme un compliment sur sa capacité de déduction à partir des maigres éléments du poème de Katherine Carr, au lieu de quoi elle poursuivit :

— Teddy. Vous m'avez dit que vous cherchiez la fin d'une phrase le jour de sa disparition.

Soudain, je me demandai si elle ne cherchait pas à inverser les rôles, presque à la manière d'un conte sentimental : les efforts d'une fillette à l'article de la mort pour mettre du baume au cœur d'un homme tourmenté.

— Oui, c'est exact.

Et tel un personnage de roman de science-fiction reculant en tournoyant sur lui-même dans une machine à remonter le temps, je retournai dans cette époque et dans ce lieu révolus. À croire que j'étais perché comme un oiseau en haut de la bibliothèque, je me vis assis à mon bureau, le regard fixé sur ma phrase d'accroche incomplète, ayant besoin d'une fin qui donnerait le ton, me creusant les méninges pour la trouver tandis que les premiers roulements de tonnerre résonnaient dans Jefferson Street et que la première pluie d'orage fouettait les carreaux.

– La phrase sur l'Estrémadure, dis-je à Alice, cette région austère et aride du sud de l'Espagne dont bon nombre de ses jeunes hommes partirent avec les conquistadors. J'avais écrit le début.

Mais je n'étais jamais parvenu à trouver la fin, continuais-je de lui raconter, si bien qu'elle était restée tronquée, en suspens, aussi gênante pour moi en cet instant qu'un bras à moitié coupé.

– Quand j'ai entendu tonner et pleuvoir, je me suis levé et je suis allé à la fenêtre.

D'où j'avais regardé tomber la pluie et écouté le bruit du tonnerre, n'ayant pas oublié la promesse que j'avais faite à Teddy, mais contrarié par cette phrase inachevée dont je pressentais la formulation dans un coin de ma tête, mais encore floue, abstraite.

– J'étais sûr que la fin de cette phrase me viendrait. Ça arrive de nulle part. Ça ne se commande pas. Je sentais que celle-là me venait, mais j'avais besoin de temps… d'un tout petit peu de temps.

Alors je m'étais retourné pour aller me rasseoir devant ma page, et à cet instant précis, du coin de l'œil, je vis une lame d'un jaune luisant balafrer le brouillard.

– Donc, je ne suis pas allé chercher Teddy. À la place, j'ai regagné mon bureau et j'ai relu la demi-phrase que j'avais écrite.

Une fois encore, cette phrase d'accroche restée inachevée repassa dans mon esprit : « Les vents de l'Estrémadure vous secouent, vous dessèchent et vous transpercent autant que… », la citai-je de mémoire. C'est là qu'elle s'arrêtait.

Alice ferma les yeux et prit une inspiration laborieuse qui parut provoquer une douleur dans sa poitrine.

– Vous ne l'avez jamais trouvée, la fin de cette phrase ? demanda-t-elle.

– Non, jamais.

Ce fut alors que cette fin si longtemps espérée apparut comme un fantôme au bout d'un long couloir, toujours là, mais invisible jusqu'alors.

– Je viens de la trouver, annonçai-je, très calme.

Alice me regardait sans rien dire, attendant manifestement que je lui fasse part de ma découverte.

– « Les vents de l'Estrémadure vous secouent, vous dessèchent et vous transpercent autant que…, récitai-je,… autant que les souvenirs des fils qu'on a perdus. »

Alice ne dit rien, et je m'attendais à ce qu'elle fasse un commentaire sur ma phrase, me dise si elle la trouvait belle. Au lieu de quoi, elle murmura :

– Je ferais bien de dormir maintenant.

– D'accord.

Je m'apprêtai à me lever, mais elle leva la main pour m'en empêcher ; puis, avec une grâce d'une lenteur déchirante, elle tapota le bord de son lit.

– Seulement jusqu'à ce que je m'endorme, souffla-t-elle.

Je m'assis sur le lit et la pris dans mes bras.

Elle resta contre moi, et si la vie réelle était une histoire à l'eau de rose, un sentiment de paix l'aurait envahie pendant ce temps-là, et les nombreuses souffrances qu'elle avait endurées se seraient estompées pour, à la fin, totalement disparaître.

En fait, Alice ne s'assoupit pas, mais se réveillait sans cesse à la lisière du sommeil et, de là, regardait, agitée, l'obscurité de l'autre côté de la fenêtre, si bien qu'au matin, elle semblait toujours chercher dans l'infini, au-delà des lunes, au-delà des étoiles et par-delà les planètes, comme si, en ses derniers instants, elle était déçue par la fin qu'elle-même proposait, la trouvait équivoque, décevante, et que par conséquent, elle continuait inlassablement d'essayer d'aller plus loin, encore et toujours plus loin dans le néant qui l'entourait, encore et toujours plus loin jusqu'à n'être plus reliée à elle-même que par un filament de lumière extrêmement ténu qui s'effilochait de plus en plus à chaque respiration qu'elle prenait jusqu'à ce que, enfin, il casse.

27

L'enterrement d'Alice eut lieu le dimanche suivant, et huit jours plus tard, l'article que je lui consacrai paraissait dans le *Winthrop Examiner*. J'y mettais en parallèle les deux histoires qui trouvaient chacune leur étrange dénouement dans la mort d'Alice. Curieusement, elles confluaient pour devenir un unique petit ruisseau d'espoir envers et contre tout.

Après cela, j'acceptai tous les sujets, aussi inintéressants soient-ils, que Wyatt me proposait – l'inauguration d'une animalerie, une dégustation de vins –, et, de ce point de vue, repris le cours de mon existence.

Pendant les mois qui suivirent, Arlo et moi nous croisâmes de temps en temps au restaurant ou chez O'Shea's, mais au bout d'un moment, nous n'eûmes plus trop de raisons de continuer de discuter de Katherine Carr ou de son histoire, de sorte que, bientôt, nous ne fîmes presque plus allusion à elle.

En octobre, la maison de l'horreur – probablement celle qui avait servi de modèle à Katherine Carr pour son histoire – fut détruite au bulldozer en prévision de l'édification d'un centre touristique financé par l'État. Plus tard ce même mois, le poteau blanc et le petit banc qui matérialisaient l'arrêt de bus où Maldrow avait déposé Katherine pour la confronter au mal à l'état pur avaient été remplacés par un abri en Plexiglas couvert de publicité.

Ainsi, à l'été, il ne resta plus que deux choses concrètes dans Winthrop qui rappelaient Katherine Carr : la maison de Gilmore Street, où je ne retournai jamais, et la grotte creusée dans la roche à laquelle je jetais parfois un coup d'œil, mais sans plus, quand je passais en ville en voiture. Car pour moi, elle avait bel et bien pris fin, l'histoire de Katherine Carr, une fin si définitive que, à l'automne, je ne pensais plus que très rarement à elle et ne m'attendais pas le moins du monde à en entendre de nouveau parler.

En juillet de l'année suivante, je fus stupéfait d'apprendre qu'un certain Anthony Ray Carmine avait été arrêté dans la ville voisine de Kingston. Il avait vécu à Winthrop quelques années plus tôt, affirmait-il. Il travaillait alors à la marina qui bordait le parc, principalement au nettoyage des bateaux. Il avait toujours eu une étrange obsession pour ce qu'il appelait «les femmes mystérieuses», expression par laquelle il semblait désigner toutes celles qui ne s'intéressaient pas à lui. Il se vantait d'avoir assassiné six d'entre elles dans différentes villes de l'État. Il connaissait le nom de ses victimes et l'ordre dans lequel il les avait tuées. Celles-ci, toutes recherchées dans le cadre d'une disparition inquiétante, n'avaient jamais été retrouvées. Le quatrième nom figurant sur sa liste était celui de Katherine Carr.

– Il prétend tuer par plaisir, me raconta Arlo quand nous nous retrouvâmes pour discuter de cette toute dernière nouvelle l'après-midi du lendemain des aveux de Carmine. Il ne frappe ni ne viole ses victimes. Son plaisir, c'est tuer. Toujours avec une corde.

Je n'avais pas envie d'en entendre davantage, même si je ne doutais pas qu'Arlo ait appris tous les détails.

– En un sens, ce doit être un soulagement pour Audrey, supposai-je, puisque le plus important pour elle était que Katherine ne se soit pas suicidée.

Arlo approuva de la tête, mais je lisais le doute dans son regard.

– À condition que Carmine dise vrai, observa-t-il.

– Vous pensez qu'il ne l'a pas tuée ?

– J'aimerais en avoir la preuve, répondit Arlo en haussant les épaules.

– Quelle preuve ?

– Le corps. Il dit l'avoir transporté en bateau en aval de la rivière au beau milieu de la nuit. Que personne ne l'a vu à cause du brouillard.

– Il l'aurait jeté par-dessus bord ?

Arlo secoua la tête.

– Non, comme il se doutait que la police draguerait la rivière, il l'a finalement ramené sur la berge et a attendu l'aube pour le traîner dans les bois où il l'a enterré.

– Où ?

– Là où il conduira la police demain, répondit Arlo, buvant une gorgée de café. Vous voulez venir ?

J'hésitais. Ce ténébreux voyage, je l'avais déjà entrepris après la découverte du corps de Teddy, et la perspective de revivre cette expérience ravivait le profond désespoir qui m'avait gagné ce jour-là, comme si le temps changeait, qu'un orage éclatait pour ne plus jamais s'éloigner.

Mais il y a des compulsions qui ne s'expliquent pas, une porte qu'il nous faut pousser, un tiroir qu'il nous faut ouvrir, et ne pas y céder reviendrait à nous faire un impossible aveu.

Toutefois, c'était loin d'être une décision facile à prendre pour moi, et j'y réfléchis un long moment avant de, finalement, résoudre mon dilemme.

– Je crois que oui, dis-je à Arlo.

Il ne parut pas surpris.

– C'est bien ce que je pensais. Après tout, vous êtes journaliste.

Et le reportage, comme disait le reporter à la veillée funèbre de mon père, c'est donner à connaître la vérité telle qu'elle est, aussi terrible qu'elle puisse être.

Le lendemain matin, nous prîmes la voiture d'Arlo et nous joignîmes au convoi de police qui comprenait un laboratoire mobile de scène de crime. Un peu comme une formation de combat, nous longeâmes en direction du nord la route sinueuse qui bordait la rivière, prenant tel virage puis tel autre, souvent assez brutalement, Carmine assis dans le véhicule de tête, savourant sans doute sa provisoire autorité de chef de meute.

À l'endroit appelé March's Crossing, nous obliquâmes vers l'est, suivant toujours le cours de la rivière, jusqu'à une trouée entre les arbres sur notre droite où nous nous engageâmes pour rouler encore un petit moment jusqu'au bord boueux de la rivière.

Aussitôt, un contingent de policiers entourèrent la voiture de tête en rangs si serrés que ce fut seulement en arrivant tout près d'eux que j'entraperçus Carmine planté sur ses jambes, les fers aux pieds, mais les mains menottées devant lui pour lui permettre de les lever et les abaisser au rythme des bouffées qu'il tirait sur sa cigarette. Vêtu de la combinaison orange des détenus, il était beaucoup plus petit que, je n'aurais su dire pourquoi, je ne l'avais imaginé, et très maigre, au point qu'il donnait la curieuse impression de manquer de quelque élément vital dont les hommes ont besoin pour être des hommes.

– Prêts, les gars ? lança-t-il avec un sourire en coin.

Même entravé, Carmine se pavanait comme un coq nain en nous précédant vers la berge. Deux imposants policiers le flanquaient, mais derrière leur groupe bien réglé, régnait la confusion la plus totale. On trouvait des enquêteurs en costume d'été, des shérifs adjoints et des avocats du Bureau du procureur talonnés par un groupe trié sur le volet de journalistes de la télévision et de la presse écrite, caméras et calepins en main, mitraillant Carmine de questions auxquelles il répondait par des sourires, des clins d'œil, des haussements d'épaules ou des hochements de tête, mais sans jamais prononcer un seul mot.

Il ne s'arrêta qu'une fois arrivé au bord de l'eau, et là, il regarda de gauche à droite comme s'il essayait de repérer sa position.

Il y eut un moment de flottement : Carmine silencieux sur la rive, inclinant la tête d'un côté puis de l'autre tel un oiseau aux aguets, jusqu'au moment où quelque chose arrêta son œil et où il dit :

– C'est là.

Il avait un large sourire.

– J'étais pas sûr que ça y soit encore.

Après tout, vingt ans avaient passé, avec les intempéries qui sont ce qu'elles sont, et le temps qui n'a de respect ni pour les points de repère ni pour aucune forme d'inaltérabilité. Pourtant, elle était toujours au même endroit, aux dires de Carmine : une pancarte métallique, fraîchement peinte à l'époque, mais aujourd'hui tellement rouillée que son unique injonction n'était plus qu'à peine lisible : INTERDICTION DE JETER DES ORDURES.

– Ça m'a fait marrer, dit Carmine avec le même rictus. Parce que jeter des ordures, c'est exactement ce que j'ai fait.

Je regardai Arlo et vis qu'au fond de lui, dans un recoin de sa tranquille raison, il avait voulu croire qu'une partie de l'histoire de Katherine Carr était vraie, qu'elle avait trouvé le moyen d'échapper à un sort aussi commun que mourir assassinée, et je me rendis compte qu'Alice et lui avaient partagé ce spectaculaire espoir envers et contre tout dont il m'avait parlé plus tôt.

– Vous donneriez tout pour que ce ne soit pas Katherine, n'est-ce pas ? demandai-je.

Il se tourna vers moi et hocha tristement la tête.

– Oui, admit-il. C'est vrai.

Nous suivîmes Carmine le long de la rive vers le sud, au-delà de la pancarte délabrée et à travers un banc de roseaux pour finir par arriver dans un endroit qu'il sembla vaguement considérer comme étant le bon.

– Je ne sais plus à quelle profondeur elle est. J'ai creusé rapidement, raconta-t-il en riant. Fallait bien que je m'en débarrasse quelque part, pas vrai ?

Les hommes chargés de creuser se rassemblèrent autour de l'emplacement qu'il avait indiqué et se mirent au travail, déterrant tout un monticule de terre brune sous le regard des autres qui attendaient sur le côté, silencieux. Carmine, flanqué de ses deux hercules, fumait cigarette sur cigarette. Parfois, son regard déviait dans ma direction, mais sans jamais s'arrêter sur moi. De temps en temps, il suivait des yeux le vol d'un oiseau ou jetait un coup d'œil vers un bruit provenant des profondeurs des sous-bois, mais sinon c'était tout juste s'il semblait être là jusqu'au moment où une question qui fusa des rangs des journalistes désœuvrés parut soudain le ramener à un instant perdu dans sa mémoire.

– Hé, Ray, parlez-nous du meurtre.

Il jeta sa cigarette dans le courant de la rivière, et rit tout seul.

– Elle est morte en chienne en chaleur qu'elle était.

Il faillit ajouter quelque chose, mais un des hommes qui creusaient cria :

– On a trouvé !

À cet instant, je vis les doutes d'Arlo se dissoudre comme mon espoir de retrouver Teddy vivant s'était dissous dans la bouillie méconnaissable que le temps et la rivière avaient fait de lui. Malgré tout, il se tourna vers les hommes et attendit qu'ils terminent le travail.

C'est, cela va de soi, par lambeaux, ceux de tissus pourris, et par effritements, la triste poudre de la décomposition, que se fait ce genre de découvertes. Au-delà de cela, il n'y a rien que la brutale nudité de l'os. Arlo et moi vîmes toutes ces choses-là pendant les minutes qui suivirent, mais aussi autre chose : des bouts de tissu foncé.

Arlo exhala un soupir désolé.

– On l'aura donc enfin trouvée, murmura-t-il.

Alors, un des hommes qui creusaient plongea la main dans le trou et en retira un crâne. Il était recouvert de boue, mais sa forme était reconnaissable.

Le rire de Carmine se répercuta le long de la rivière, dans les bois, lame qui nous transperça tous.

– Qu'est-ce que je vous disais ! s'écria-t-il. Une chienne en chaleur.

L'homme leva le crâne dans la lumière, et, d'un doigt prudent, en explora les crocs canins.

– Nous ne saurons donc jamais ce qui est arrivé à Katherine Carr, dis-je à Arlo assis en face de moi chez O'Shea's ce soir-là.

Entre-temps, Carmine avait reconnu avoir menti sur tout, voulu s'amuser à rouler dans la farine les autorités, lui-même n'étant coupable de rien d'autre qu'une mauvaise farce.

– Je crains que non, répondit Arlo, prenant son verre et buvant une gorgée. Ni à Hollis Traylor, d'ailleurs.

– Toujours rien sur lui ?

– Non. Mais la police a trouvé d'horribles photos dans sa cabane de pêche sur le lac.

– Des femmes ? demandai-je.

Il fit non de la tête.

– Des petits garçons. Ligotés. Pendus. Des trucs porno téléchargés sur le Net, des tonnes, énuméra-t-il, haussant les épaules. Ce serait bien, non, de pouvoir penser que Katherine l'a eu ?

– Katherine est morte depuis longtemps.

Arlo contempla son verre un moment, puis me regarda et le morne abattement que je dus laisser transparaître en cet instant ne lui échappa pas.

– À quoi pensez-vous, George ?

– À Alice.

– Quoi, Alice ?

– Qu'elle méritait une meilleure fin, répondis-je.

L'air s'était rafraîchi quand nous quittâmes le O'Shea's. Arlo enfila le trench-coat qu'il avait revêtu pour se rendre sur tant de scènes de crime, ces pièces ensanglantées, ces caves humides, ces ruisseaux vaseux, ces ravins herbeux où, de tout temps, des infortunés trouvaient leur dernier repos.

Il leva les yeux vers le ciel dégagé.

– Belle nuit.

– Claire comme le jour, répondis-je.

Nous nous serrâmes la main en silence, puis partîmes chacun de notre côté pour reprendre notre existence d'où, supposions-nous, aussi bien Alice Barrows que Katherine Carr, lentement, inévitablement, disparaîtraient.

Ma voiture était garée dans une rue transversale, mais je n'avais pas envie de rentrer chez moi, alors malgré la fraîcheur du soir, je continuai de marcher en ville, puis parcourus Main Street jusqu'au bout où la rue se terminait, comme toujours, dans ce parc avec cette petite grotte creusée dans la roche.

Je m'assis sur un banc en face et imaginai Katherine Carr lors de sa dernière nuit, seule dans l'obscurité, entourée de brume. Comme c'était étrange, songeai-je, que ce soit dans la partie la plus incontestablement fictionnelle de son histoire qu'elle ait prédit sa fin dans la réalité.

Tandis que je tournais et retournais ces circonstances dans mon esprit, j'entendis soudain le chuintement de portes hydrauliques.

Je tournai la tête vers Main Street, là où le bus 34 s'était arrêté à hauteur d'un petit poteau blanc. Les vitres étaient couvertes d'une fine couche de poussière accumulée sur son itinéraire principalement rural, mais encore suffisamment transparentes pour me permettre de distinguer une silhouette s'avançant vers l'avant du bus, la tête sous la capuche, en cette nuit claire et étoilée, d'un ciré jaune.

Et je pensai, éperdument, irrationnellement, comme quelqu'un soulevé brusquement par une vague invisible : *Se pourrait-il que ce soit lui ?*

Je me levai et restai immobile, comme un homme à la fois poussé à l'action et cloué sur place, à demi convaincu qu'une telle chose était possible et à demi convaincu qu'elle ne l'était pas.

À présent, la silhouette était descendue du bus et s'était engagée dans le parc, éclaboussure jaune se faufilant entre les arbres selon un trajet mouvant qui, par son imprécision même, semblait curieusement destiné à attirer mon attention. Pendant quelques instants, je la regardai apparaître et disparaître devant mes yeux, toujours indécis sur le parti à prendre. Après tout, quelles étaient les chances que ce soit réellement l'homme qui avait enlevé Teddy ? Aucune, pensai-je, absolument aucune, pourtant je ne pouvais me débarrasser de l'espoir grandissant, aussi illogique soit-il, que c'était vraiment lui, que l'homme qui avait tué mon fils était, par le plus grand des hasards, venu se mettre à ma merci.

Cette fois, me dis-je, *il ne s'en tirera pas.*

Sur la vague de cette pensée totalement déraisonnable, je me frayai un chemin dans les profondeurs du parc, à l'affût des éclats jaunes qui oscillaient dans l'ombre.

Maintenant, la silhouette avait atteint la rivière et longeait la rive, mais avait nettement ralenti l'allure, si bien que, soudain, je ne sus plus très bien si je m'étais lancé à la poursuite de ce ciré jaune ou laissé attirer dans un piège par le mal qu'il camouflait.

Je faillis renoncer, car j'avais pleinement conscience d'être mû par une impulsion déraisonnable. Mais il est des moments de pur dénuement où nos plus grandes douleurs réaffirment leurs droits, exigent réparation, explication ou apaisement, de sorte qu'on est soudain le jouet de ces passions échevelées que connaissent les amants, les combattants ou les défenseurs d'une grande cause.

Alors je poursuivis mon chemin, accélérant le pas, gagnant du terrain au moment où nous atteignîmes tous deux le ponton de pierre qui s'avançait dans le courant de la rivière gagnée par la nuit.

Soudain, je me sentis en proie à une extrême agitation, une impulsion angoissante que je ne pouvais ni m'expliquer ni maîtriser : le besoin impérieux de faire un ultime et furieux effort pour redresser un tant soit peu l'ordre des choses non seulement pour Teddy, mais aussi pour Alice en ses cruelles dernières heures, pour mon père en sa rage sur son lit de mort, pour Celeste en sa fin prématurée, pour tous ceux et pour toute chose sur Terre qui ont, un beau jour, été pris dans la toile de l'immémoriale injustice de la vie, bêtes de somme et tireurs de pousse-pousse aux cheveux grisonnants, esclaves massacrés d'Alaric et filles perdues de la route africaine.

– Arrêtez ! criai-je. Arrêtez, je vous dis !

La silhouette en ciré jaune stoppa net à mon ordre, puis se retourna vers moi, restant immobile à mon approche.

La seule lumière provenait du fanal de la marina dont le faisceau occasionnel prodiguait un si piètre éclairage que je ne voyais rien jusqu'au moment où une main pâle et fine se leva et rabattit la capuche.

– Oh, haletai-je. Excusez-moi.

Le visage de la femme demeurait dans l'obscurité, la lumière tournante du port de plaisance révélant ses traits un à un : un œil, l'amorce de la bouche, si bien que son visage m'apparut par facettes, comme les éléments d'un portrait cubiste qu'on relie entre eux plus par ce qu'on imagine que par ce qu'on voit.

– Je ne vous ai pas fait peur, j'espère.

– Non, répondit-elle, repoussant ses cheveux méchés de gris. Pas du tout.

Elle jeta un coup d'œil vers la rivière, et je vis son profil qui, dans l'ombre, me parut étrangement familier, puis ne le fut plus du tout.

– Je vous ai prise pour quelqu'un d'autre, expliquai-je d'une voix hésitante.

La femme me regarda d'un air distant, qui pourtant me parut chargé d'une terrible connivence, comme si l'intimité était une vague qui traversait des distances infinies dans le temps et l'espace en un seul incommensurable instant.

– Vous m'avez prise pour qui ? demanda-t-elle.

– Pour un homme que je n'ai vu qu'une fois. Il portait un ciré jaune. Je recherche cet homme depuis longtemps, lui dis-je, un frisson me parcourant jusqu'au tréfonds de l'âme. Parce que je crois que cet homme a tué mon fils.

– Je sais ce que vous ressentez.

Sa voix, douce et compatissante, me donna la sensation que la main du destin se posait sur mon épaule.

– Vous voudriez être sûr qu'il n'est pas passé entre les mailles du filet, ajouta-t-elle.

Une étrange lumière intérieure diffusait un éclat légèrement bleuté sur son visage, et sur ce visage je lus toute une myriade de sentiments : chagrin, douleur, perte, pitié et, à cet instant, le bizarre et le fantastique, les touchers fantomatiques et les événements insolites, les curieuses coïncidences et les coups du sort inexplicables se pétrifièrent dans mon esprit au point que j'eus la sensation d'être soudain tout au bord d'un étrange précipice face à une insondable infinité de possibles.

Katherine ? songeai-je.

Je me retins de poser la question, mais en cet incroyable instant de suspension d'incrédulité, je sentis se dénouer bien des liens, se lever un poids terrible, la grande pesanteur du réel soulevée momentanément sur les ailes du miraculeux.

Je voulus parler, mais ne le pus. Je restai là, immobile, dans le calme absolu de cet instant suspendu, incapable de bouger, incapable de m'exprimer, aussi démuni qu'une figurine de verre tournant lentement sous le vent.

De sa place dans l'ombre, la femme m'observait avec ce qui me paraissait être une forme d'amour, non pas celui d'une épouse pour son mari, d'une mère pour son enfant, d'une sœur pour son frère, ni même celui de l'amie pour l'ami, mais plutôt cet étrange et impalpable lien que les Grecs appelaient *agapè* sans lequel, disaient-ils, on ne pouvait mener une vie équilibrée.

Elle toucha délicatement le col du ciré.

– L'homme à qui il appartenait n'en a plus besoin, finit-elle par dire.

Elle me regardait, ses doigts bougeant avec légèreté sur les revers du ciré, mouvements qui faisaient penser à quelque écriture invisible, la communication passant entre nous comme des vagues sur une plage qui déferlaient, se chevauchaient et s'enroulaient les unes autour des autres.

– C'est ce que vous voulez ? demanda-t-elle.

Elle parlait du ciré, et je repensai tout à coup à la petite croix que le Chef offrait à Maldrow dans l'histoire de Katherine Carr, ainsi qu'à la bague que Maldrow donnait à Katherine, et, tandis que je portai le regard sur le ciré jaune, je sentis, en dépit de toute logique et de toute compréhension, que ce qui m'était offert là, maintenant, représentait la même funeste preuve.

– Non, répondis-je, comme quelqu'un qui refuse la peau d'une bête féroce.

La femme hocha doucement la tête.

– Peut-être que nous nous reverrons, dit-elle.

– Peut-être.

Elle s'apprêta à se détourner, mais ma question l'arrêta.

– Que lui est-il arrivé ? À l'homme au ciré jaune ?

Elle me répondit d'une voix dure qui claqua comme le métal contre le métal.

– Il est parti en voiture un soir. On ne l'a jamais revu.

Sur ces mots, elle recula avec une grâce que je ne peux qualifier que de surnaturelle, pivota sur elle-même lentement, sans effort, comme portée par l'air, et s'éloigna tranquillement, s'enfonçant dans la nuit tandis que des filaments de brume se rassemblaient peu à peu autour d'elle, lui donnant l'air si fantomatique, si immatériel, que c'était tout juste si elle semblait faite de chair.

M. Mayawati me regarde d'un air accablé, profondément troublé, comme quelqu'un qui n'aurait plus de certitudes sur le monde qui l'entoure, qui ne s'y sentirait plus en sécurité. Ses lèvres s'entrouvrent, se referment, s'entrouvrent à nouveau. Il finit par articuler :

– La femme en ciré jaune... c'était... Katherine Carr ?

Comme je ne lui réponds pas, il s'apprête à dire autre chose, mais se ravise et reste silencieux un long moment, en homme qui réfléchit aux conséquences d'une terrible erreur de calcul. Puis, tel un lâche en proie à un accès de terreur, il éclate de rire.

– Vous n'avez jamais rencontré une telle femme !

Je ne tente ni de le contredire, ni de lui prouver le contraire.

Mon silence ne fait qu'accroître l'agitation qu'il me donne à voir.

– C'est votre propre histoire que vous m'avez racontée là, assène M. Mayawati, comme quelqu'un qui chercherait à mettre en doute la sincérité d'un témoin. Ni celle de Katherine, ni celle d'Alice.

Comme je me contente de continuer de le fixer des yeux en silence, il se recroqueville sur lui-même à la manière d'un petit animal face à la menace d'un prédateur.

– D'ailleurs, il y a des lacunes, ajoute-t-il avec hésitation. Par exemple, la femme rencontrée dans le coffee shop. Et celle dans la maison, et l'autre, dans la rue où habitait Katherine Carr. Vous ne nous dites pas qui elles sont.

Je ne l'approuve ni ne le contredis.

Je perçois les contorsions de l'âme véreuse de M. Mayawati, mais ne donne aucun signe de ce que je vois dans la lueur de peur qui s'allume dans son regard, ni de ce que je décèle dans la chaleur qui émane de lui, la terrible âcreté qu'elle exhale : celle de corps en décomposition.

M. Mayawati tire son mouchoir de sa poche et se tamponne violemment le cou et le visage. Mais rien n'y fait : il transpire de plus belle, au point de donner l'impression de fondre sous la chaleur des feux d'un enfer intérieur.

– Vous m'avez bien eu, proteste-t-il de l'air un peu vexé d'un homme candide de qui l'on s'est joué. D'abord, vous me faites croire que c'est l'histoire de Katherine Carr.

Il bascule en arrière dans son transat comme poussé par la main du destin.

– Puis vous me faites croire que c'est celle d'Alice.

Soudain, ses yeux brillent de colère, mais ce n'est que du vent, un bouclier brandi contre sa peur.

– Alors que c'est votre histoire, n'est-ce pas ?

– Non, ce n'est pas mon histoire.

Je lui ai répondu calmement, et c'est d'une voix glaciale que j'ajoute :

– C'est la vôtre.

M. Mayawati s'esclaffe, mais c'est le rire paniqué de quelqu'un saisi par une terrible anxiété.

– La mienne ? se récrie-t-il. Comment cela se pourrait-il ?

Je me lève brusquement et vais m'accouder au bastingage. L'eau qui file en contrebas est toujours impénétrable, la proue, lame qui ne fend que la couche la plus superficielle de son opacité, ne révèle presque rien de ce qu'elle recèle.

– En tout cas, elle est très bizarre, votre histoire, je vous l'accorde, se croit tenu d'ajouter M. Mayawati.

Il rit de nouveau en épongeant la perpétuelle moiteur qui dévore son visage.

– Trop bizarre pour être vraie, murmure-t-il.

Je laisse mon regard errer sur la jungle. Au-delà de la station centrale, les Burannis se préparent déjà à me recevoir, disposant les évidences, les preuves, disent-ils, du Non-Visible, lesquelles révèlent peut-être seulement à quel point il est violent, l'espoir de l'homme d'une intervention miraculeuse, de la guérison, réelle ou non, de la brûlure à vif de l'injustice.

M. Mayawati gigote, commence à se lever, puis se laisse retomber dans son transat.

– Avec cette chaleur, je ne… je ne suis plus très sûr de…

Je sais maintenant que la peur de M. Mayawati n'est pas celle de l'innocent, car l'innocent ne craint pas la justice, divine ou non, des tribunaux convoqués dans de vastes salles blanches, des sentences rendues.

Je me retourne vers lui et quand nos regards se croisent, les traits de M. Mayawati se figent dans la soudaine inquiétude de ceux qui voient qu'on les a démasqués, de ceux qui sortent de champs en trébuchant, en essuyant le sang sur leurs mains, pour trouver devant eux non pas la route déserte, aveugle et indifférente, mais un petit garçon qui, ayant tourné la tête juste au bon moment, tire sur le manteau de son père. *Regarde par là.*

– Plus très sûr de…

M. Mayawati se tait, et dans ce silence, comme une voix derrière un rideau, j'entends une petite fille lire à voix haute dans le parc, celle qui était si jolie.

M. Mayawati me regarde avec une étrange incrédulité, et alors que nous restons tous les deux immobiles, je vois son ombre flasque tomber sur la fillette, la grimace de dégoût qu'elle fait en sentant l'odeur du mélange de transpiration et de curry, l'odeur âcre, prégnante, implacable, brutale de tous ceux qui pensent qu'ils ne seront jamais inquiétés.

– Je n'y crois pas, à votre histoire, déclare fermement M. Mayawati, avec moult dénégations de la main. Évidemment que je n'y crois pas.

Il se met debout comme si on l'y forçait sans ménagement et s'éloigne pesamment vers l'arrière du bateau, levant les yeux en marchant, les braquant vers le ciel accablant où, très haut, un oiseau sombre dessine un long cercle paresseux.

– Rien ne vous y oblige, dis-je tout bas, sachant qu'il se figerait au son de ma voix. Mais disons que…

Il fait volte-face, le regard presque liquéfié par l'implacable enfer de sa chaleur intérieure.

– Disons que… quoi ? demande-t-il d'une voix hésitante, apeurée, comme s'il n'était plus sûr de son destin.

Je ne me retourne pas vers lui, je me contente de
sourire.

– Disons que… c'est à vos risques et périls.

Safari dans la 5ᵉ avenue
Gallimard, « Série noire », 1981

Du sang sur l'autel
Gallimard, « Série noire », 1983
et « Points », n° P2869

Haute couture et basses besognes
Gallimard, « Série noire », 1989

Qu'est-ce que tu t'imagines ?
Gallimard, « Série noire », 1989

Les Rues de feu
Gallimard, « Série noire », 1992 et 2004
et « Folio Policier », n° 533

Les Instruments de la nuit
L'Archipel, 1999
et Point Deux, 2012

Les Ombres de la nuit
L'Archipel, 2002
et « Le Livre de poche », n° 37067

Interrogatoire
L'Archipel, 2003
et « Le Livre de poche », n° 37167

Disparition
L'Archipel, 2003

La Preuve de sang
Gallimard, « Série noire », 2006
et « Folio Policier », n° 666

Les Ombres du passé
Gallimard, « Série noire », 2007
et « Folio Policier », n° 568

Les Feuilles mortes
Barry Award
Gallimard, « Série noire », 2008
et « Folio Policier », n° 593

Les Liens du sang
Gallimard, « Série noire », 2009
et « Folio Policier », n° 619

Les Leçons du Mal
Seuil Policiers, 2011
et « Points », n° P2754

Mémoire assassine
Point Deux, 2011
et « Points », n° P3169

Au lieu-dit Noir-Étang…
Edgar Award
Seuil Policiers, 2012
et « Points », n° P2945

Dernière Conversation avec Lola Faye
« Points », n° P3297, 2013

Le Dernier Message de Sandrine Madison
Seuil Policiers, 2014

RÉALISATION : IGS-CP À L'ISLE-D'ESPAGNAC
IMPRESSION : CPI BRODARD ET TAUPIN À LA FLÈCHE
DÉPÔT LÉGAL : JANVIER 2015. N° 122614 (3007701)
IMPRIMÉ EN FRANCE

Au lieu-dit Noir-Étang...
Thomas H. Cook

Dans une petite ville de Nouvelle-Angleterre, en 1926, le jeune Henry découvre la relation adultérine qu'entretiennent deux de ses professeurs. La solitude de M. Reed, marié et père de famille, l'intrigue ; tout comme le fascinent la beauté et le caractère passionné de Mlle Channing. Henry va être le témoin complice et muet de la tragédie qui se noue au lieu maudit appelé Noir-Étang.

Prix Edgar Allan Poe 1996
Edgar Award du Meilleur Roman policier
Grand Prix du Meilleur Polar des lecteurs
de Points 2013

« Un somptueux roman noir, romantique et échevelé. »

Le Figaro

Le cadavre dans la voiture rouge
Ólafur Haukur Símonarson

Divorcé, chômeur, Jonas accepte un poste
d'instituteur dans un petit port perdu au nord
de l'Islande. Il espère y mener une vie paisible,
loin des hommes, mais la réalité s'avère un
peu plus lugubre. Sourires hypocrites, intimi-
dations, menaces, tentatives de meurtre...
Dans le brouillard islandais, ce lieu supposé
être un havre de paix ressemble furieusement
à un traquenard !

Prix de littérature nordique des Boréales
de Normandie

*« Ólafur Haukur Símonarson a
implanté dans le fascinant paysage
d'Islande un polar qui a su puiser
aux meilleures sources des auteurs
américains. »*

Télérama